# DANS LES COULISSES
# DU MUSÉE

# KATE ATKINSON

# DANS LES COULISSES
# DU MUSÉE

roman

Traduit de l'anglais
par Jean BOURDIER

Éditions de Fallois

PARIS

TITRE ORIGINAL :

BEHIND THE SCENES AT THE MUSEUM

© Éditions de Fallois, 1996 pour la traduction française
22, rue La Boétie, 75008 Paris

ISBN 2-87706-277-5

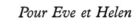

*Pour Eve et Helen*

Mes remerciements
à mon amie Fiona Robertson
pour toute l'aide qu'elle m'a apportée.

# CHAPITRE I

## 1951

## CONCEPTION

Ça y est, j'existe ! Je suis conçue alors que minuit sonne à la pendule posée sur la cheminée, dans la pièce de l'autre côté du vestibule. La pendule a appartenu autrefois à mon arrière-grand-mère (une femme nommée Alice) et c'est sa sonnerie fatiguée qui salue mon entrée dans le monde. Ma fabrication commence au premier coup de minuit et s'achève au dernier, au moment où mon père se retire de sur ma mère, roule de côté et se retrouve subitement plongé dans un sommeil sans rêve grâce aux cinq pintes de bière John Smith qu'il a bues au *Bol-de-Punch*, avec ses amis Walter et Bernard Belling. Lorsque j'ai été arrachée au néant, ma mère faisait semblant de dormir — comme elle le fait souvent en ces circonstances. Mais mon père a de la santé et il ne se laisse pas décourager pour autant.

Mon père s'appelle George, et il a dix bonnes années de plus que ma mère, qui ronfle maintenant, le nez dans l'oreiller voisin. Ma mère a pour nom Berenice, mais tout le monde l'a toujours appelée Bunty.

« Bunty » ne me semble pas un nom très adulte. Ne serait-il pas préférable pour moi d'avoir une mère avec un autre prénom ? Un prénom tout simple comme Jane, ou très maternel comme Mary ? Ou bien quelque chose de romantique, quelque chose faisant un peu moins penser aux illustrés pour adolescentes sportives — Aurore, par exemple, ou Camille ? Trop tard maintenant. Le nom de Bunty va, bien sûr, être « Maman » pour les quelques années à venir, mais, au bout d'un certain temps, il ne restera plus aucune dénomination maternelle (maman, m'man, man, mama, ma, mmm) paraissant appropriée, et je renoncerai plus ou moins à l'appeler de quelque nom que ce soit. Pauvre Bunty !

Nous habitons dans un endroit qu'on appelle *Au-Dessus de la Boutique*, ce qui n'est pas rigoureusement exact, car la cuisine et la salle à manger sont au même niveau que la boutique, et ce niveau inclut également la zone satellite de l'Arrière-Cour. La Boutique (où l'on vend des animaux et tout ce qui est nécessaire à leur survie terrestre) se trouve dans l'une de ces rues anciennes qui se tapissent à l'ombre dominatrice de la cathédrale de York. Dans cette rue ont vécu les premiers imprimeurs et les premiers fabricants de vitraux venus colorier les rayons de soleil pénétrant par les fenêtres de la ville. La Neuvième Légion romaine, ayant conquis le nord de la grande île britannique, a arpenté notre rue, sa *via praetoria*, avant de s'évanouir dans les vapeurs du temps. Guy Fawkes est né là, Dick Turpin a été pendu quelques rues plus loin, et Robinson Crusoe, cet autre héros prestigieux, est aussi un fils de notre ville. Qui dira lesquels d'entre eux appartiennent à la réalité et lesquels à la fiction ?

Dans ces rues, l'histoire suinte de tous les murs. La maison où se trouve notre Boutique a des siècles, ses murs penchent et ses planchers se renflent. Une construction s'est toujours dressée là depuis la présence romaine, et inutile de dire que l'endroit a sa juste part d'occupants plus légers que l'air, dont les ectoplasmes viennent s'enrouler autour des piliers et des balustrades et se traîner misérablement derrière notre dos. Nos fantômes se pressent tout particulièrement dans les escaliers, qui sont nombreux. Ils ont beaucoup à se dire. On peut entendre, si l'on écoute bien, les divers bruits qu'ils font : celui des avirons vikings plongeant dans l'eau, celui des sabots de la chasse à courre d'Harrogate sur les pavés inégaux, le glissement des pieds d'antan à un bal de l'hôtel de ville, et le grattement de la plume d'oie du Révérend Sterne.

En même temps qu'un lieu géographique, *Au-Dessus de la Boutique* est aussi un royaume autarcique, avec ses propres lois primitives et deux prétendants rivaux à la couronne : George et Bunty.

La conception a rendu Bunty irritable, situation dans laquelle

elle se complaît volontiers, et ce n'est qu'après s'être tournée et retournée de multiples fois dans son lit qu'elle succombe à un sommeil agité et traversé de rêves. Invitée à choisir librement dans le catalogue offert par l'empire des songes pour sa première nuit en tant que ma mère, Bunty s'est arrêtée sur les poubelles.

Dans son rêve, elle se trouve aux prises avec deux lourdes poubelles dans l'Arrière-Cour. De temps à autre un coup de vent vicieux vient lui plaquer les cheveux sur les yeux et la bouche. Elle se prend d'une méfiance toute particulière envers l'une des deux poubelles, en laquelle elle croit voir se développer une personnalité — une personnalité étrangement semblable à celle de George.

Soudain, alors qu'elle soulève avec effort l'une des poubelles, celle-ci lui échappe et retombe avec un horrible grincement de métal galvanisé, répandant son contenu sur le sol cimenté de la cour. Des détritus, provenant pour la plupart de la Boutique, se sont dispersés de tous côtés : sacs vides de pâte à biscuits Wilson, paquets vides de Trill, boîtes de Kit-e-Kat et de Chappie ouvertes et très proprement remplies de pelures de pommes de terre et de morceaux de coquilles d'œufs, pour ne pas parler de mystérieux paquets enveloppés de papier journal et semblant contenir des membres de bébés assassinés. Malgré tout ce désordre, Bunty, dans son sommeil, ressent une bouffée de plaisir en voyant combien ses ordures sont propres et nettes. Comme elle se penche et commence à les ramasser, elle sent quelque chose bouger derrière elle. Oh, non ! Sans même se retourner, elle sait que c'est la poubelle George, qui a pris les proportions d'un géant, se penche au-dessus d'elle et s'apprête à l'aspirer jusque dans ses profondeurs métalliques...

Je ne puis m'empêcher de penser que ce rêve n'augure pas bien de mon avenir. Je voudrais une mère dont les rêves soient différents. Qui rêverait de nuages en crème glacée, d'arcs-en-ciel en sucre filé, de soleils traversant le ciel comme des chariots d'or... N'importe, c'est le début d'une ère nouvelle. Nous sommes le 3 mai, et un peu plus tard aujourd'hui, le Roi va inaugurer officiellement le Festival de Grande-Bretagne. Sous la fenêtre, un chœur très matinal salue mon arrivée.

À ce concert des oiseaux, dans le jardin, viennent bientôt s'ajouter les criailleries du Perroquet dans la Boutique. Puis la sonnerie stridente du réveille-matin se déclenche. Bunty se réveille avec un petit cri, arrête la sonnerie d'une tape sèche sur le réveil. Elle reste une minute couchée, immobile, guettant les menus bruits de la maison. Le silence n'est rompu, pour le moment, que par les jacasseries occasionnelles des oiseaux. Même nos fantômes dorment encore, lovés dans les coins sombres ou étendus sur les tringles à rideaux.

Puis, soudain, George se met à ronfler dans son sommeil. Ce ronflement réveille tout au fond de lui un instinct primitif, et il projette un bras en travers du corps de Bunty, la clouant sur le lit, et commence à explorer la portion de chair sur laquelle sa main s'est abattue (un morceau de ventre sans intérêt particulier, mais qui se trouve m'abriter personnellement). Bunty s'arrange pour se faufiler hors de l'étreinte de George ; elle a déjà dû endurer un acte sexuel — celui qui m'a produit — durant les douze dernières heures, et un de plus sortirait de toutes les normes. Elle se dirige vers la salle de bains où la cruelle lumière du plafonnier vient ricocher sur le carrelage blanc et noir et sur le porte-serviettes en chrome, renvoyant à Bunty dans la glace son visage matinal, blafard et creusé d'ombres suspectes. Un instant elle ressemble à une tête de mort, et le suivant elle ressemble à sa mère. Elle se demande laquelle des deux images est la pire.

Elle se brosse les dents avec vigueur pour éliminer le goût de nicotine de la moustache de George, puis, afin de conserver les apparences (une notion importante pour Bunty, encore qu'elle ne sache pas très bien pourquoi elle les conserve), elle se peint sur les lèvres un sourire rouge vif en forme de cœur, qu'elle inspecte dans la glace en se montrant les dents. La glace lui renvoie d'impitoyables images, mais, dans ses rêves en 35 mm, elle se transforme en un sosie de Vivien Leigh pirouettant devant un miroir à pied.

La voilà prête à affronter sa première journée dans le rôle de ma mère. Elle descend en faisant craquer une à une les marches vétustes (dans son rêve éveillé, c'est le vaste escalier de la plantation avec sa courbe majestueuse — je découvre que Bunty passe beaucoup de temps dans le monde parallèle du rêve). Elle s'efforce de ne faire aucun bruit, car elle ne veut pas réveiller les autres — et particulièrement Gillian. Gillian exige de l'attention. C'est ma sœur. Elle a presque trois ans, et va être très surprise quand elle découvrira mon existence.

14

Bunty se fait une tasse de thé dans la cuisine jouxtant la Boutique, goûtant l'un de ses rares moments de solitude matinale. Dans une minute, elle va apporter à George une tasse de thé dans son lit — non par altruisme, mais pour l'avoir un peu plus tard dans les jambes. Ma pauvre mère est très déçue par le mariage ; cela n'a changé sa vie qu'en pire. Quand je capte ses ondes mentales, j'entends un incessant monologue sur les misères de la vie domestique. « Personne ne m'avait *dit* ce que ce serait ! La cuisine ! Le ménage ! Le travail ! » Je voudrais bien qu'elle arrête ces jérémiades et recommence à rêver, mais elle continue, inlassablement. « Et les enfants !... Les nuits interrompues ! Les caprices !... Et les douleurs de l'enfantement ! » Elle s'adresse directement au brûleur avant droit de la cuisinière, en dodelinant de la tête comme le Perroquet de la Boutique. « *Cela*, au moins, c'est fini !... » (Surprise !)

La bouilloire se met à siffler. Elle verse l'eau bouillante dans une petite théière brune et s'appuie contre la cuisinière en attendant que le breuvage infuse. Elle fronce légèrement les sourcils en tentant de se rappeler pourquoi, tout d'abord, elle a épousé George.

George et Bunty se sont rencontrés en 1944. George n'était pas le choix initial de Bunty, c'était Buck, un sergent américain (ma grand-mère avait eu un problème analogue de mariage en temps de guerre), mais Buck s'était fait sauter un pied en jouant avec une mine antipersonnel (« Toujours capables de n'importe quoi pour rigoler, ces Amerloques ! » avait fait remarquer avec dégoût Clifford, le frère de Bunty) et avait été réexpédié chez lui dans le Kansas. Bunty avait passé un temps considérable à attendre que Buck lui écrive pour l'inviter à venir partager sa vie dans le Kansas, mais elle n'avait jamais plus entendu parler de lui. Aussi George avait-il eu gain de cause. À la fin, Bunty s'était dit qu'un George avec deux pieds était peut-être préférable à Buck avec un seul, mais maintenant elle n'en est plus si sûre. (Buck et Bunty ! Cela aurait drôlement bien sonné.)

Songez un peu à la façon dont toutes nos vies auraient été différentes, si Buck avait fait venir Bunty au Kansas ! La mienne tout particulièrement. En 1945, le père de George s'est fait écraser par un tram lors d'une escapade à Leeds, et George a repris l'affaire familiale — la boutique d'animaux. Il a épousé Bunty, pensant qu'elle l'aiderait très efficacement à la Boutique (car elle avait déjà été vendeuse), sans savoir que Bunty n'avait aucune intention de travailler après son mariage. Le conflit ne faisait que commencer.

Le thé a infusé. Bunty explore l'intérieur de la théière avec sa cuillère et se verse une tasse. Ma toute première tasse de thé. Elle s'assied à la table de la cuisine et recommence à rêver, laissant derrière elle sa déception à l'égard de Buck et son mariage bâclé avec George, pour gagner un endroit où la brise d'été agite mollement un voile vaporeux. Sous ce voile il y a Bunty, toute vêtue d'organdi blanc, avec une taille de quarante-cinq centimètres et un nez différent. L'homme qui se tient à ses côtés est incroyablement beau et ressemble de façon frappante à Gary Cooper, tandis que Bunty elle-même a un faux air de Celia Johnson. Un énorme nuage de fleurs d'oranger menace de les envelopper tout entiers, tandis qu'ils se laissent aller à une étreinte passionnée — puis, brusquement, une intempestive note de réalité vient interrompre notre rêverie. Quelqu'un vient tirer la robe de chambre de Bunty en geignant de peu plaisante façon.

La voilà ! Voilà ma sœur ! Toute en jambes et en bras potelés et moelleux, en douces odeurs de lit, elle escalade l'Eiger du corps de Bunty et vient presser son petit visage ensommeillé dans la fraîcheur de son cou. Bunty desserre les petits poings qui se sont refermés sur ses cheveux et redépose Gillian sur le sol.

— Descends, dit-elle d'un ton maussade. Maman réfléchit.

(En fait, Maman se demande à quoi ressemblerait la vie si toute sa famille était subitement anéantie et si elle-même pouvait repartir à zéro.) Pauvre Gillian !

Mais Gillian ne se laisse pas ignorer longtemps — ce n'est pas son genre — et à peine avons-nous eu notre première gorgée de thé qu'il faut veiller à ses besoins. Bunty fait chauffer du porridge, prépare des toasts et des œufs à la coque. George ne peut supporter le porridge et adore le bacon, les saucisses et les rissoles, mais Bunty se sent l'estomac un peu barbouillé ce matin. (J'ai droit à toutes sortes d'informations de caractère intime.)

— S'il veut du bacon, il n'a qu'à se le faire lui-même, maugrée-t-elle en versant un plein bol de porridge (plutôt grumeleux) à Gillian.

Puis elle emplit un deuxième bol pour elle-même — elle

pense qu'elle va pouvoir supporter un fond de porridge — puis un troisième. Pour qui donc ? Blanche-Neige ? Pas pour moi, sûrement ? Non, évidemment non — surprise : j'ai une autre sœur ! Bonne nouvelle, bien qu'elle paraisse du genre un peu mélancolique. Elle est déjà lavée, vêtue de son uniforme scolaire et les cheveux brossés. Elle a juste cinq ans et s'appelle Patricia. Elle contemple le porridge dans son bol avec une expression un peu bizarre sur son petit visage sans grâce. C'est qu'elle déteste le porridge. Gillian avale le sien comme le héros aquatique de son petit livre *Le Vilain Canard gourmand*.

— Je n'aime pas le porridge, se hasarde à dire Patricia.

C'est la première fois qu'elle tente une attaque frontale sur le porridge. Habituellement, elle se contente de le tourner et retourner avec sa cuillère jusqu'à ce qu'il soit trop tard pour le manger.

— Pardon ? demande Bunty.

Ce simple mot tombe comme un glaçon sur le linoléum de la cuisine. (Notre mère n'est pas vraiment du matin.)

— Je n'aime pas le porridge, répète Patricia sur un ton déjà moins assuré.

Du tac au tac, Bunty siffle :

— Eh bien, moi, je n'aime pas les enfants ! Pas de veine, hein ?

Elle plaisante, évidemment. Ou est-ce que je me trompe ?

Et pourquoi ai-je cette curieuse sensation d'avoir mon ombre accrochée dans le dos, de ne pas être seule là où je suis ? Serais-je hantée par mon propre fantôme embryonnaire ?

*

— Occupe-toi de la Boutique, Bunt !

(Bunt ? C'est encore pire.)

Et sur ce il s'en va. Juste comme cela ! Bunty fulmine intérieurement. « Il pourrait au moins demander : "Bunty, est-ce que cela te gênerait de t'occuper un peu de la Boutique à ma place ?" Et bien sûr que cela me gênerait ! Beaucoup, même. Comment se pourrait-il que cela ne me gêne pas de rester comme une gourde derrière le comptoir ? »

Bunty n'aime pas la promiscuité de la boutique. Elle a l'impression que ce n'est pas seulement de la nourriture pour

17

chiens et chats et, de temps à autre, une perruche qu'elle vend, mais bien elle-même. Au moins, quand elle travaillait pour Mr. Simon (*Modelia — Mode et couture de qualité pour dames*), on vendait des choses raisonnables : des robes, des corsets, des chapeaux. Qu'est-ce qu'il y a de raisonnable dans une perruche ? Et, qui plus est, ce n'est pas *normal* d'être poli avec tout le monde toute la journée. (Pour George, en revanche, c'est une seconde nature : bavarder, faire la même remarque sur le temps vingt fois en une matinée, minauder, sourire et puis jeter le masque dès qu'on sort de scène. Les enfants de boutiquiers — Tchekov et moi, par exemple — restent meurtris à tout jamais d'avoir vu leurs parents s'humilier d'aussi outrageante façon.)

Bunty se dit qu'il va lui falloir parler à George, souligner qu'elle est une épouse et une mère, et non une vendeuse. Et, autre chose, où donc va-t-il ainsi tout le temps ? Il ne cesse de « faire un saut dehors », vers de mystérieuses destinations. Tout cela va devoir changer. Assise derrière le comptoir, Bunty fait cliqueter ses aiguilles numéro neuf comme une tricoteuse attendant qu'on passe George à la guillotine alors qu'elle devrait tricoter mon avenir : une jolie petite layette avec de la dentelle et des rubans roses. Des chaussons rouges magiques pour m'accompagner dans mon voyage. Le Chat de la Boutique — un gros tigré castré qui passe ses journées installé sur le comptoir avec un air malveillant — saute sur les genoux de Bunty, qui le projette aussitôt à terre. Elle a parfois l'impression que le monde entier essaie de grimper sur elle.

— Boutique !

C'est George qui revient. Les perruches se réveillent et battent des ailes dans leurs cages.

« Boutique » ! Pourquoi « Boutique » ? George et Bunty disent toujours cela lorsqu'ils entrent dans la boutique. S'adressent-ils à la Boutique au vocatif (« Ô Boutique ! ») ou au nominatif ? Veulent-ils le rassurer sur son existence ? Ou se rassurer eux-mêmes à ce sujet ? Font-ils semblant d'être des clients ? Mais pourquoi faire semblant d'être ce que l'on déteste ? « Boutique ! » J'ai bien peur que cette exclamation ne demeure un mystère permanent, existentiel.

Mais, maintenant, nous sommes libérées du comptoir (Bunty vient de vendre le Chat de la Boutique, mais elle ne l'a pas dit à

George. Pauvre chat) et nous pouvons nous en aller à la découverte du monde. Il nous faut d'abord en passer par le rituel de l'habillage de Gillian, afin de permettre à celle-ci de survivre dans l'atmosphère extérieure à la Boutique. Le mois de mai n'inspire pas confiance à Bunty, et Gillian a donc son corselet en Liberty fermement ajusté sur sa petite peau toute neuve de chérubin. Suivent un jupon, un chandail d'épaisse laine rouge tricoté par les doigts inlassables de Bunty, un kilt aux couleurs du *Royal Stewart* et des chaussettes montantes en coton blanc qui viennent couper en deux ses petites pattes grassouillettes. Finalement, Bunty enfile à Gillian son petit manteau bleu pâle à col de velours et la coiffe de son petit bonnet de laine blanche, dont les rubans viennent entamer son double menton. Moi, de mon côté, je continue à flotter, libre et nue. Pas encore de moufles ni de bonnets pour moi, mais simplement les confortables entrailles d'une Bunty encore inconsciente du précieux fardeau qu'elle porte.

Patricia, l'ennemie du porridge, a déjà été, depuis deux heures, traînée par George jusqu'à l'école au bout de la rue. Elle est maintenant dans la cour de récréation, buvant son lait, repassant mentalement sa table des quatre (elle est très consciencieuse) et se demandant pourquoi personne ne l'invite à jouer. Cinq ans seulement et déjà un cas social ! Les trois cinquièmes de la famille remontent présentement Blake Street en direction des Jardins du Musée. Bunty marche, je flotte et Gillian, qui a insisté pour cela, chevauche son tricycle Tri-ang tout neuf. Bunty considère que les parcs représentent une espèce de gaspillage de l'espace et du temps — des trous de l'existence pleins d'air, de lumière et d'oiseaux, alors qu'ils pourraient être remplis par quelque chose d'utile, comme les travaux ménagers.

Les travaux ménagers, voilà quelque chose de réel et d'impératif ! Pourquoi gaspiller son temps dans les parcs ? D'un autre côté, les enfants sont *censés* jouer dans les parcs — Bunty l'a lu dans la section « puériculture » de son encyclopédie domestique, qui est formelle à ce sujet. En conséquence, un peu de temps doit être sacrifié, vaille que vaille, à l'air frais, et, en conséquence aussi, elle paie ses six pence à l'entrée des Jardins du Musée pour nous assurer en exclusivité ce précieux air.

Ma première journée ! Tous les arbres des Jardins du Musée arborent des feuilles neuves et, très haut au-dessus de la tête de

Bunty, le ciel est d'un bleu soutenu : si elle étendait la main (ce qu'elle ne fera pas), elle pourrait le toucher. De petits nuages blancs dodus se catapultent comme des petits moutons trop pressés. Nous sommes dans des cieux du Quattrocento, avec des oiseaux virevoltant au-dessus de nos têtes, à tire-d'aile, tous leurs petits muscles contractés — anges de l'Annonciation en miniature, venus proclamer mon arrivée. Alléluia !

Non que Bunty remarque quoi que ce soit. Elle surveille Gillian, dont le tricycle épouse toutes les courbes et tous les tournants du parc, comme pour suivre quelque itinéraire mystérieux et magique. J'ai peur que Gillian ne finisse son parcours encastrée dans les massifs de fleurs. Au-delà des grilles du parc, on aperçoit une large rivière aux eaux calmes et, juste devant nous, les ruines blanchâtres de St. Mary's Abbey. Un paon saute de son mur en criaillant et vient atterrir lourdement sur l'herbe à nos pieds. Ce monde tout neuf est merveilleux, peuplé de tant de créatures diverses !

Deux hommes, que nous appellerons Bert et Alf, s'emploient à tondre la pelouse. À la vue de Gillian, ils interrompent leur travail et, s'appuyant une minute sur leur énorme tondeuse, la regardent évoluer avec un plaisir manifeste. Bert et Alf ont fait la guerre dans le même régiment, dansé aux mêmes bals sur la musique d'Al Bowlly, couru ensemble les femmes (des femmes très semblables à Bunty), et maintenant ils coupent l'herbe ensemble. Il leur arrive peut-être de penser que la vie a été quelque peu injuste envers eux, mais la vue de Gillian a la vertu de les réconcilier un moment avec l'existence. (On dit que les enfants nés le dimanche sont beaux, bons et gais. Gillian était née un dimanche et avait encore quelques-unes de ces qualités en 1951. Malheureusement, elle les perdit assez vite.) Propre et pimpante comme un sou neuf ou comme une savonnette encore intacte, elle représentait tout ce pour quoi Bert et Alf avaient combattu pendant la guerre — notre Gillian, la promesse des lendemains qui chantent. (En fin de compte, ils ne devaient pas chanter longtemps, Gillian étant appelée à se faire écraser par une Hillman Husky bleue en 1959, mais qui eût pu le savoir ? Dans la famille, nous sommes génétiquement enclins aux accidents, l'accident de la circulation et l'explosion étant les plus fréquents.)

Bunty (notre mère, la fleur de la féminité britannique) est

irritée par l'attitude de Bert et d'Alf. (C'est à se demander si elle ressent jamais autre chose que de l'irritation.) « Ils ne pourraient pas s'occuper de leur saleté d'herbe ? » maugrée-t-elle intérieurement, en dissimulant ses pensées derrière un magnifique sourire totalement artificiel.

Temps de partir ! Bunty est lasse de cette oisiveté prolongée et il nous faut aller faire quelques emplettes dans les magasins des autres. Elle se prépare pour la Scène avec Gillian, car scène avec Gillian il va assurément y avoir. Elle parvient à l'extraire des massifs de fleurs pour la remettre sur le droit chemin de la vie, mais Gillian, sans savoir qu'elle gaspille ainsi un temps précieux, continue à pédaler lentement, s'arrêtant pour admirer les fleurs, ramasser des cailloux et poser des questions. Bunty garde une expression de sérénité angélique aussi longtemps qu'elle le peut, puis son impatience prend le dessus et elle saisit le guidon du tricycle pour le tirer brusquement en avant. Ce geste a pour désastreuse conséquence de projeter Gillian sur le sol, où elle se répand en un adorable petit tas blanc et bleu, ravalant son souffle et hurlant en même temps. Je n'en reviens pas : vais-je devoir apprendre à faire cela moi aussi ?

Bunty remet Gillian sur ses pieds en feignant d'ignorer qu'elle a les paumes et les genoux écorchés. (Bunty tend à se comporter comme si toute manifestation de douleur, ou, en fait, d'émotion quelconque, provenait d'un trouble de la personnalité.) Là, consciente d'être observée par Bert et par Alf, elle arbore un sourire hypocrite et murmure tout bas à Gillian qu'elle aura des bonbons ultérieurement si elle arrête aussitôt de hurler. Gillian se plonge immédiatement le poing dans la bouche. Sera-t-elle une bonne sœur ? Bunty est-elle une bonne mère ?

Bunty sort du parc la tête haute, tirant Gillian d'une main et le tricycle de l'autre. Bert et Alf retournent en silence à leur tondeuse. Une brise légère fait bruire les feuilles toutes neuves sur les arbres et ouvre les pages d'un journal abandonné sur un banc. Une photographie de la tour Skylon oscille ainsi au vent d'un air racoleur — semblable à une cité de demain, une Oz de science-fiction. Cela n'a pas grand intérêt pour moi — je me tortille comme je peux dans un courant d'humeurs putrides libéré en Bunty par l'incident du tricycle et la contrariété qu'il a provoquée.

— Alors, chérie, qu'est-ce que je vous donne ?

La voix du boucher résonne dans toute la boutique.

— Un joli petit bout de viande bien rouge, hein ?

Il fait un clin d'œil salace à ma mère, qui feint de n'avoir rien entendu ni remarqué, alors que tous les autres clients se tordent de rire. Les clients de Walter l'aiment bien. Il se comporte comme un boucher de film comique, se singeant lui-même avec son tablier bleu marine et blanc taché de sang et son canotier. C'est un cockney de Londres, et cela seul suffit à lui donner un caractère particulier et un peu inquiétant pour nous, enfants du Yorkshire profond. Dans le bestiaire personnel de Bunty (tous les hommes sont des bêtes), Walter est un cochon, avec sa peau lisse et luisante, bien tendue sur sa chair grasse et compacte. Bunty demande un morceau de bœuf et un rognon de son ton le plus neutre, mais le boucher s'esclaffe comme si elle avait proféré la pire grivoiserie.

— Quelque chose pour donner du cœur à l'ouvrage au mari, hein ? tonitrue-t-il.

Bunty se penche en faisant semblant de renouer l'un des lacets de souliers de Gillian pour que nul ne voie ses joues s'empourprer.

— Pour vous, ma belle, tout ce que vous voudrez ! proclame Walter.

Et, soudain, il tire d'on ne sait où un énorme couteau, qu'il commence à affûter lentement et méticuleusement sans quitter Bunty des yeux. Elle reste penchée le plus longtemps possible sur Gillian, faisant mine de poursuivre une conversation en règle avec celle-ci ; souriant et hochant la tête comme si Gillian avait des choses passionnantes à raconter. (Alors que, bien entendu, Bunty n'a jamais prêté la moindre attention à ce que nous pouvions dire, sauf lorsque nous laissions échapper un mot grossier.)

Le boucher se met à siffler très fort l'air du Toréador de *Carmen* en soupesant très ostensiblement de la main un gros rognon rouge et luisant.

— Tu devrais faire du théâtre, Walter, fait une voix au fond de la boutique.

Un murmure approbateur s'élève du reste de la clientèle. Bunty, qui a dû finir par se relever, est assaillie par une pensée troublante : le rognon que brandit Walter présente une étrange ressemblance avec une paire de testicules. (Non que « testicules » soit un mot très familier pour elle ; elle appartient à une génération de femmes peu au fait de la terminologie anatomique véritable.)

Walter plaque avec un bruit sourd le rognon sur la dalle du comptoir et commence à le découper, maniant le couteau avec une incroyable dextérité. Son public laisse échapper un soupir collectif d'admiration.

Si Bunty avait le choix, elle irait chez un autre boucher, mais la boutique de Walter est toute proche de la nôtre. De plus, non content d'être collègue et voisin, Walter est un ami de George, tout en n'étant rien de plus qu'une relation pour Bunty. Celle-ci aime bien ce mot : « relation ». Cela fait chic et cela n'engage pas à tous les ennuis qu'entraîne l'amitié. Mais, relation ou non, Walter est difficile à tenir à distance, comme Bunty l'a appris à ses dépens les deux ou trois fois où il a réussi à la coincer derrière la machine à découper les saucisses, au fond de la boutique. George et Walter se rendent mutuellement des « services ». C'est ce que fait en ce moment Walter en se livrant, en pleine vue de la clientèle, à un numéro de prestidigitation avec la viande qui va donner à Bunty beaucoup plus que ce qui est prévu par ses coupons de rationnement. Walter ayant la réputation d'un homme à femmes, Bunty n'est guère contente de voir George le fréquenter. George *prétend* que ce genre de choses ne l'intéresse pas, mais Bunty est loin d'en être convaincue. Elle préfère l'autre ami de George, Bernard Belling, qui a un magasin de matériel de plomberie et qui, lui, ne truffe pas sa conversation de sous-entendus salaces.

Bunty prend le paquet de viande en évitant le regard de Walter et en adressant un sourire contraint à la carcasse de mouton pendue derrière l'épaule gauche de celui-ci. Elle sort sans rien dire, mais, à l'intérieur d'elle-même, Scarlett fait, de rage, virevolter ses multiples jupons.

En sortant de chez Walter, nous allons chez les Richardson, les boulangers. Nous achetons un gros pain blanc, mais pas de gâteaux, car Bunty estime qu'acheter des gâteaux dans le commerce au lieu de les faire soi-même marque la démission d'une maîtresse de maison. Puis nous allons chez Hannon acheter des pommes, des choux nouveaux et des pommes de terre, et chez Borders acheter du café, du fromage et du beurre, que l'homme derrière le comptoir prélève sur une grosse meule et met en forme devant nous avec une palette. À ce moment, nous sommes toutes, je pense, un peu fatiguées, et Bunty doit houspiller Gillian pour la faire pédaler le long de Gillygate et de Clarence Street jusqu'à notre dernière escale. Gillian est devenue de la couleur d'un homard trop cuit et souhaiterait sans doute n'avoir jamais demandé à prendre son tricycle. Il lui faut pédaler furieusement pour se maintenir à la hauteur de Bunty, qui n'est pas loin (je le sais) de perdre patience.

*

Nous atteignons enfin Lowther Street et la maison à façade étroite où habite Nell. Nell est ma grand-mère, la mère de Bunty, la fille d'Alice. Sa vie tout entière peut se définir par sa parenté avec d'autres.

Mère de : Clifford, Babs, Bunty, Betty, Ted.

Fille de : Alice.

Belle-fille de : Rachel.

Sœur de : Ada (morte), Lawrence (présumé mort), Tom, Albert (mort), Lillian (pratiquement morte).

Femme de : Frank (mort).

Grand-mère de : Adrian, Daisy, Rose, Patricia, Gillian, Ewan, Hope, Tim et maintenant... MOI !

L'estomac de Bunty fait des bruits de tonnerre à mes oreilles — c'est presque l'heure du déjeuner, mais elle ne peut supporter l'idée de manger quoi que ce soit. Ma grand-mère toute neuve donne à Gillian un verre de Kia-ora orange vif et, à nous, des biscuits et du café Camp, qu'elle fait bouillir dans une casserole avec du lait pasteurisé. Bunty a l'impression qu'elle va vomir. Il lui semble avoir encore sur la peau l'odeur composite de sciure de bois et de chair en décomposition provenant de la boucherie.

— Tout va bien, Maman ? demande Bunty, sans attendre une réponse.

Nell est petite et pratiquement à deux dimensions. Pour une aïeule, je ne la trouve pas très impressionnante.

Bunty remarque une mouche se dirigeant à pas comptés vers les biscuits. Elle s'empare sournoisement de la tapette que ma grand-mère conserve toujours à portée de la main et anéantit la mouche d'un souple mouvement de poignet. Il y a seulement une seconde, cette mouche était en parfaite santé, et maintenant elle est morte. Hier, je n'existais pas, et maintenant je suis là. La vie n'est-elle pas extraordinaire ?

La présence de Bunty commence à porter sur les nerfs de Nell, qui s'agite dans les profondeurs de son fauteuil, se demandant quand nous allons nous décider à nous en aller et à la laisser écouter la radio en paix. Bunty ressent à ce moment une vague de nausées due à mon arrivée inattendue. Gillian a bu son Kia-ora et est en train de prendre sa revanche sur le monde. Jouant avec la boîte de couture de sa grand-mère, elle y choisit un bouton, un bouton de verre rose en forme de fleur (voir Annexe I) et, lentement et délibérément, l'avale. C'est le mieux qu'elle puisse trouver pour remplacer les bonbons inconsidérément promis par sa mère dans les Jardins du Musée.

★

— Cette saleté de perroquet !

George brandit son doigt blessé sous les yeux d'une Bunty indifférente. (Comme je l'ai déjà précisé, elle n'est pas très sensible à la douleur des autres.) Elle est dans la farine et la levure jusqu'aux coudes, et son estomac donne de nouveau des signes de rébellion. Elle regarde avec dégoût George prendre l'un des petits gâteaux que nous avons passé la moitié de l'après-midi à faire et l'avaler d'une seule bouchée, sans même y jeter un coup d'œil.

L'après-midi a été quelque peu décevant. Nous sommes ressorties, mais simplement pour aller acheter de la laine grisâtre chez une vieille femme dont la timidité m'a fait regretter les techniques commerciales très particulières de Walter. J'espérais que nous irions chez un fleuriste pour célébrer mon arrivée avec quelques guirlandes de roses, mais non. J'oublie toujours que personne ne sait encore rien de ma présence.

Nous sommes allées chercher Patricia à l'école, mais ce n'était pas passionnant non plus.

— Qu'est-ce que tu as fait aujourd'hui ?

— Rien.

(Réponse soulignée d'un haussement d'épaules.)

— Qu'est-ce que tu as eu pour déjeuner ?

— Me souviens pas.

(Nouveau haussement d'épaules.)

— As-tu joué avec des camarades ?

— Non.

— Ne hausse pas les épaules comme cela, Patricia !

★

Bunty sectionne en cubes le rognon ensanglanté, l'idée des testicules toujours présente à l'esprit. Elle déteste cuisiner : pour elle, c'est un peu l'obligation d'être gentille avec les autres. Et la voilà repartie dans ses récriminations intérieures : « Je passe ma vie à faire la cuisine... Je suis *l'esclave* de la maison. *Enchaînée* aux fourneaux... Tous ces repas, jour après jour... Et qu'est-ce qui leur arrive ? On les mange, sans un mot de remerciement, et c'est tout. » Parfois, quand Bunty est devant sa cuisinière, son cœur se met à cogner très fort à l'intérieur de sa poitrine et elle a l'impression que le sommet de sa tête va éclater, qu'un cyclone va lui déchirer le crâne et arracher tout ce qu'il y a en elle. (Heureusement qu'elle n'est pas allée au Kansas.) Elle ne comprend pas pourquoi elle se sent ainsi (demandez à Alice — voir de nouveau Annexe I), mais c'est en train de lui arriver en ce moment même. C'est pourquoi lorsque George revient dans la cuisine, prend un autre gâteau et annonce qu'il sort « pour affaires » (en se tapotant même le bout du nez — j'ai de plus en plus l'impression de me retrouver dans un mauvais film), Bunty tourne vers lui un visage convulsé par une rage meurtrière et lève le couteau comme si elle allait le poignarder. Serait-on en train de mettre le feu à Atlanta ?

— J'ai vraiment une affaire à régler, se hâte de dire George.

Bunty se ravise et poignarde le morceau de bœuf.

— Qu'est-ce que tu as, bon Dieu ? demande George. Qu'est-ce que tu crois que je vais faire ? Rencontrer une autre femme pour faire des galipettes sur le toit ? (Assez astucieuse question, puisque c'était précisément ce qu'il entendait faire.)

Va-t-on rejouer la Guerre de Sécession dans la cuisine ? Va-t-on brûler Atlanta ? J'attends en retenant mon souffle.

Eh bien, non. Ce sera pour un autre jour. Sauvés par le gong, comme dirait Ted, le frère de Bunty, s'il était là. Mais il n'est pas

26

là ; il est dans la marine marchande, en train de se faire chahuter par les mers de Chine. Bunty renonce soudain à la guerre et reporte son attention sur le bœuf et le rognon.

★

Eh bien, ma première journée est presque terminée, Dieu merci. Elle a été très fatigante pour certains d'entre nous, moi et Bunty en particulier. George n'est pas encore rentré, mais Bunty, Gillian et Patricia dorment à poings fermés. Bunty est retournée au pays des rêves. Elle rêve que Walter déboutonne son corsage de ses mains porcines et lui triture la chair avec des doigts ressemblant à des saucisses. Gillian ronfle, en proie à un cauchemar à la Sisyphe où elle doit pédaler sur son tricycle pour monter une côte qui n'en finit pas. Patricia dort profondément, les traits tirés, serrant contre elle son panda. Les fantômes vagabondent en s'efforçant de créer quelques ennuis domestiques au passage, faisant tourner le lait et répandant de la poussière sur les étagères.

Je suis bien éveillée moi aussi, flottant tout à loisir dans l'océan interne de Bunty. Je frappe l'un contre l'autre à trois reprises mes petits talons nus et me disant qu'on est décidément bien chez soi.

Le lendemain matin, George est d'une humeur exceptionnelle. (Sa nuit dehors — avec Walter — a été des plus satisfaisantes.) Il réveille ma mère :

— Le petit déjeuner au lit, cela te plairait, Bunt ?

Bunty grogne.

— Quelques saucisses ? Du boudin ?

Bunty laisse échapper un gémissement que George prend pour un « oui ». Tandis qu'il disparaît vers la cuisine elle se précipite vers la salle de bains. Pendant une seconde, elle croit voir, dans le miroir, Scarlett lui sourire en technicolor, mais elle se met à vomir et l'image disparaît. Comme elle appuie son front brûlant contre la porcelaine toute fraîche, une idée terrible se forme dans sa tête : elle est enceinte ! (Pauvre Bunty, condamnée à vomir chaque matin de chaque grossesse ! Pas étonnant qu'elle nous ait toujours dit que nous la rendions malade.) Elle s'assied brusquement sur le siège des toilettes en étouffant un hurlement — ce n'est pas possible ! (Mais si, mais

27

si, mais si, Bunty va avoir un bébé. Moi !) Elle lance la première chose qui lui tombe sous la main (un soulier rouge) vers le miroir, qui se brise en un million de morceaux.

Je ne tiens que par un fil, comme un bouton. Au secours ! Où sont mes sœurs ? (Endormies.) Mon père ? (Préparant le petit déjeuner.) Où est ma mère ?

★

Mais gardons le moral — le soleil brille dans le ciel et il va encore faire très beau aujourd'hui. La foule va se presser au Parc des Expositions et sous le Dôme de la Découverte pour admirer la tour Skylon et la cité de demain. L'avenir ressemble à un placard plein de lumière et le tout est de trouver la clé qui en ouvre la porte. Les oiseaux bleus volent au-dessus de nous en chantant à tue-tête. Ce monde est merveilleux !

# ANNEXE I

## UNE IDYLLE CAMPAGNARDE

La photographie est insérée dans un cadre d'argent avec un fond de velours et un verre ovale derrière lequel mon arrière-grand-mère contemple le monde avec une expression ambiguë.

Elle se tient très droite, sa main gauche ornée d'une alliance reposant sur le dossier d'une chaise-longue. Derrière elle on aperçoit le décor de studio typique de l'époque, avec des collines méditerranéennes baignées de brume derrière une balustrade en trompe-l'œil. Mon arrière-grand-mère est coiffée en bandeaux bien répartis autour d'une raie médiane. Sa robe de satin à col montant comporte un corsage aussi rembourré qu'un coussin. Un médaillon est suspendu à son cou, et ses lèvres sont entrouvertes en une expression d'expectative. Elle a la tête légèrement renversée vers l'arrière, mais elle regarde droit vers l'appareil (ou vers le photographe). Ses yeux semblent noirs et leur expression est insaisissable. Elle semble sur le point de dire quelque chose, mais je serais bien incapable d'imaginer quoi.

Je n'avais encore jamais vu cette photographie. Bunty l'a fait apparaître un jour comme par magie. Son oncle Tom venait de mourir à la maison de retraite, et elle était allée chercher ses maigres affaires, qui tenaient toutes dans une boîte en carton. De la boîte, elle avait sorti cette photographie, et quand j'avais demandé qui elle représentait, elle m'avait dit que c'était sa grand-mère, mon arrière-grand-mère.

— Elle avait beaucoup changé, n'est-ce pas ? dis-je, en suivant du doigt le tracé du visage de mon arrière-grand-mère sur le verre du cadre. Elle est laide et grosse sur la photo que tu as — celle qui est prise dans la cour de Lowther Street, avec toute la famille.

Sur cette photographie au dos de laquelle *1914, Lowther Street* est inscrit d'une encre bleue délavée, mon arrière-grand-mère est assise, grosse et massive, sur un banc de bois avec, d'un côté, Nell (mère de Bunty), et de l'autre Lillian (sœur de Nell). Debout derrière elles, il y a Tom, et, accroupi sur le sol, le plus jeune frère, Albert. Le soleil brille et il y a des fleurs grimpantes sur le mur derrière eux.

— Oh, non, fit Bunty. La femme qu'on voit sur la photo de Lowther Street, c'est Rachel — leur belle-mère, pas leur *vraie* mère. C'était une cousine ou quelque chose comme cela.

La femme dans le cadre d'argent — la vraie mère, la véritable épouse — continue à projeter à travers le temps son regard indéchiffrable.

— Comment s'appelait-elle ?

Bunty doit réfléchir une seconde.

— Alice, dit-elle enfin. Alice Barker.

Il apparaît que mon arrière-grand-mère nouvellement acquise est morte en donnant naissance à Nell. Peu après, mon bon à rien d'arrière-grand-père a épousé Rachel (la mère qui ne l'était pas, la fausse épouse). Bunty se souvenait vaguement que Rachel était venue, à l'origine, pour s'occuper des enfants, jouer le rôle d'une gouvernante très mal payée.

— Six enfants sans mère, expliqua-t-elle de sa voix la plus tragique. Il fallait bien qu'il épouse quelqu'un.

— Pourquoi ne m'as-tu jamais dit cela ?

— J'avais oublié.

Alice l'oubliée continuait à regarder droit devant elle. Je retirai la photographie de son cadre, dévoilant un peu plus du petit monde en sépia y figurant : un palmier en pot et un grand rideau drapé au coin d'un salon. À l'arrière de la photo, un tampon : *J.P. Armand, photographe ambulant*. Et, inscrite au crayon au-dessous, une date : *20 juin 1888*.

— 20 juin 1888, dis-je à Bunty, qui me reprit la photo d'un geste vif et se mit à l'examiner méticuleusement.

— On ne peut vraiment rien remarquer, dit-elle. La chaise-longue cache tout.

— Quoi ? Qu'est-ce qu'elle cache ?

— Ma mère est née en 1888. Le 13 juillet. Sur cette photo, Alice est enceinte de huit mois. De ma mère, Nell.

Est-ce pour cela qu'elle a cet air impénétrable ? Sent-elle la mort venir, tourner autour de ses jupes sépia, caresser ses cheveux sépia ? Bunty continuait à examiner la photo.

— Elle te ressemble, me dit-elle d'un ton accusateur, comme si la défunte Alice et moi participions à une même conspiration visant à semer le trouble alentour.

J'ai envie d'éviter à cette femme le sort qui l'attend. De plonger dans la photo pour l'y arracher...

★

Représentez-vous la scène...

Il y a cent ans. Par cette très chaude journée d'été, la porte du cottage est ouverte. Dans la cour, deux petits garçons luttent et roulent dans la poussière. Une jolie petite fille d'environ neuf ans, plus âgée que les garçons, est installée sur un tabouret près de la porte, apparemment indifférente au bruit que font ses frères. C'est Ada. Ses longs cheveux d'or pâle, qui retombent en boucles serrées, sont retenus par un ruban que la chaleur a rendu informe. À ses pieds, quelques poules picorent. Elle berce une poupée qu'elle tient dans ses bras, et son visage a revêtu une expression de piété maternelle rarement observée ailleurs que dans les représentations de la Nativité. Un chien dort dans l'ombre projetée par la grange, de l'autre côté de la cour, et un chat noir prend le soleil sur une charrue, en faisant de temps à autre une toilette paresseuse. Au-delà de la barrière, s'étendent les prés. Le long du côté sud du cottage, un potager a été creusé tant bien que mal dans le sol crayeux et ingrat. Des choux et des carottes y dépérissent en maigres rangées.

Tout se passe comme si quelqu'un avait pris une scène pastorale idyllique et en avait légèrement changé le caractère : le soleil est trop chaud, la lumière trop violente, les champs trop arides, les animaux trop maigres. Le cottage, bien que de délicieuse apparence, a un air curieusement artificiel. Qui sait ce qu'il y a dedans ?

Soudain, sans quitter pour autant son expression de Madone, la fillette saisit une pierre et la lance sur ses frères, atteignant le plus jeune, Tom, à la tête. Stupéfaits, les deux garçons se séparent d'un bond et s'enfuient en hurlant à travers champs, unis dans leur réprobation à l'égard de leur sœur. Ada, impassible, se remet à contempler sa poupée. Le soleil demeure au zénith, brûlant de rage. Dans la cuisine du cottage, une femme confectionne du pain, pétrissant la pâte sur une table en bois, la saisissant, la plaquant sur la table pour la malaxer de nouveau, la reprenant, la soulevant, puis la pétrissant encore. Un enfant de sexe encore indéterminé est assis sous la table. Il frappe sur des cubes de bois avec un marteau-jouet. (C'est donc probablement un garçon.) Il a les boucles angéliques de sa sœur aînée.

La femme, le visage congestionné par la chaleur du fourneau de cuisine, s'interrompt fréquemment pour redresser son dos endolori et passer la main sur son front. Elle se masse les reins à poings fermés. Elle a une rage de dents. Son ventre, gros de son prochain enfant, la gêne dans son travail.

Cette femme, c'est Alice. Cette femme, c'est mon arrière-grand-mère. Cette femme est perdue dans le temps. Cette femme a de superbes cheveux blonds relevés tant bien que mal en un chignon moite de sueur. Cette femme en a assez. Cette femme est sur le point de glisser hors de la vie. L'une de ces curieuses vaguelettes génétiques qui glissent à travers le temps fait que, dans les moments de tension et de fatigue, nous (Nell, Bunty, mes sœurs, moi) passons toutes notre main sur notre front exactement comme vient de le faire Alice. Elle a un peu de farine sur le bout du nez.

Alice a trente et un ans et attend son septième enfant (elle en a déjà perdu un, William, le jumeau d'Ada, mort à trois mois de quelque fièvre mal identifiée.). Alice venait à l'origine de York. Sa mère, Sophia, avait épousé un homme beaucoup plus âgé qu'elle, mais son père s'était vivement réjoui du beau parti qu'elle avait trouvé. D'autant plus que la sœur aînée de Sophia, Hannah, avait causé un affreux scandale en s'enfuyant avec un homme ignominieusement chassé de la Marine après être passé en cour martiale. À ce moment, les destins respectifs de ses filles n'auraient pu sembler plus différents — l'une vivant dans la fortune et la considération, et l'autre dans la pauvreté et le déshonneur. Le mari de Sophia avait fait fortune en achetant des terrains et les revendant aux compagnies de chemin de fer, réalisant d'énormes profits très rapidement et (comme on devait le découvrir après qu'il se fut pendu) frauduleusement. En conséquence, Alice était née dans une belle demeure de Micklegate, avec une nursery tout ensoleillée et plus de domestiques qu'il n'était nécessaire, mais lorsqu'elle avait eu quatorze ans, sa famille s'était trouvée ruinée et discréditée. Alice avait été une enfant unique, choyée par sa mère, mais celle-ci ne devait jamais se remettre du scandale suscité par la mort de son mari. Elle se mit à battre la campagne et finit par prendre, accidentellement, une dose mortelle de laudanum.

La pauvre Alice, à qui on avait seulement appris à jouer du piano et à paraître jolie, se retrouva à dix-huit ans orpheline et — bien pis — institutrice, n'ayant rien d'autre à son nom que la pendule de sa mère et un médaillon d'argent que son grand-père lui avait donné à sa naissance.

Elle avait vingt et un ans lorsqu'elle rencontra son mari. Elle se trouvait depuis près d'un an dans le village de Rosedale, où elle dirigeait l'école locale. C'était une toute petite école de campagne, avec une autre institutrice et un grand poêle à bois. Les élèves venaient principalement des fermes locales, et leur assiduité était problématique, car ils étaient fréquemment requis par leurs parents pour les travaux des champs. Alice détestait faire la classe, et les charmes citadins de York lui manquaient. Elle avait commencé à glisser dans un état de mélancolie morbide quand le destin la rattrapa, un samedi après-midi de mai.

Mon arrière-grand-mère était partie en promenade dans les chemins de campagne. La journée s'était annoncée magnifique. Le lilas et l'aubépine qui bordaient les petits chemins venaient juste de fleurir et tout respirait la fraîcheur printanière — ce qui n'avait fait que plonger Alice plus profondément encore dans la mélancolie. Puis, comme pour rejoindre ses sombres pensées, un orage avait éclaté de façon totalement imprévisible. Sans protection aucune contre la pluie, Alice était presque trempée lorsque Frederick Barker arriva à sa hauteur dans son cabriolet et lui offrit de la reconduire à l'école

Il possédait une petite ferme non loin de là, un lopin de terre fertile à l'une des extrémités de la vallée de Rosedale, avec une jolie maison rurale aux murs couleur de miel, un troupeau de vaches rousses du Devon et un verger où son père, William, avait planté des pêchers en espalier contre un mur, ne récoltant d'ailleurs que des fruits durs et acides. Ma naïve arrière-grand-mère fut séduite. On ne sait au juste par quoi : la faconde naturelle de Frederick, sa ferme cossue ou ses pêchers en espalier. Il avait douze ans de plus qu'elle, et il lui fit une cour assidue pendant une année entière, la comblant de tout ce qu'il pouvait imaginer, du fromage blanc à la confiture de pêches en passant par les bûches pour le poêle de l'école. Il arriva un moment, au printemps de l'année suivante où elle se retrouva en présence d'un choix inéluctable : continuer à enseigner (ce qu'elle détestait) ou accepter l'offre de mariage de Frederick. Elle choisit la deuxième solution et, moins d'un an plus tard, elle donna naissance aux jumeaux, Ada et William.

Pendant qu'il faisait la cour à Alice, Frederick s'était efforcé de ne montrer que le meilleur côté de sa personnalité, mais, dès que le mariage fut assuré, il se laissa aller et dévoila d'autres aspects beaucoup moins reluisants. Au moment où le petit cercueil de William fut transporté au cimetière, Alice avait déjà appris ce que tout le monde à Rosedale savait depuis des années (mais n'avait jamais jugé opportun de lui dire) : que son mari était un ivrogne invétéré, avec un insatiable goût du jeu, toujours prêt à parier sur n'importe quoi, pas seulement sur les chevaux, mais sur les combats de chiens ou les combats de coqs, sur le nombre de lapins qu'il pourrait tuer en une heure, sur le nombre de corbeaux qui allaient s'envoler d'un champ, sur l'endroit où se poserait une mouche dans une pièce. N'importe quoi.

Inévitablement, il finit par perdre la ferme, la terre qui avait été dans sa famille depuis deux cents ans, et il se transporta avec Alice et les enfants — Ada, Lawrence et le bébé nouvellement arrivé, Tom — à Swaledale, où il prit un emploi de garde-chasse. Il y a eu deux autres enfants depuis et un troisième est en route. Il ne se passe pas de jour sans qu'Alice se demande ce que serait la vie si elle n'avait pas épousé Frederick.

Alice découpe la pâte, la façonne, la place dans des moules métalliques, couvre les moules de chiffons humides et met la pâte à lever sur le fourneau. Par ce temps, ce ne sera pas long. Sous son tablier blanc, elle porte une jupe d'épaisse serge gris foncé et un chemisier rose délavé avec des boutons de verre rose en forme de fleurs. De marguerites. Elle sent la sueur ruisseler sur sa peau sous le chemisier. Elle a des cernes bleu-noir sous les yeux, et un bourdonnement persistant dans la tête.

Elle retire son tablier, se frotte de nouveau le dos et se dirige d'une démarche de somnambule vers la porte ouverte. S'appuyant contre le chambranle, elle étend la main vers sa fille Ada et lui caresse doucement les cheveux. Ada secoue la tête comme pour chasser une mouche — elle déteste qu'on la touche — et recommence à chantonner une berceuse à sa poupée, tandis que le vrai bébé, Nell, se met à s'agiter à l'intérieur d'Alice. Celle-ci pose un regard vague sur les soucis plantés près de la porte. Et alors — et c'est là la partie vraiment intéressante de l'histoire de mon arrière-grand-mère — quelque chose d'étrange commence à lui arriver. Elle se sent brusquement aspirée vers les soucis sur une trajectoire directe ; le phénomène échappe entièrement à son contrôle et elle n'a ni la force de résister ni le temps de réfléchir. Elle est attirée de plus en plus vite vers le centre d'une des fleurs, dont tous les détails lui apparaissent plus nettement à mesure qu'elle s'en rapproche : les couches de pétales allongés, le coussin marron de l'étamine, le vert velu des sépales. Tout cela se précipite vers elle et l'engouffre si bien qu'elle peut sentir sur sa peau le velouté des pétales et respirer l'odeur acide de la corolle.

Mais, soudain, ce cauchemar floral se termine. Alice sent une bouffée d'air frais lui balayer le visage et quand, avec effort, elle ouvre les yeux, elle se voit flottant dans un ciel bleu myosotis à une dizaine de mètres au-dessus du cottage.

La chose la plus curieuse est le silence : elle peut voir Lawrence et Tom s'invectiver de part et d'autre d'un champ, mais aucun bruit ne lui parvient. Elle peut voir Ada chanter une berceuse à sa poupée, mais aucun son ne sort des lèvres de la fillette. Et, plus singulier encore, elle peut se voir elle-même — toujours à la porte du cottage — parler à Ada, mais bien que sa bouche forme clairement des mots, nul d'entre eux ne lui parvient. Les oiseaux — des hirondelles, des martinets, une alouette, deux pigeons ramiers, un passereau — sont eux aussi sans voix. Les vaches et les moutons dans les champs n'émettent pas plus de sons. Des insectes de tous genres emplissent visiblement l'air mais rien ne vibre.

Ce que le monde a perdu en sons, il l'a gagné en couleurs, et Alice flotte au milieu d'un paysage où les teintes qui avaient été effacées par le soleil se trouvent restaurées avec une intensité presque surnaturelle. Les champs au-dessous d'elle forment un somptueux tapis d'émeraude et d'or, et les haies qui les séparent regorgent de fleurs multicolores, dont le parfum entêtant monte jusqu'à Alice et la projette, tout étourdie, en direction de la rivière argentée qui serpente au milieu de la sombre verdure des arbres.

Alice s'amuse beaucoup, flottant comme un duvet au vent, promenée d'un endroit à un autre — lovée une minute dans la fumée émanant de son propre cottage, planant la suivante au-dessus de la ferme en admirant le superbe plumage roux du coq. Partout où elle jette son regard, le monde semble s'ouvrir et s'épanouir sous ses yeux. Elle se sent soudain comblée et, regardant l'Alice terrestre restée au-dessous d'elle, mon arrière-grand-mère flottant se dit : « Je me suis trompée de vie ! »

Sur ces mots magiques, elle reprend son ascension, s'éloignant de plus en plus de la terre à travers l'air brillant et pur, montant vers le point où celui-ci vire à l'indigo.

★

Puis soudain, le son revient. Un bruit s'impose à Alice. C'est le grincement régulier des essieux d'une vieille carriole, accompagné du bruit des sabots d'un cheval sur le sol desséché du chemin. Au bout de quelques secondes, la source de ces sons devient visible ; un cheval et une carriole chargée d'objets aux formes mystérieuses entrent lentement dans le champ oculaire d'Alice, qui suit cette intrusion avec irritation. Mais la maigre caravane poursuit inexorablement sa route vers le cottage.

Déjà, le paysage a commencé à perdre ses couleurs. Les enfants d'Alice ont eux aussi aperçu le cheval et la voiture et les regardent tranquillement dépasser les bâtiments de ferme pour se diriger vers le cottage. L'homme conduisant la carriole soulève son chapeau en passant devant les deux garçons dans le champ, mais ils n'accueillent ce salut qu'avec des airs maussades. La carriole passe la barrière ouverte et tourne dans la cour. Ada se lève, mue autant par la peur que par la curiosité, et sa poupée roule à terre, abandonnée.

Alice sait reconnaître une menace lorsqu'il s'en présente une. Elle se sent ramenée vers la terre et tente de résister, se contractant de tous ses membres et se concentrant pour rester dans le monde du silence. Mais l'enfant qui se trouve sous la table de la cuisine (et que nous avions oublié) choisit ce moment pour se frapper sur un doigt avec son petit marteau de

36

bois (oui, c'est bien un garçon !) et laisser échapper un hurlement à faire sortir les morts de leurs tombes — et sa mère de son état second.

Ses frères se précipitent, joyeux, dans la maison pour voir s'il y a au moins du sang répandu, le chien dans la cour se réveille en sursaut et commence à aboyer frénétiquement, et le bébé dans son berceau, dans un coin de la cuisine, que nous n'avions même pas remarqué jusque-là, se réveille également et vient ajouter ses hurlements au chaos ambiant.

La pauvre Alice se trouve réaspirée dans la vie, véhiculée d'autorité à travers le ciel bleu et brutalement projetée contre le chambranle de la porte. Vlan ! Nell, le bébé encore invisible, frappe du pied à l'intérieur en parfaite coordination avec les hurlements de l'enfant sous la table, qui, alors qu'Alice le soulève pour essayer de le consoler, lui saisit les cheveux tout en tirant sur les trois boutons de verre de son chemisier.

Finalement, au paroxysme de cette cacophonie, le cheval et la carriole arrivent dans la cour, mettant à son comble l'hystérie du chien. Un homme grand et efflanqué à l'allure étrangère, avec un nez en bec d'aigle et un faux air d'Edgar Poe — la redingote à l'ancienne mode et les longues mains blafardes — descend de la voiture et s'approche de la porte ouverte. D'un geste théâtral, il ôte son chapeau et s'incline profondément.

— Madame, annonce-t-il en se redressant, Jean-Paul Armand, à votre service !

C'est un magicien, bien sûr, et les formes mystérieuses dans la carriole sont celles de ses accessoires : la toile de fond méditerranéenne dépliable, le pot de cuivre ouvragé avec son palmier en coton artificiel, les tentures de velours et l'extraordinaire appareil photographique. Seule la chaise-longue n'a pas été fournie par lui, mais a été tirée dans la cour par Ada et Lawrence.

« La lumière y est meilleure », a-t-il expliqué.

— Rien à payer avant que je revienne avec les photographies.

C'est ainsi qu'il a ensorcelé Alice, qui, dans une crise d'optimisme tout à fait exceptionnelle, s'est dit qu'elle trouverait l'argent entre-temps. Les enfants ont donc été brossés, récurés et quelque peu transformés. Les larmes d'Albert (le garçon sous la table) ont été taries par un sucre d'orge offert par M. Armand — qui en a toujours plein les poches pour amadouer ses jeunes modèles récalcitrants. Le photographe a ensuite pris les enfants d'Alice en différentes situations : Ada avec Albert sur ses genoux ; Albert, Tom et Lawrence ensemble ; Ada tenant, au lieu de sa poupée, le vrai bébé Lillian (l'enfant oubliée du berceau) et ainsi de suite.

★

Pour M. Armand, Alice a comprimé ses rondeurs excessives dans sa plus belle robe et s'est coiffée en bandeaux. Le temps est beaucoup trop chaud pour cette robe et il lui faut rester longtemps en plein soleil tandis que M. Armand s'agite sous ce voile qui le fait ressembler, pense-t-elle, à un gros scarabée. Peut-être l'expression énigmatique d'Alice n'est-elle due qu'à la chaleur, à l'attente et aux coups de pied prodigués par Nell. M. Armand, lui, la trouve très belle — une véritable Madone rurale. Il se dit que lorsqu'il reviendra avec les photographies, il lui demandera de s'enfuir avec lui (il est un peu excentrique.)

Et soudain, pan ! Une explosion de magnésium, et mon arrière-grand-mère est fixée pour l'éternité.

— Ravissant ! fait M. Armand dans le jargon des photographes de tous les temps.

★

Le sort des trois boutons de verre se résume comme suit...

Le premier fut trouvé le soir même par Ada, qui le fourra dans la poche de son tablier. Quand le tablier fut envoyé au lavage, elle transféra le bouton dans une petite boîte où elle conservait ses menus trésors (un ruban rouge, un morceau de fil d'or trouvé sur le chemin de l'école). Quand Alice disparut pour toujours, Ada sortit le bouton de la boîte, l'attacha à un fil de soie et le porta ainsi au cou. Quelques mois plus tard, la vilaine belle-mère, Rachel, rendue furieuse par les larmes et l'expression butée d'Ada, lui arracha le bouton du cou. Malgré tous ses efforts, Ada ne put le retrouver et sanglota toute la nuit, comme si elle avait perdu sa mère une deuxième fois.

Le deuxième bouton fut trouvé par Tom, qui le transporta dans sa poche pendant une semaine, avec un marron et une bille. Il avait l'intention de le restituer à sa mère, mais il le perdit et ne tarda pas à tout oublier.

Le troisième fut découvert par Rachel lorsqu'elle fit le ménage complet du cottage après y avoir emménagé. Il s'était logé entre deux dalles du carrelage. Rachel le mit dans sa boîte à boutons, d'où il fut transféré, bien des années plus tard, dans celle de ma grand-mère — une boîte métallique des chocolats Rowntree — puis, de là, dans l'estomac de Gillian — et qui sait où, ensuite ? Quant au destin des enfants, Lawrence quitta le domicile familial à l'âge de quatorze ans et on ne le revit jamais plus. Tom épousa une fille nommée Mabel et devint clerc de notaire. Albert fut tué durant la Première Guerre mondiale. La pauvre Ada succomba à une diphtérie quand elle avait douze ans. Lillian a mené une existence longue et assez étrange. Nell — qui en cette chaude journée n'est pas encore née et a toute la vie devant elle — allait devenir ma grand-mère, ayant toute la vie derrière elle sans savoir comment tout cela est arrivé (une autre femme perdue dans le temps).

# CHAPITRE II

## 1952

## NAISSANCE

Je n'aime pas cela. Je n'aime pas cela du tout. Qu'on me sorte d'ici, et vite ! Mon frêle petit squelette est en train d'être écrasé comme une coquille de noix. Ma tendre petite peau, encore épargnée par le contact de l'atmosphère terrestre, est mise à vif par ces manipulations barbares. (Ce n'est sûrement pas très naturel, tout cela !)

— Dépêchez-vous, ma petite ! tonne une grosse voix furieuse. J'ai un dîner !

La réponse de Bunty est totalement inarticulée, mais le sens général en est, je pense, qu'elle a tout aussi hâte d'en finir que notre aimable gynécologue. Docteur Torquemada, je présume ? L'angélique sage-femme commise à présider à ma naissance est amidonnée des pieds à la tête. Elle hurle littéralement ses ordres :

— POUSSEZ ! POUSSEZ MAINTENANT !

— C'est bien ce que je fais ! hurle à son tour Bunty.

Elle grogne et elle sue, en triturant de toutes ses forces ce qui ressemble à un petit bout de mammifère tout ratatiné, un médaillon de fourrure accroché à son cou. (Voir Annexe II.) C'est une patte de lapin destinée à porter chance. Pas au lapin, bien sûr, mais à ma mère, dont je commence à avoir hâte d'être un peu séparée. Neuf mois d'emprisonnement en elle n'ont pas représenté la plus enchanteresse des expériences. Et récemment, il commençait à n'y avoir vraiment plus de place. Je me fiche de ce qui m'attend dehors ; ce sera toujours mieux qu'ici.

— POUSSEZ, MA PETITE ! POUSSEZ !

41

Bunty pousse des hurlements très convaincants, et puis, tout à coup, c'est fini. Je glisse hors d'elle comme un petit poisson descendant la rivière. Même le docteur Torquemada est surpris.

— Bon-jour ! Qu'est-ce que c'est donc que cela ? fait-il, comme s'il ne s'était jamais attendu à me voir.

La sage-femme se met à rire.

Je suis sur le point d'être expédiée à la nursery lorsque quelqu'un suggère que Bunty aimerait peut-être jeter un coup d'œil sur moi. Ce coup d'œil est rapide, et le jugement tombe :

— On dirait un morceau de viande. Emportez cela !

Je mets cette attitude sur le compte de la fatigue ou de l'émotion. Elle n'a même pas précisé à quel genre de viande elle pensait. Aloyau ? Baron d'agneau ? Longe de porc, sans doute, ou bien quelque morceau anonyme mais sanguinolent. N'importe — rien ne me surprend plus. Après tout, je ne suis pas une nouveauté pour Bunty : elle a déjà produit la pâle Patricia et l'insupportable Gillian. Et je suis paisible et bien élevée en comparaison de celle-ci. Née agitée, Gillian était sortie du ventre de Bunty en gigotant frénétiquement et hurlant à pleins poumons, de peur qu'on ne la remarque pas. Il n'y avait guère de chances que cela arrive.

Au cas où vous vous poseriez la question, mon père absent est au pub *Le Chien et le Lièvre* de Doncaster, après une journée très satisfaisante aux courses. Il a une pinte de bière devant lui et il est précisément en train d'expliquer à une femme en robe vert émeraude qu'il n'est pas marié. Il ne sait pas que je suis arrivée, sinon il serait à la clinique. Non ? En fait, ma gestation a fait la liaison entre l'ancien et le nouveau, puisque je suis arrivée juste après la mort du Roi, ce qui fait de moi l'un des premiers bébés nés sous le règne de la nouvelle Reine. Une nouvelle élisabéthaine ! Je suis surprise qu'on ne m'ait pas appelée Elizabeth. En fait, on ne m'a rien appelé. Je suis le « bébé Lennox » ; c'est du moins ce qu'il y a sur mon étiquette. La sage-femme, qui a des cheveux roux et qui est très fatiguée, me porte jusqu'à la nursery de nuit et me dépose dans un petit berceau.

Il fait très sombre dans la nursery de nuit. Tout est très noir et très tranquille. Une faible lumière bleue brille dans un coin, mais, ailleurs, l'obscurité semble se prolonger jusqu'à l'infini. Si j'étendais mes petits doigts ridés qui ressemblent à des crevettes roses, je ne toucherais... rien. Et ensuite rien. Et après cela ? Toujours rien. Je ne pensais pas que ce serait ainsi... Ce n'est pas que j'espérais une fête populaire ou quelque chose de ce genre — des ballons, des confettis et des banderoles. Un sourire aurait suffi.

La sage-femme s'en va. Le bruit de ses chaussures noires à lacets sur le linoléum du corridor s'éloigne progressivement, et nous restons seuls entre bébés. Nous gisons dans nos paniers, empaquetés dans nos langes en coton à ruches comme des cocons ou comme des paquets. Qu'arriverait-il si les bébés-paquets perdaient leurs étiquettes et se trouvaient mélangés ? Les mères les reconnaîtraient-elles si on les leur présentait en vrac ?

Un froissement de tablier amidonné, et la sage-femme rousse reparaît avec un autre bébé-colis qu'elle pose dans le berceau voisin du mien. Elle épingle une étiquette sur son lange. Le nouveau bébé dort paisiblement, sa lèvre supérieure se retroussant à chaque inhalation d'air.

Il n'y aura plus d'autres bébés cette nuit. La nursery dérive dans la nuit d'hiver avec sa délicate cargaison. Une brume laiteuse vient envelopper les bébés endormis. Dès que nous aurons tous succombé au sommeil, les chats viendront nous étouffer en aspirant notre souffle.

Je vais disparaître dans ces ténèbres, je vais m'éteindre avant même d'avoir commencé à exister. La grêle vient battre contre les vitres glaciales. Je suis seule. Toute seule. Je ne puis le supporter — où est ma mère ? « OUAH ! OUHAHAHA ! OUHAHAHA-HAHA ! »

— Cette petite garce va tous les réveiller !

C'est la sage-femme rousse. Je pense qu'elle est irlandaise. Elle va me sauver, elle va me ramener auprès de ma mère. Non ? Non. Elle m'emmène dans une petite pièce à côté. Une sorte de placard, en fait. Je passe ma première nuit sur cette terre dans un placard.

Le plafond de la maternité au-dessus de nos têtes est peint en vert-pomme brillant. La partie supérieure des murs est couleur de magnolia, et la partie inférieure évoque des champignons émincés. J'aurais préféré un azur céleste avec des nuages dorés et, jouant à cache-cache avec ceux-ci, des chérubins gras, roses et souriants.

43

Bunty se sent dans son élément à la maternité. Les mères, oisives dans leur lit, passent leur temps à se plaindre, et particulièrement de leurs bébés. Nous sommes presque tous nourris au biberon ; il semble tacitement entendu que nourrir au sein a quelque chose d'un peu vulgaire. Nous sommes alimentés très ponctuellement toutes les quatre heures, sans rien d'autre dans l'intervalle quel que soit le bruit que nous fassions. En fait, plus on fait de bruit, plus on risque de se retrouver relégué dans un placard, quelque part. Il y a probablement des bébés oubliés dans tous les coins.

Le système vise à ce que nous ne prenions pas de mauvaises habitudes. Le sentiment général parmi les mères est que les bébés ont ourdi un vaste complot contre elles. (Si seulement c'était le cas !) Nous pouvons hurler jusqu'à l'épuisement, cela ne change rien au cérémonial.

★

J'ai près d'une semaine et toujours pas de nom, mais au moins Bunty m'accorde maintenant un vague intérêt. Elle ne va toutefois pas jusqu'à me parler, et son regard m'évite, glissant sur moi dès que j'entre dans le champ de vision. Maintenant que j'ai quitté le corps de ma mère, il m'est difficile de savoir ce qu'elle pense (et je n'ai plus accès non plus au monde de ses rêveries diurnes). Les nuits restent les moments les pires, chacune d'elles représentant un pénible voyage dans l'incertitude. Je ne crois pas que Bunty soit ma véritable mère. Ma véritable mère est quelque part dans un univers parallèle, prodiguant du lait maternel ayant la couleur de la crème du Devon. Elle part, à ma recherche, dans les corridors de l'hôpital, embrumant les vitres de son souffle brûlant. Ma véritable mère est la Reine de la Nuit, gigantesque personnage galactique arpentant la Voie Lactée à la recherche de son enfant perdue.

Parfois, ma grand-mère, Nell, vient nous rendre visite dans l'après-midi. Les hôpitaux la rendent nerveuse car ils lui font penser à la mort, ce dont elle estime ne pas avoir besoin à son âge. Elle se perche sur le bord de la chaise des visiteurs comme une perruche malade. Elle a déjà eu plusieurs petits-enfants qui, à ses yeux, se ressemblent tous. Je ne puis donc la blâmer de ne pas être passionnée par moi. George amène Gillian et Patricia.

44

Gillian me regarde sans rien dire par-dessus le rebord du berceau, l'air impénétrable. George n'a pas grand-chose à dire. Mais Patricia, cette bonne vieille Patricia, me touche d'un doigt prudent et dit :

— Bonjour, bébé !

Je la récompense d'un sourire.

— Regardez, elle me sourit, fait Patricia d'un ton émerveillé.

— Ce sont simplement des coliques, dit Bunty.

Je ne suis pas enchantée, mais j'ai décidé de prendre les choses avec philosophie. On ne m'a pas donné la bonne mère et je risque de m'embarquer dans une vie qui n'est pas la bonne non plus, mais je pense que tout cela va s'arranger et que je vais retrouver ma véritable mère. Entre-temps, je m'arrange comme je peux de Bunty.

La sœur de Bunty, Babs, fait tout le trajet de Dewsbury pour venir nous voir avec ses deux filles jumelles, Daisy et Rose. Celles-ci ont un an de plus que Gillian et sont impeccablement propres. Elles sont exactement semblables, sans un cheveu ou un ongle pour les différencier. C'est étrange, presque effrayant. Elles restent assises sur leur chaise dans un silence complet, balançant leurs petites jambes fragiles au-dessus du linoléum vert bileux. Bunty repose majestueusement entre ses draps blancs et sous son couvre-pieds saumon. Daisy et Rose ont des cheveux de la couleur d'un bonbon au citron.

Bunty ne cesse de tricoter, même lorsqu'elle a des visiteurs. Elle tricote mon avenir dans des couleurs tendres.

— Elizabeth ? suggère Tante Babs.

Bunty fait la grimace. Tante Babs revient à la charge

— Margaret ? Anne ?

Elles pourraient m'appeler « Dorothy » ou « Miranda », ce ne serait pas mal. « Eve » aurait une certaine allure. Le regard acéré de Bunty scrute le plafond. Elle prend sa respiration et prononce le nom. Mon nom.

— Ruby.

— Ruby ? répète Tante Babs d'un ton dubitatif.

— Ruby, confirme résolument Bunty.

Mon nom est Ruby. Je suis une pierre précieuse. Je suis une goutte de sang. Je suis Ruby Lennox.

# ANNEXE II

## NATURES MORTES

Voici l'histoire des tentatives perpétuellement contrariées de ma grand-mère pour se marier. À vingt-quatre ans, Nell se fiança à un agent de police, Percy Sievewright, un grand et bel homme, joueur de football assidu. Il jouait le samedi dans la même équipe que le frère de Nell, Albert, et c'est lui qui les fit se rencontrer. Quand Percy fit sa proposition, un genou en terre et la mine solennelle, le cœur de Nell se mit à déborder de bonheur et de soulagement — elle allait enfin devenir le personnage central de la vie de quelqu'un d'autre.

Malheureusement, l'appendice de Percy éclata, et il mourut de péritonite peu après qu'ils eurent fixé la date du mariage. Il n'avait que vingt-six ans, et ses funérailles furent de celles qui ne font qu'aviver encore la peine. Il était enfant unique et orphelin de père, et sa mère, ravagée par le chagrin, finit par s'évanouir au bord de la tombe. Nell, Albert et un autre homme se précipitèrent pour la remettre sur pieds : il avait plu pendant deux jours et le sol était semblable à une gigantesque flaque de boue. Ensuite, Albert et l'autre homme se placèrent de part et d'autre d'elle et la soutinrent pendant tout le reste de la cérémonie. Les gouttes de pluie accrochées au voile noir de Mrs. Sievewright tremblaient comme de petits diamants chaque fois que son corps se convulsait de chagrin. Nell avait l'impression que sa propre peine était minime à côté de celle de Mrs. Sievewright. Les garçons de l'équipe de football portaient le cercueil, et les camarades policiers de Percy formaient une garde d'honneur. C'était la première fois que Nell voyait des hommes adultes avec des larmes ruisselant sur le visage, et il lui semblait particulièrement affreux de voir des policiers en uniforme pleurer. Ensuite, tout le monde se mit à dire et à répéter quel type formidable était Percy, et Nell trouva que cela rendait les choses pires encore — de se dire qu'il *était* formidable et qu'elle-même n'était que sa fiancée et même pas sa veuve. Elle savait que cela n'aurait dû faire aucune différence, mais elle n'y pouvait rien. À la collation, après les obsèques, Lillian resta à ses côtés, pressant sans rien dire sa main gantée de noir dans la sienne.

Nell pensait que sa vie était terminée, mais, à sa grande surprise, celle-ci se poursuivit à peu près comme avant. À sa sortie de l'école, elle était entrée comme apprentie chez une modiste de Coney Street, et elle continua à passer ses journées dans les plumes et les voilettes comme si rien n'était arrivé. Il en était de même à la maison, où elle devait toujours faire la vaisselle et repriser les chaussettes, tandis que Rachel, sa belle-mère, la regardait du fond d'un rocking-chair devenu trop exigu pour sa corpulence en lui lançant des formules comme « Le travail est le meilleur des médecins », prélevées dans son almanach. Nell lui tournait le dos en essayant de ne pas écouter, car, autrement, elle aurait eu envie de lui envoyer le gros chaudron de fonte à la tête. Maintenant qu'elle n'avait plus Percy pour venir l'y arracher, il lui semblait qu'elle allait rester à tout jamais prise au piège dans la petite maison de Lowther Street. D'avoir été « Mrs. Percy Sievewright » lui eût donné une identité qui paraissait refusée à Nell Barker.

Nell fut surprise de constater la vitesse à laquelle Percy avait disparu de sa vie de tous les jours. Elle prit l'habitude de rendre visite tous les vendredis soir à Mrs. Sievewright, sachant que celle-ci était la seule personne sur laquelle elle pouvait compter pour entretenir le souvenir de Percy. Toutes deux s'installaient autour d'une théière et d'une assiettée de sandwiches à la pâte de hareng, parlant de Percy comme s'il avait été encore vivant, lui imaginant une vie qu'il n'aurait plus jamais : « Pensez un peu à ce que Percy en aurait dit. Percy a toujours aimé Scarborough... Percy aurait adoré avoir des fils... » Mais, quels que fussent leurs efforts, elles ne pouvaient le faire revenir.

Timidement, car il avait peur de paraître un peu sot, Albert frappa un soir à la porte de la chambre de Nell pour lui apporter la photographie de l'équipe de football, prise l'année précédente, l'année où ils avaient bien failli remporter la coupe amateurs.

— Et c'est ce que nous aurions fait si Frank Cook n'avait pas raté son tir, cette espèce de con... excuse l'expression. Jack Keech lui avait fait une passe impeccable, et le but était dans la poche...

Un an plus tard, Albert en secouait encore la tête d'un air incrédule...

— Lequel était Frank ? demanda alors Nell.

Et Albert se mit à lui énumérer les noms de tous les joueurs, s'arrêtant subitement lorsqu'il arriva à Percy.

— La mort est affreuse lorsqu'elle arrive à quelqu'un de jeune, déclara-t-il finalement.

C'était une remarque qu'il avait entendue au cimetière et non une opinion personnelle, car Albert ne croyait pas vraiment à la mort. Pour lui, les morts s'étaient simplement éclipsés quelque part ailleurs et ils allaient revenir tôt ou tard. Ils attendaient dans une chambre obscure et sa mère, qui était certainement devenue un ange avec le temps, s'occupait d'eux. Si fort qu'il se concentrât, Albert ne parvenait pas à se rappeler à quoi ressemblait sa mère, mais, même à trente ans, elle continuait à lui manquer. Alice, Ada, Percy, le bâtard de lévrier qu'il avait lorsqu'il était enfant et qui s'était fait écraser par une charrette — tous allaient un beau jour surgir de leur salle d'attente et venir surprendre Albert.

— Bien, bonne nuit, Nelly, finit-il par dire.

À la façon dont elle regardait la photographie, il devinait que Nell, quant à elle, pensait que les morts étaient partis pour toujours et ne se cachaient pas dans un coin.

Nell avait une curieuse impression en contemplant Percy sur cette photo ; dans la vie, il lui avait toujours semblé si différent des autres, et là, il avait les mêmes traits vagues et un peu flous que tous les membres de l'équipe.

— Merci, dit-elle à Albert, mais celui-ci avait déjà quitté la pièce.

Debout au milieu du dernier rang, Frank Cook ressemblait à tous les autres, mais Jack Keech, couché à l'avant avec le ballon, était reconnaissable. Elle savait que c'était un grand ami d'Albert, mais c'est seulement lorsqu'un soir, en rentrant de son travail, elle les trouva ensemble dans la cour arrière qu'elle identifia Jack Keech comme l'homme qui les avait aidés à soutenir la mère de Percy lorsqu'elle s'était évanouie au cimetière.

Le soleil, dans la cour, était très chaud pour un mois de mai, et elle sentit les joues lui brûler.

— Ah, te voilà, Nell ! fit Albert comme si tous deux l'avaient attendue. Tu serais vraiment gentille si tu nous faisais un peu de thé. Jack est en train de réparer le banc.

Jack Keech, penché sur le banc, leva la tête, lui sourit et dit :

— Ce serait formidable, Nell.

Elle lui sourit à son tour et, sans rien dire, rentra dans la maison pour emplir la bouilloire.

Elle mit celle-ci sur le feu, puis retourna s'accouder à l'évier de pierre, sous la fenêtre, pour regarder Albert et Jack dans la cour. Portant ses mains à ses joues, elle s'aperçut que celles-ci étaient toujours brûlantes.

Le vieux banc de bois s'était toujours trouvé dans la cour depuis qu'ils avaient emménagé dans la maison de Lowther Street. Plusieurs lattes manquaient au dossier et l'un des accoudoirs avait commencé à se disloquer. Jack Keech, à genoux sur les pavés de la cour, sciait un bloc de bois de pin tout neuf, et, par la porte ouverte, l'odeur de résine parvenait jusqu'à Nell. Une épaisse mèche de cheveux bruns balayait le front de Jack. Debout auprès de lui, Albert riait. Albert était toujours en train de rire. Ses angéliques boucles blondes ne l'avaient jamais quitté, et ses yeux d'un bleu tendre semblaient presque trop grands derrière les cils jaune pâle, si bien qu'il paraissait n'être jamais sorti de l'enfance. On pouvait se demander à quel moment il cesserait de ressembler à un petit garçon pour paraître un vieillard.

Il y avait toujours quantité de filles pour s'intéresser à Albert, mais il n'en avait jamais choisi une en particulier. Son frère Tom était déjà marié et installé, mais Albert, lui, disait qu'il ne pensait pas en faire autant. Lillian et Nell s'accordaient à estimer que c'était vraiment stupide de dire cela, car on pouvait voir tout de suite qu'il aurait fait un mari sensationnel. Elles reconnaissaient en privé que s'il n'avait pas été leur frère, elles l'auraient bien épousé elles-mêmes.

De toute manière, au train où allaient les choses, ils allaient probablement tous terminer leur vie ensemble. Ni Nell ni Lillian ne semblaient capables de trouver un mari ; toutes deux avaient vu leurs fiançailles rompues, l'une par la mort et l'autre par une trahison. Et puis, un jour, Rachel allait bien se décider à mourir et à les laisser seuls, tranquilles.

— Si seulement..., disait Lillian en tressant ses cheveux le soir dans la chambre de Nell.

Et Nell, pressant son visage contre l'oreiller, se demandait pour la millionième fois pourquoi on leur avait retiré leur mère pour leur donner Rachel en échange.

Nell ébouillanta la théière, faisant tourner l'eau chaude à plusieurs reprises au fond de celle-ci avant de la rejeter dans l'évier. Jack Keech avait abaissé ses bretelles, qui pendaient autour de sa taille, et retroussé les manches de sa chemise blanche, de sorte que Nell pouvait voir les muscles jouer sous la peau de ses avant-bras tandis qu'il sciait le bois. Le travail en plein air avait donné à ceux-ci la couleur du brou de noix. Penché au-dessus de Jack, Albert avait l'air d'un ange gardien, et Nell, qui les contemplait en serrant la théière contre sa poitrine, aurait voulu que cet instant se prolonge à jamais.

Quand elle se décida à sortir avec le plateau de thé et une assiette de pain et de beurre, Jack était en train d'inscrire des repères au crayon sur une pièce de bois. Au prix d'un effort extraordinaire, Nell lui dit d'un ton timide :

— C'est très gentil à vous de réparer notre banc comme cela.

Il leva la tête en souriant et fit :

— Ce n'est rien du tout, Nell.

Puis il se redressa en se frottant les reins et ajouta :

— C'est une jolie petite cour que vous avez là...

Du coup, Albert et Nell regardèrent autour d'eux avec surprise ; ils n'auraient jamais pensé, ni l'un ni l'autre, à qualifier de « jolie » l'arrière-cour de Lowther Street. Cependant, depuis que Jack avait dit cela, ils remarquaient soudain combien la cour était ensoleillée, et Nell se demandait comment ils avaient pu vivre là cinq années sans même voir la clématite un peu poussiéreuse qui grimpait le long du mur, encadrant la porte de la cuisine.

— Jack est menuisier, fit Albert avec admiration (bien qu'il fût lui-même conducteur de locomotive, profession que Nell et Lillian s'accordaient à trouver merveilleuse).

Jack se remit à genoux pour marteler un clou, et Nell, mobilisant tout son courage, resta une bonne minute à le regarder. Elle ne pouvait détacher son regard de ses pommettes hautes et bombées comme des coquillages.

Jack ne s'arrêta pour boire son thé que lorsqu'il eut fini sa besogne, et à ce moment le thé était froid. Nell proposa d'en refaire, mais Albert dit qu'il avait plutôt envie d'une bière et suggéra de se rendre à *La Toison d'Or*. Jack adressa à Nell un petit sourire attristé et dit :

— Une autre fois, peut-être.

Elle se sentit rougir du visage à la pointe des seins, et détourna rapidement son regard, tandis qu'Albert aidait Jack à remballer ses outils.

Nell resta seule pour affronter Rachel lorsque celle-ci revint d'une réunion de la société de tempérance à l'église. Elle était de méchante humeur parce que personne n'avait mis le souper en route, et Nell et elle se retrouvèrent à manger du pain et du beurre sans dire un mot, car Lillian n'arriva que beaucoup plus tard. Travaillant à la chocolaterie Rowntree, elle avait dit être de l'équipe du soir, ce que Nell savait ne pas être vrai. Quant à Albert, il ne rentra tant bien que mal qu'à minuit passé ; Nell l'entendit s'arrêter au pied de l'escalier et s'asseoir sur une marche pour retirer ses bottines afin de ne réveiller personne en montant dans sa chambre.

Nell ne revit Jack que quelques dimanches plus tard, lorsqu'il vint, avec Frank, chercher Albert pour la sortie annuelle de l'équipe de football. Frank arborait une casquette en tweed et portait une canne à pêche (ils allaient à Scarborough). Frank était vendeur dans un magasin de tissus, mais ni Albert ni Jack ne lui faisaient jamais remarquer que ce n'était pas là un métier très reluisant, d'autant qu'à ce qu'ils pouvaient voir il en était bien conscient lui-même.

★

Jack s'appuya au mur de l'arrière-cour avec un sourire nonchalant. Il portait un canotier, et Albert se mit à rire en disant à sa sœur :

— Il est sapé comme un prince, hein, Nelly ?

Il accompagna cette remarque d'un tel clin d'œil que Nell ne sut plus où se mettre. Sous le canotier, Jack avait ses cheveux noirs bien lissés en arrière et il était rasé de si près que Nell aurait eu envie d'étendre la main pour lui toucher la peau, juste à l'endroit où celle-ci s'enfonçait dans la blancheur du faux col. Elle n'en fit rien, évidemment ; elle osait à peine le regarder.

— Si Albert ne se dépêche pas, dit Frank, nous allons rater le train.

— Le voilà ! fit Lillian en entendant les pas de son frère résonner dans l'escalier.

Sur quoi Lillian fixa Jack de ses yeux verts en amande, lui sourit et, donnant à Nell une petite poussée dans le dos, murmura :

— Vas-y, Nellie. Dis quelque chose...

Elle connaissait le faible de sa sœur pour Jack.

Mais, à ce moment, Albert surgit et dit :

— Allons-y, on va être en retard...

Les trois hommes étaient déjà à mi-chemin dans la ruelle longeant l'arrière de la maison lorsque Nell et Lillian pensèrent au déjeuner qu'elles avaient préparé et empaqueté pour eux.

— Attendez ! cria Lillian, si fort qu'une fenêtre s'ouvrit brutalement sur la ruelle et que Mrs. Harding s'y pencha pour voir ce qui se passait.

Nell se précipita dans la cuisine, rafla le vieux havresac de Tom posé sur la table, et ressortit en courant pour gagner la ruelle.

Ce repas froid avait été l'objet de longues discussions entre Lillian et Nell, car, à l'origine, il ne devait être destiné qu'à Albert. Puis elles avaient pensé que Frank, n'ayant pas de famille, ne saurait sans doute pas se préparer un déjeuner correct, et elles s'étaient dit ensuite qu'il ne serait pas gentil d'exclure Jack. À la fin, Lillian s'était mise à rire en disant que si cela continuait comme cela, elles allaient nourrir toute l'équipe de football. En fin de compte, elles avaient entassé dans le vieux sac de Tom une douzaine de sandwiches au jambon enveloppés dans un torchon propre, six œufs durs dans leurs coquilles, un gros morceau de fromage, un sac de caramels maison, trois pommes et trois bouteilles de limonade au gingembre (bien que sachant parfaitement que des caisses entières de bière accompagnaient l'équipe dans son déplacement). Inutile de dire que Rachel ignorait tout de ces largesses.

Laissant les deux autres, Jack revint vers Nell, lui prit le sac des mains en lui disant :

— Merci, Nell. C'est vraiment gentil à vous deux. Nous penserons à vous en mangeant tout cela sur la plage.

Puis il la gratifia de son sourire de petit garçon espiègle et ajouta :

— Peut-être qu'un soir de la semaine prochaine, on pourrait aller se promener ensemble ?

Nell hocha la tête, sourit et se donna intérieurement des coups de pied : si elle restait toujours ainsi, sans rien dire, il allait finir par penser qu'elle était sourde-muette. Finalement, elle réussit à articuler que « cela lui plairait bien » avec un petit sourire craintif.

C'est presque en courant qu'elle rejoignit Lillian à la porte, et, ensemble, encadrées par la clématite, elles regardèrent les trois garçons remonter la ruelle, se retourner pour les saluer de la main et disparaître.

— J'espère qu'ils seront prudents s'ils vont en bateau, dit Lillian.

En fait, elle avait peine à réprimer une véritable inquiétude : ces garçons étaient merveilleux et elle avait réellement peur qu'il leur arrive malheur. Nell ne dit rien. Elle pensait à la tristesse qu'aurait ressentie la mère de Percy Sievewright si elle avait été là à ce moment précis, voyant les trois camarades de son fils partir pour Scarborough et se disant que Percy n'était plus là pour se joindre à eux.

*

Nell se demandait si elle avait jamais aimé vraiment Percy ou si, simplement, elle n'arrivait plus à se rappeler ce que cet amour avait représenté pour elle mais, d'une manière ou d'une autre, elle avait l'impression que ce qu'elle ressentait pour Jack ne ressemblait en rien à qu'elle avait connu auparavant. Le seul fait de penser à lui la faisait frissonner de tout son corps, et elle priait chaque soir pour avoir la force de lui résister jusqu'à leur nuit de noces.

Elle continuait à aller voir la mère de Percy, mais le lundi, dorénavant, car elle passait les soirées du vendredi avec Jack. Elle n'avait pas dit à Mrs. Sievewright qu'elle était amoureuse de quelqu'un d'autre car un an à peine s'était écoulé depuis la mort de Percy, et elles continuaient à parler de celui-ci autour d'innombrables tasses de thé. Simplement, il faisait maintenant à Nell l'impression d'un personnage qu'elles auraient inventé ensemble plutôt que d'un homme ayant réellement existé. Un sentiment de culpabilité venait l'assaillir lorsqu'elle regardait la photographie de l'équipe de football, car son regard passait très vite sur le visage inanimé de Percy pour aller se fixer sur le sourire impudent de Jack.

Albert fut le premier à s'engager. Il dit à ses sœurs que cela allait être « un brin de rigolade » et une occasion de voir un peu le monde.

— Plutôt un brin de Belgique, pour commencer, avait remarqué Jack d'un ton sarcastique.

Mais rien n'aurait pu décourager Albert, et ils eurent à peine le temps de lui dire au revoir qu'il était déjà en route pour la caserne de Fulford afin d'y rejoindre le Iᵉʳ East Yorkshire et passer de l'état de conducteur de locomotive à celui d'artilleur. On prit quand même une photo. C'était l'idée de Tom.

— Toute la famille ensemble, dit-il.

Peut-être avait-il la prémonition qu'il n'y aurait pas d'autre occasion. Tom avait un ami — un certain Mr. Mattock — passionné de photographie. Il vint un bel après-midi et fit poser tout le monde dans la cour de Lowther Street, Rachel, Lillian et Nell assises sur le banc fraîchement réparé, Tom debout derrière elles et Albert allongé devant Rachel, comme Jack sur la photo de l'équipe de football. Tom dit qu'il était dommage que Lawrence ne soit pas là.

— Pour ce que nous en savons, fit Rachel, il est peut-être mort.

Si on regarde très attentivement la photographie, on peut voir la clématite comme une guirlande au sommet du mur.

Frank s'engagea le jour même où Albert traversait la Manche. Frank savait qu'il était un lâche et il était terrorisé à l'idée que d'autres puissent s'en apercevoir. Il décida donc de s'engager le plus vite possible, avant que personne n'ait rien remarqué. Il tremblait tellement en signant les papiers que le sergent recruteur se mit à rire et lui dit :

— J'espère que tu auras la main plus sûre quand il s'agira de tirer sur les Boches, mon garçon !

Jack était juste derrière dans la file. Faire la guerre était la dernière chose qu'il souhaitait — tout cela lui paraissait un peu aberrant — mais il avait scrupule à laisser Frank partir comme cela, tout seul. Il signa d'une main ferme.

— Bien joué, mon garçon, dit le sergent.

Lillian et Nell allèrent à la gare pour leur dire au revoir, mais il y avait tant de monde sur le quai qu'elles eurent seulement, à la dernière minute, une vision fugitive de Frank agitant la main à une portière en un salut qui ne s'adressait à personne en particulier, alors que le train s'ébranlait sous les voûtes métalliques. Nell avait envie de pleurer de déception : elle n'avait pu découvrir Jack dans cette foule qui transportait des sacs de paquetage et agitait des petits drapeaux, et elle n'était que trop heureuse d'avoir pu lui donner, lors de leurs tendres adieux, la veille au soir, la patte de lapin porte-bonheur. Au moment où elle s'était mise à pleurer, accrochée au bras de Frank, Rachel était intervenue d'un air dégoûté et lui avait mis la patte de lapin dans la main en lui disant :

— Arrête ces singeries. Voilà un porte-bonheur pour lui.

Jack s'était mis à rire bruyamment en s'exclamant :

— On devrait les donner avec le paquetage !

Et il avait glissé la patte de lapin dans sa poche.

★

Elles recevaient des lettres. Elles n'avaient jamais reçu autant de lettres de leur vie — des lettres d'Albert, joyeuses, expliquant combien les camarades étaient formidables. « Il dit que la cuisine de la maison lui manque, mais qu'il apprend un peu de français », expliquait Lillian à Rachel, car Albert n'écrivait jamais à celle-ci, bien qu'elle se répandît partout en racontant que « son fils » avait été parmi les premiers de la ville à s'engager. Cela avait le don de stupéfier Lillian et Nell, car si Rachel détestait tous ses beaux-enfants, c'était précisément Albert qu'elle abominait le plus.

Nell recevait aussi des lettres de Jack bien sûr, mais ni aussi joyeuses ni aussi longues que celles d'Albert. En fait, Jack n'était pas très épistolier et allait rarement au-delà de : « Je pense à toi et je te remercie de tes lettres. » Lillian et Nell avaient même des lettres de Frank.

— Bien sûr : il n'a personne à qui écrire, disait Nell.

Ses lettres étaient les plus amusantes, car il racontait toutes

56

sortes de petits détails drôles sur ses camarades et sur leur vie quotidienne, et il arrivait que Lillian et Nell éclatent de rire en lisant son écriture tarabiscotée. Curieusement, aucun d'entre eux — ni Frank ni Jack ni Albert — n'en disait très long sur la guerre elle-même ; les combats semblaient se dérouler sans qu'ils fussent directement impliqués.

« La bataille d'Ypres est terminée, écrivait Albert de façon sibylline, et nous en sommes tous très heureux. »

Nell et Lillian passaient beaucoup de temps à répondre à ces lettres. Tous les soirs, elles s'installaient à la grande table, sous la lampe et son abat-jour à franges, pour tricoter des couvertures pour les réfugiés belges ou écrire des lettres sur du papier lilas qu'elles avaient acheté spécialement à cet effet. Lillian s'était découvert une passion inattendue pour les cartes postales senti-mentales et en achetait des séries entières, comme *Le baiser d'adieu*, qu'elle envoyait indifféremment aux trois hommes, de telle façon qu'en fin de compte, aucun d'entre eux n'avait la collection complète. Il y avait aussi des colis, avec bonbons à la menthe, moufles de laine tricotées à la main et bottes de poudre désinfectante pour les pieds, achetées dix pence chez Coverdale, dans Parliament Street. Et, le dimanche, elles allaient souvent jusqu'à Leeman Road, voir le camp d'internement qui avait été installé pour loger les étrangers « ennemis ». Lillian avait coutume de leur lancer des pommes par-dessus la clôture car ils lui faisaient peine à voir.

— Ce sont des gens comme nous, disait-elle.

Comme l'un des internés était Max Brechner, le boucher de Haxby Road, Nell supposait que Lillian avait raison, mais il ne lui semblait pas moins étrange d'envoyer des fruits à un ennemi qui tentait de tuer leur propre frère. Encore que Max Brechner, qui avait au moins soixante ans et s'essoufflait dès qu'il courait plus de trois mètres, fût difficile à imaginer dans le rôle de l'ennemi.

\*

La première personne de leur connaissance à revenir en permission fut Bill Monroe d'Emerald Street. Il fut suivi d'un garçon de Park Grove Street et d'un autre d'Eldon Terrace. Cela semblait injuste à l'égard d'Albert, qui s'était engagé avant eux.

Il y eut une grande effervescence, un jour, car Bill Monroe n'avait pas regagné son corps au moment où il aurait dû le faire. On envoya la police militaire le chercher, sa mère tenta de barrer la porte avec un manche à balai et deux policiers militaires durent la soulever, en la tenant chacun par un coude, pour dégager le passage. Cela rappela à Nell, qui passait par là en rentrant de son travail, les funérailles de Percy.

Elle eut un deuxième choc quand un agent de police ordinaire surgit soudain de nulle part ; elle pensa une seconde que c'était Percy. Elle eut pendant un instant l'impression ridicule qu'il était venu lui demander pourquoi elle portait dorénavant à l'annulaire gauche un anneau avec une petite perle au lieu de la bague à éclats de saphir qu'il lui avait donnée et qui reposait maintenait au fond d'un tiroir, soigneusement enveloppée de papier de soie.

On emmena finalement Bill Monroe, et Nell ne s'attarda pas dans la rue. Elle se sentait gênée pour lui, car elle avait vu l'expression de terreur peinte sur son visage et se disait qu'il devait être affreux d'être un tel lâche — et de fuir ainsi son devoir patriotique. Elle fut surprise par le nombre de femmes qui allaient trouver Mrs. Monroe, enrageant, hurlant et pleurant sur le pas de sa porte, pour lui dire qu'elle avait eu raison.

*

Frank revint après la deuxième bataille d'Ypres ; il avait été hospitalisé à Southport avec de l'infection à un pied, et avait eu droit à quelques jours de permission avant de regagner le front. La chose curieuse était qu'avant la guerre Lillian et Nell l'avaient à peine connu et que, soudain, il semblait un vieil ami. Quand il vint frapper à la porte de la cuisine, elles lui sautèrent au cou et lui préparèrent du thé. Nell se précipita pour aller chercher des harengs, tandis que Lillian coupait le pain et sortait la confiture du placard. Même Rachel s'enquit de sa santé. Mais quand ils se retrouvèrent tous autour de la table, prenant le thé dans le plus beau service, celui dont les tasses et les soucoupes étaient cerclées d'or et décorées de petits myosotis bleus, Frank se retrouva inexplicablement muet. Il s'était d'abord proposé de leur raconter beaucoup de choses à propos de la guerre, mais, à sa grande surprise, il se retrouvait incapable, devant ces myosotis bleus et ces tartines si bien coupées, d'évoquer le « pied de tranchée » et les rats, sans parler des multiples façons de mourir qu'il avait appris à connaître. L'odeur de la mort n'avait, de toute évidence, pas sa place dans la salle à manger de Lowther Street, avec la nappe blanche, la lampe à abat-jour à franges et les deux sœurs, dont les cheveux semblaient si soyeux qu'on avait envie d'y enfouir son visage. Il ruminait toutes ces pensées en mâchonnant sa tartine et cherchant désespérément des sujets de conversation. Puis il avala nerveusement une grande gorgée de thé et dit :

— Ce thé est formidable ! Vous devriez voir celui qu'on nous donne...

Quand il leur parla de l'eau pleine de chlore distribuée dans les tranchées, il vit l'horreur se peindre sur le visage de ses auditrices et eut honte d'avoir même eu l'idée d'évoquer la mort.

Elles lui parlèrent, de leur côté, de Billy Monroe, et il émit les onomatopées adéquates aux moments adéquats.

Mais il se disait en son for intérieur qu'il aurait bien voulu avoir une mère l'empêchant — d'une manière ou d'une autre — de regagner le front, car il était convaincu qu'il allait mourir s'il retournait à la guerre. Il les écouta poliment lui raconter tout ce qu'elles faisaient. Elles lui montrèrent leurs tricots — elles avaient cessé de tricoter pour les Belges et confectionnaient maintenant des chaussettes pour les soldats. Nell lui parla de son nouvel emploi ; elle faisait maintenant des uniformes, et avait été nommée contremaîtresse en raison de son expérience dans les chapeaux. Lillian travaillait comme receveuse de tramway, et quand il l'apprit, Frank leva les sourcils et s'exclama :

— C'est une blague !

Il ne pouvait imaginer une femme receveuse de tramway. Lillian se mit à pouffer de rire. Les deux sœurs étaient si pleines de vie qu'en fin de compte, la guerre fut à peu près passée sous silence. Frank se borna à dire que Jack allait bien et assurait tout le monde de son affection, qu'il n'avait pas eu l'occasion de voir Albert, mais que celui-ci était beaucoup plus en sûreté avec les gros canons qu'il ne l'aurait été dans les tranchées.

Alors, Rachel, tapie dans son coin, prit soudain la parole et lui dit :

— Cela doit être terrible dans ces tranchées ?

Frank haussa les épaules en souriant et répondit :

— Oh, en réalité, ce n'est pas si épouvantable que cela, Mrs. Barker.

Et il but une autre gorgée de thé dans sa tasse à myosotis.

★

Frank passa la plus grande partie de sa permission avec l'une ou l'autre des filles. Il emmena Nell au music-hall de l'Empire, et Lillian l'emmena à la Fondation pour l'Instruction, mais le débat lui passa légèrement au-dessus de la tête. Il n'y avait là que des quakers et des socialistes persistant à négocier entre eux la fin de la guerre. Frank pensa qu'ils n'étaient tous qu'une bande d'embusqués et se trouva content d'être en uniforme.

— Tu es sûre que tu fais bien de fréquenter des gens comme cela ? demanda-t-il à Lillian en la raccompagnant chez elle.

Elle se contenta de le regarder en riant. Plus agréable fut la soirée où ils allèrent tous trois voir *Jane Shore* au nouveau cinéma qui venait d'ouvrir dans Coney Street, et qui était somptueux, avec ses mille fauteuils à siège basculant.

Quand il lui fallut retourner au front, ce fut pis que lors de son premier départ, et il pouvait à peine supporter l'idée de laisser Nell et Lillian.

Mais celles-ci eurent largement de quoi s'occuper après son départ. Elles travaillaient de longues heures et devaient ensuite supporter Rachel, encore que celle-ci leur parût plutôt moins redoutable que les zeppelins. Elles avaient acheté chez Leak et Thorp du tissu bleu foncé afin de faire des rideaux bien opaques et étaient devenues des maniaques du camouflage, surtout depuis qu'une voisine, la pauvre Minnie Havis, avait comparu en justice pour avoir laissé filtrer une lumière la nuit. Tom venait régulièrement leur rendre visite, mais il était rare que sa nouvelle femme, Mabel, l'accompagne. Lillian soutenait que Mabel était une chiffe molle, mais Nell l'aimait bien. Quelqu'un provoqua leur indignation en leur demandant si leur frère n'était pas un embusqué, mais Nell trouvait en fait que ce n'avait pas été très courageux de sa part de se faire exempter. Lillian lui demanda si cela ne suffisait pas d'avoir déjà un frère qui risquait de se faire tuer. Sur quoi Nell lui jeta un coussin à la tête ; pour elle, Albert ne pouvait pas être tué, et parler de la sorte ne pouvait qu'attirer le mauvais sort. Tom les aida à installer les rideaux bleu foncé aux fenêtres tout en raillant leur crainte des zeppelins. Il ne se mit à y croire qu'après avoir eu la main arrachée par une bombe. Elles allèrent le voir à l'hôpital en se disant qu'au moins, personne ne le traiterait plus d'embusqué. Nell était sur le point d'écrire à Albert pour tout lui raconter lorsqu'il leur fit la surprise d'arriver en permission. Tout ce que Rachel trouva à dire fut :

— Une bouche de plus à nourrir !

Elle n'avait vraiment jamais aimé Albert.

Les deux sœurs eurent l'impression qu'Albert avait grandi depuis son départ de la maison. Il avait de fines rides autour des yeux, et il aurait dormi toute la journée si on l'avait laissé faire. Quand ses sœurs lui posaient des questions sur la guerre, il répondait toujours par une plaisanterie n'engageant à rien. Elles étaient avides de sa présence et auraient passé tous les instants de la journée avec lui, simplement à le regarder. Albert s'était toujours occupé d'elles, et là, elles voulaient s'occuper de lui. Elles se pendaient à son cou et lui caressaient les cheveux comme s'il avait été leur bébé et non leur grand costaud de frère. Lorsqu'il dut s'en aller, elles l'accompagnèrent à la gare, et, dix minutes après que le train fut parti, elles étaient encore là, debout sur le quai, à regarder les rails vides. Elles avaient l'impression que tant qu'elles restaient sur le quai, Albert n'était pas complètement parti. Elles durent faire un effort déchirant pour rentrer à la maison, où Rachel leur dit :

— Elle est partie, hein, la lumière de votre vie !

\*

Frank pensait que c'était sans doute le bruit qui avait fini par venir à bout de Jack. Pendant trois jours et trois nuits, le barrage d'artillerie ne s'était pas interrompu une minute, et, à mesure que le son des canons augmentait, Jack devenait de plus en plus silencieux et absent. Il ne devenait pas frénétique comme certains autres ; il était simplement trop calme. Curieusement, le bruit des canons avait pratiquement cessé de gêner Frank. Il pensait que c'était parce qu'il avait fini par s'y habituer, alors qu'en fait, il était devenu sourd de l'oreille droite.

De toute manière, ce n'était pas le bruit qui préoccupait

Frank, c'était la mort — ou plutôt la façon dont il allait mourir. Il était hors de doute qu'il allait mourir ; après tout, il était là depuis près de deux ans, et les chances étaient de plus en plus contre lui. Frank avait toujours prié depuis qu'il était à la guerre, mais il ne priait plus pour demander de ne pas mourir — il priait pour demander simplement de voir la mort arriver. Il était terrifié à l'idée de trépasser sans le moindre avertissement, et priait pour voir au moins venir l'obus de mortier qui lui était destiné et pouvoir se préparer. Ou pour prévoir, par quelque procédé magique, la balle qui le décervellerait sans même que son corps en ait conscience. Et il suppliait Dieu de ne pas le laisser se faire gazer. La semaine précédente, dans une tranchée parallèle à la leur, presque tout un bataillon de Nottingham avait été surpris par une nappe de gaz qui avait rampé doucement vers lui et l'avait englouti sans que personne s'en aperçoive. Maintenant, les hommes du bataillon agonisaient presque sans bruit à l'hôpital, les poumons noyés.

La nuit précédant l'attaque, personne ne put dormir. À quatre heures du matin, alors qu'il faisait déjà jour, Frank et Jack étaient appuyés côte à côte contre la paroi de la tranchée. Frank roula des cigarettes pour chacun d'eux et pour Alf Simmonds, qui était en sentinelle au parapet, au-dessus d'eux. Puis Jack tira sur sa cigarette et, sans regarder Frank, déclara :

— Je n'y vais pas.

— Tu ne vas pas où ? demanda Frank.

Jack se mit à rire et tendit le bras en direction du *no man's land*.

— Là-bas, bien sûr, fit-il. Je n'y vais pas.

Alf Simmonds se prit à rire lui aussi et dit :

— Là, je te comprends un peu !

Il pensait que c'était une plaisanterie, mais Frank sentit son estomac se tordre, car il savait, lui, que ce n'en était pas une.

C'est dans le silence que l'ordre arriva. Les canons s'étaient tus, et nul ne riait ni ne plaisantait plus. Seul régnait le silence de l'attente. Frank regardait les nuages passer dans le ciel bleu au-dessus de sa tête — ces petits flocons blancs qui s'en allaient flotter sur le *no man's land* comme s'il s'était agi de n'importe quel morceau de campagne et non de l'endroit où il allait mourir sous peu. Le nouveau lieutenant semblait terriblement novice. On pouvait voir d'énormes gouttes de sueur ruisseler sur son front. Il n'avait jamais eu un chef de section aussi nerveux que celui-là. Ni aussi vachard. Frank se disait qu'il ne faudrait peut-être pas longtemps pour qu'il prenne une balle dans la peau, et que cette balle ne viendrait pas nécessairement d'en face. Les hommes regrettaient toujours Malcolm Innes-Ward, qui les avait commandés pendant six mois avant de se faire tuer d'une balle dans l'œil. Il était en train de tirer hors du *no man's land* un blessé quand un tireur isolé l'avait eu. Le simple soldat qui l'aidait avait été tué lui aussi et le blessé était mort ensuite de gangrène gazeuse. Tout cela n'avait donc servi à rien.

Jack s'était bien entendu avec Malcolm Innes-Ward, passant de longues heures à discuter de politique ou des choses de la vie dans la cagna de l'officier, et il avait cruellement ressenti sa mort. Innes-Ward et le bruit, voilà ce qui, selon Frank, avait démoli Jack.

Quand l'ordre d'attaquer survint, ce fut plus un soulagement qu'autre chose, et tous escaladèrent le parapet, sauf trois personnes : Frank, Jack et le nouveau lieutenant. Frank ne savait pas pourquoi il n'avait pas bougé. Ce n'était qu'une hésitation momentanée : il voulait s'assurer que Jack venait avec lui. Mais, à ce moment, le nouveau lieutenant se mit à hurler en agitant son revolver, proclamant qu'il allait les abattre s'ils n'y allaient pas. Sur quoi Jack lui dit, avec une totale tranquillité :

— Les officiers se mettent habituellement devant, mon lieutenant.

Et, avant même de se rendre compte de ce qui lui arrivait, Frank se retrouva avec le Webley du nouveau lieutenant braqué sous le nez.

Jack dit, de la même voix douce :

— Ce n'est pas la peine de faire cela, mon lieutenant. Nous y allons.

Il tira à moitié Frank hors de la tranchée et, avant même d'avoir franchi le parapet, il lui cria :

— Cours !

Frank obtempéra immédiatement ; il avait encore plus peur de se faire tirer dans le dos par le lieutenant que d'être mis en pièces par l'ennemi.

Frank était résolu à ne pas perdre Jack de vue, étant convaincu que le fait d'être avec lui diminuait, il ne savait pourquoi, ses chances d'être tué. Il avait les yeux fixés sur l'arrière de son ceinturon, mais, quelques secondes plus tard, Jack avait disparu et Frank se retrouvait seul à avancer à travers une nappe de brouillard qui semblait s'étendre à l'infini et n'était rien d'autre que la fumée produite par les gros canons.

Ce ne fut qu'au bout d'un long moment qu'il comprit enfin ce qui s'était passé. Il était mort — cela avait dû arriver lorsqu'il avait perdu Jack de vue — et ce n'était plus à travers le *no man's land* qu'il avançait dans la fumée, mais à travers l'Enfer — et c'était bien là ce que l'Enfer pouvait représenter pour Frank : d'avancer sans cesse en terrain découvert vers les tranchées ennemies.

Alors même qu'il commençait à s'habituer à cette idée nouvelle, son pied glissa et il se retrouva dévalant la paroi boueuse d'un cratère d'obus, tenant son fusil à bout de bras et hurlant de toutes ses forces, car, en Enfer, le cratère ne pouvait être qu'un puits sans fond.

Puis, aux deux tiers de la pente, sa chute s'arrêta. Au fond du cratère, au-dessous de lui, stagnait une eau marron et boueuse où un cadavre flottait à l'envers. Un rat nageait autour du corps en décrivant de longs cercles paresseux. Cela rappela à Frank le jour d'été torride où Albert et lui avaient appris à nager tout seuls. C'était il y avait des années, et cela aurait aussi bien pu être dans une autre vie. L'Ouse, ce jour-là, avait la même couleur que l'eau au fond du trou d'obus. Ils n'étaient que deux dans la rivière ; Jack avait les oreillons. Frank ferma les yeux en calant bien son corps dans la boue du cratère et décida que le passé était l'endroit le plus sûr pour le moment.

Il se concentra de toutes ses forces et finit par sentir de nouveau le soleil sur ses maigres épaules nues de garçon de neuf ans, par respirer l'odeur de l'aubépine et du persil sauvage sur les bords de l'Ouse. Il retrouvait la sensation de l'eau lorsqu'on s'y plonge, le choc provoqué par le froid, la vase du fond entre les orteils nus, le frottement de la corde qu'ils s'attachaient à tour de rôle autour de la taille — l'autre, sur la rive, en tenant l'extrémité pour empêcher l'apprenti-nageur de couler complètement. Il revoyait aussi le saule, sur la rive, avec son feuillage vert argenté traînant dans l'eau comme une chevelure de fille.

Frank passa plusieurs heures dans le cratère à recréer sa première baignade avec Albert, de son début jusqu'au moment où, vers la fin de la journée, ils réussirent l'un et l'autre à traverser la moitié de la rivière. Épuisés mais triomphants, ils restèrent ensuite allongés sur la terre dure et nue, à l'ombre du saule, jusqu'à ce que l'eau qui imprégnait leur peau se fût évaporée. Puis ils mangèrent des tartines de confiture de fraise toutes écrasées que Frank avait dans la poche de sa veste (c'était avant la mort de sa mère). Quand ils eurent fini, Albert tourna vers Frank son visage barbouillé de confiture et lui dit :

— Ç'a été une sacrée journée, hein, Frank ?

Il devait s'être endormi, car lorsqu'il leva soudain les yeux, il constata que la fumée avait disparu et que le ciel était bleu pâle. Albert se tenait debout au-dessus de lui, au bord du cratère, tout souriant, et Frank fut aussitôt frappé par sa ressemblance avec un ange, même ainsi, habillé de kaki, ses boucles blondes dissimulées par sa casquette. Il y avait une mince trace de sang et de graisse d'arme sur la peau dorée de sa joue, et ses yeux étaient aussi bleus que le ciel au-dessus d'eux, plus bleus encore que les petits myosotis sur le service à thé de la maison de Lowther Street.

Frank tenta de dire quelque chose à Albert, mais les mots n'arrivaient pas à franchir ses lèvres. Être mort, c'était exactement comme être prisonnier d'un rêve. Puis Albert leva la main comme pour dire au revoir, se détourna et disparut de l'horizon de Frank. Celui-ci éprouva alors un terrible sentiment de désespoir, comme si une partie de lui-même lui avait été arrachée, et il se mit à frissonner, glacé. Au bout d'un moment, il se dit qu'il lui fallait essayer de retrouver Albert. Il se hissa tant bien que mal hors du cratère et se mit en marche dans la direction que semblait avoir prise son ami. Quand, un moment plus tard, il entra en titubant dans une infirmerie de campagne et annonça à un infirmier qu'il était mort, l'infirmier lui dit simplement :

— Alors, va te mettre dans le coin là-bas avec le lieutenant...

Frank alla jusqu'à une paroi de sacs de sable contre laquelle s'appuyait un sous-lieutenant sur des béquilles, regardant dans le vide d'un seul œil — l'autre était recouvert d'un pansement. Frank fouilla dans sa poche et découvrit, à sa grande surprise, qu'il avait toujours son tabac. Il roula deux cigarettes, en donna une au sous-lieutenant et l'aida à l'allumer (le jeune officier avait beaucoup de mal à se faire à sa vision monoculaire). Puis les deux hommes se mirent, en silence, à tirer sur leurs cigarettes tandis que le soleil commençait à se coucher sur la première journée de la bataille de la Somme.

Lillian était en train de distribuer les tickets sur son tram en plein milieu de Blossom Street lorsqu'elle sentit soudain un immense froid l'envahir, malgré la chaleur de cette journée d'été. Sans même penser à ce qu'elle faisait, elle se débarrassa de la machine enregistreuse, la jeta sur un siège et descendit du tram, à la stupéfaction des voyageurs. Elle remonta Blossom Street et descendit Micklegate. Avant d'arriver au pont sur l'Ouse, elle se mit à courir — à courir comme si la mort était sur ses talons. Elle finit par tourner dans Lowther Street et vit Nell qui l'attendait, assise sur le pas de la porte. À ce moment, ses cheveux, ayant perdu toutes leurs épingles, étaient défaits et il y avait de grandes marques de sueur sur son corsage. Elle s'accrocha au portillon de bois en tentant de reprendre sa respiration. Et pendant ce temps, Nell était simplement là, immobile, adossée au montant de la porte, le visage levé vers le soleil. Elle n'avait pas couru, elle ; elle avait simplement quitté le sous-sol étouffant où, toute la journée, on cousait des uniformes, et elle avait remonté lentement Monkgate, comme si elle effectuait une simple promenade dominicale. Elles ne pouvaient entrer dans la maison, car Rachel était partie faire des courses et elles ne savaient pas où était la clé. Pendant une minute, elles se regardèrent, stupéfaites de la puissance de leur instinct.

Ce fut finalement Lillian qui rompit le silence.

— Il est mort, n'est-ce pas ? haleta-t-elle, en refermant le portillon et remontant lentement la petite allée pour aller s'effondrer à côté de Nell sur la marche.

Puis après un long moment, alors que le soleil s'était éclipsé vers la rue voisine, elle ajouta :

— Il doit être au Ciel maintenant.

Nell se mit à fixer l'azur translucide comme si Albert allait soudain paraître dans la cohorte des anges, mais il n'y avait rien, pas même un nuage, pas même une hirondelle glissant dans le ciel.

Lillian et Nell étaient déjà en deuil depuis une semaine lorsqu'elles ouvrirent le télégramme pour le lire à Rachel :

« Avons le regret de vous informer qu'Albert Barker a été tué au combat le 1er juillet 1916. L'État-Major vous exprime toute sa sympathie. »

Un mortier avait ouvert le feu sur la position d'artillerie d'Albert et son obus était arrivé directement sur le canon, projetant en l'air les corps des servants, qui étaient retombés en étoile autour de ce qui restait de leur pièce. La seule marque apparente que portait Albert était une mince trace de sang et de graisse d'arme sur sa joue bronzée, et il arborait le sourire ravi d'un enfant qui vient d'apercevoir sa mère dans une foule. On pouvait se demander ce qui l'avait tué jusqu'au moment où, en le soulevant, on s'apercevait que tout l'arrière de sa tête avait disparu.

Ce qui parut étrange à Frank, c'est qu'Albert fût mort en paraissant tout à fait intact, alors que Jack, couvert de sang de la tête aux pieds comme un martyr des débuts de la chrétienté, était vivant. En revanche, que tous trois se retrouvent, ce jour-là, à la même infirmerie de campagne lui sembla, sur le moment, parfaitement naturel. Après tout, le seul cadavre qu'il ait vu de la journée (en exceptant le soldat flottant au fond du cratère, qui était là depuis plusieurs jours) avait été celui d'Albert. Jack ne parla pas à Frank ; il passa droit devant lui sans le voir, le sang dégoulinant sur son visage.

Quand Frank était tombé dans le cratère, Jack n'était en fait qu'à quelques mètres devant lui. Et Jack avait continué à marcher. Il avait traversé tout le *no man's land*, avec les obus explosant autour de lui et les balles de mitrailleuses l'encadrant, jusqu'au moment où — à sa grande surprise — il s'était retrouvé directement contre les barbelés protégeant les tranchées allemandes. Comme anesthésié, insensible aux déchirures, il les avait traversés et s'était trouvé soudain, sans s'y attendre, dans une tranchée ennemie qu'il avait remontée jusqu'à un abri. Il avait trouvé celui-ci beaucoup mieux construit et soigné que la cagna de Malcolm Innes-Ward. Jack avait oublié qu'Innes-Ward était mort, et il s'attendait à moitié à le voir surgir au détour de la tranchée. Mais il ne découvrit que trois très jeunes soldats allemands tapis dans l'abri. L'un était très blond, l'autre était très grand et le troisième était très massif. Jack se mit à rire, car ils lui rappelaient un numéro de music-hall qu'il avait vu à l'Empire avant la guerre. Trois jeunes gens, qui ressemblaient à s'y méprendre aux soldats allemands, dansaient et chantaient une chanson que Jack n'arriva pas à se rappeler sur le coup. En même temps, ils faisaient passer un chapeau haut de forme d'une tête à l'autre, ce que le public avait adoré. Mais quelle était la chanson ? Jack aurait bien aimé se le rappeler. Il resta là un instant, riant, s'attendant à moitié à voir l'un des Allemands produire un haut-de-forme, mais aucun ne bougeait, et, à la fin, Jack épaula son Lee-Enfield et vida le chargeur. Chacun à son tour, les soldats rejetèrent la tête en arrière et glissèrent lentement le long de la paroi de l'abri. Le dernier avait une telle expression de surprise peinte sur le visage que Jack se remit à rire, estimant que ce numéro-là n'était pas mauvais non plus. Puis il se détourna et s'en alla, sachant qu'il ne se rappellerait jamais la chanson.

*

Jack eut droit à une permission après la Somme. C'était la première fois qu'il retournait chez lui depuis près de deux ans. Ses blessures, qui n'étaient finalement que des lacérations étonnamment superficielles, s'étaient guéries, lui laissant sur le visage et sur les mains de très fines cicatrices dont Nell était assez fière. En fait, Jack avait reçu une décoration pour avoir tué les trois Allemands, et Nell était déçue qu'il ne voulût pas la porter quand il sortait avec elle. Elle lui en fit plusieurs fois la remarque, jusqu'au moment où il se tourna vers elle et lui lança un regard tellement étrange qu'elle en eut presque peur.

Durant toute la durée de sa permission, il se montra difficile. Il se rendait chaque jour à la maison de Lowther Street, mais il parlait à peine, restant près de la table, la mine morose, au point que Nell faillit se mettre en colère, en l'accusant de manquer d'égards envers elle. Cependant, il parlait avec Lillian. Celle-ci avait adhéré à la section de l'Union pacifiste et se rendait à toutes sortes de conférences. Rachel avait dit à Jack qu'elle n'était qu'une amie des Boches, tout comme Arnold Rowntree, mais Jack s'était simplement mis à rire. Jack et Lillian semblaient d'accord sur la plupart des choses. Jack déclara même un jour qu'à son avis, les objecteurs de conscience avaient du courage, et Nell faillit en laisser tomber sa tasse de thé. Elle s'irritait de voir Lillian et Jack assis l'un près — très près — de l'autre, à parler de Dieu sait quoi. Pour la première fois de sa vie, Nell prenait sa sœur en grippe.

Nell et Jack faillirent se marier au cours de cette permission.

Il fut question qu'ils demandent une licence spéciale. Jack était là pour une semaine, mais les jours passaient plus vite qu'ils ne s'y étaient attendus. Jack se montra, en fin de compte, réticent — non parce qu'il ne l'aimait pas, lui dit-il, mais parce qu'il ne voulait pas faire d'elle une veuve. Nell pouvait difficilement lui dire qu'elle aurait préféré être une veuve plutôt que de redevenir une fiancée en deuil. Elle ne discuta donc pas.

Juste avant le retour de Jack au front, ils allèrent voir *La Bataille de la Somme* à l'Electric Cinema de Fosagate. Nell ne pouvait s'empêcher de guetter l'apparition d'Albert, convaincue que son visage souriant allait surgir sur l'écran et attendant ce moment, tout en sachant qu'elle aurait bien du mal à s'en remettre si cela se produisait. Dans le film, tous les Tommies riaient comme si la guerre avait été une vaste plaisanterie. « Un brin de rigolade », avait dit Albert. On aurait presque pu entendre les cameramen leur disant : « Allez, souriez, les gars ! » alors qu'ils montaient vers le front. Et tous se retournaient et agitaient la main en souriant, comme si la Somme n'avait rien été de plus qu'une excursion à la campagne. On pouvait voir aussi les canons tirer et des nuages de fumée s'élever au loin, mais, comme il n'y avait pas de son, la Somme avait l'air d'une bataille bien paisible. En voyant des hommes en manches de chemise et bretelles charger les canons, Nell sentit sa gorge se serrer, car cela lui rappelait le jour où Jack avait réparé le banc dans la cour.

Il y avait de nombreuses vues de Tommies offrant des cigarettes à des prisonniers allemands et de blessés des deux camps claudiquant entre les tranchées, mais peu de véritable bataille dans l'intervalle. À un moment, des hommes recevaient l'ordre d'attaquer, et ils y allaient tous sauf un, qui arrivait au parapet et retombait lentement dans la tranchée. On montrait des chevaux morts, et le commentaire inscrit sur l'écran proclamait que « deux de nos amis à quatre pattes avaient fait le sacrifice suprême », mais, dans l'ensemble, la bataille de la Somme ne semblait pas avoir été si meurtrière.

Même Nell sentait que ce n'était pas là une représentation très fidèle des faits. Quand les lumières revinrent et quand les gens commencèrent à quitter leurs sièges pour sortir de la salle, Jack et Nell restèrent encore un moment assis. Jack se pencha vers Nell et lui dit d'un ton très calme :

— Ce n'était pas comme cela, tu sais.

Et Nell répondit :

— Non, je m'en doute.

Puis Jack s'en alla, non pas au front mais à Shoeburyness. Frank n'en revenait pas : de façon mystérieuse, Jack avait réussi à se faire affecter à un centre d'entraînement récemment ouvert et destiné à former des maîtres-chiens pour le service cynophile de transmissions.

★

Jack n'entendait plus les canons. Ils étaient toujours là, mais lui, tout simplement, ne les entendait plus. Il se couchait le soir avec Betsy à ses pieds et avait l'impression que la respiration régulière de la petite chienne l'aidait lui-même à s'endormir. Dormir avec les chiens était absolument contraire aux consignes — les animaux étaient censés regagner leur chenil la nuit, mais Jack trouvait de plus en plus facile de violer le règlement. Betsy était sa favorite : une petite Welsh Terrier qui aurait traversé les feux de l'enfer pour lui. Il aimait aussi les deux autres chiens, mais d'une façon différente. Bruno était un berger allemand, un grand chien flegmatique. Jack et Bruno se comprenaient ; tous deux savaient qu'ils allaient mourir, et, pour cette raison, maintenaient entre eux une sorte de distance empreinte de respect mutuel. Dans certains de ses moments de moindre lucidité, Jack se prenait à penser que l'esprit de Malcolm Innes-Ward s'était réincarné en Bruno. Il lui arrivait de rester assis la nuit devant les chenils avec Bruno, comme il avait coutume de s'installer dans la tranchée avec Innes-Ward, et il était parfois sur le point de rouler une cigarette pour la passer au grand chien fort poli installé à ses côtés.

Son troisième animal était Pep, un petit terrier qui était le plus rapide et le meilleur de tous. Pep prenait grand plaisir à ses missions de liaison ; la guerre était un jeu pour lui. Lorsqu'il revenait des tranchées avec un message dans le petit tube accroché à son collier, il bondissait tout au long du chemin, ses petites pattes touchant à peine le sol, contournait les cratères d'obus, sautait les obstacles en effectuant de véritables cabrioles et, finalement, se précipitait directement dans les bras de Jack, arrivant à sauter jusqu'à hauteur de l'épaule. Pep avait été le

70

petit chien d'une famille. Jack avait vu la lettre l'accompagnant à son arrivée : « Papa est parti combattre le Kaiser. Nous envoyons Pep faire lui aussi son devoir. Baisers. Flora. » Beaucoup de chiens étaient dans ce cas. Jack en avait vu arriver à Shoeburyness par camions entiers après qu'un appel eut été lancé. Certains venaient des fourrières, qui débordaient d'animaux devenus indésirables en raison du rationnement, mais d'autres arrivaient directement de familles. Jack se demandait ce que les dites familles auraient pensé si elles avaient vu la façon dont les chiens étaient sélectionnés ensuite. Lui-même trouvait la chose difficile à avaler. Les chiens n'étaient nourris qu'une fois par jour, et de façon très particulière : ils pouvaient tous voir la nourriture préparée à leur intention, mais, juste avant qu'on les laisse sortir de leurs chenils, les instructeurs lançaient des grenades dans une fosse toute proche. Ces grenades faisaient un bruit effrayant et, de prime abord, aucun chien n'osait sortir pour aller chercher sa pitance. Mais, au bout de deux ou trois jours, tous étaient affamés, et les plus audacieux, ceux qui allaient être finalement envoyés au front, se décidaient à ramper au travers de leur version du *no man's land* pour engloutir la nourriture aussi vite que possible avant d'aller se remettre à l'abri dans les chenils. Et le plus curieux était qu'au bout de quelques jours, ces mêmes chiens tiraient frénétiquement sur leur laisse pour demander à sortir dès que la première grenade explosait.

Les chiens qui ne s'adaptaient pas à ce régime étaient renvoyés, s'ils avaient de la chance, dans les fourrières ou chez leurs propriétaires, mais, souvent, ils étaient simplement abattus. Jack avait passé des nuits sans sommeil à penser à quelques-uns de ces chiens. L'un d'eux le hantait encore : une adorable petite chienne épagneule nommée Jenny, que les grenades terrorisaient et qui avait finalement été abattue derrière le champ de manœuvres. Revenu au front, il revoyait encore les grands yeux incrédules de la chienne braqués sur lui. Quand le souvenir de Jenny revenait l'assaillir, il tendait la main pour palper le chaud pelage de Betsy, qui, en signe de pardon, venait loger son nez humide au creux de sa paume.

Jack savait que Frank se considérait comme trahi par lui. Frank répétait à qui voulait l'entendre que s'occuper des chiens était facile, et que les chenils étaient situés assez loin derrière les lignes pour être à peu près sûrs — plus sûrs, en tout cas, que les tranchées. Il se demandait comment Jack s'était débrouillé pour obtenir cette planque, jusqu'au moment où celui-ci lui dit qu'il la devait à l'intervention du frère d'Innes-Ward.

— Tu es un sacré veinard, déclara Frank.

Ils s'étaient rencontrés dans une tranchée et Frank avait accompagné Jack, qui allait avec Bruno aider à installer une ligne téléphonique. Le chien avait un rouleau de câble attaché sur le dos et trottait, les oreilles dressées et la queue battant l'air, comme s'il se promenait dans un parc. Une partie de la ligne passait par le *no man's land*, et Jack, couché à plat ventre sur le parapet, sifflait pour encourager son chien en feignant d'ignorer Frank, qui se refusait à se taire.

— Je vais mourir, répétait-il. Je vais être mis en pièces, tandis que toi et tes saletés de chiens, vous allez vous en tirer ! Ensuite, tu rentreras au pays, tu épouseras Nell et tout ira bien pour toi. Pendant ce temps-là, je pourrirai sous la terre, et tu sais pourquoi ? Parce que tu es un sacré veinard et pas moi !

Jack, lui, concentrait son attention sur le chien, qui, achevant sa tâche, n'était plus qu'à quelques mètres de lui.

— Si ce crétin de chien prenait une balle dans la tête, siffla Frank, tu serais plus embêté que si c'était moi !

Jack ne répondit rien car il n'y avait rien à répondre : c'était vrai. Il tenait plus à Bruno qu'à Frank.

Celui-ci continuait à attendre d'un air renfrogné. À attendre que Jack lui dise quelque chose qui le rassurerait un peu. Mais la seule chose qui l'aurait rassuré aurait été de savoir qu'il n'allait pas mourir, et là, Jack n'y pouvait pas grand-chose. Il détacha le rouleau de câble du dos du chien et le mit dans son sac à dos. Puis il fouilla dans la poche de sa tunique et en sortit un petit objet à la forme bizarre qu'il mit dans la main de Frank. Pendant un instant, celui-ci crut qu'il s'agissait d'une patte de chien, mais quand il regarda, il s'avisa que c'était trop petit pour cela.

— Une patte de lapin, dit Jack. Pour la chance.

Puis il appela son chien, tourna les talons et disparut à l'angle de la tranchée, suivi de son compagnon à quatre pattes, avant que Frank eût pu dire quoi que ce soit.

Jack pensa beaucoup, ensuite, à ce que Frank lui avait dit. Une partie de lui-même avait honte qu'il ne se souciât plus vraiment de personne, mais une autre partie se sentait absoute par la certitude de la mort. L'idée de rentrer au pays, d'épouser Nell, de devenir père, de vieillir, lui paraissait si absurde, si improbable, qu'elle le faisait rire. Il pouvait imaginer tout cela — se voir rentrant du travail et voir Nell, revêtue de son tablier, se précipitant pour servir le thé, se voir bêchant son jardinet les soirs d'été, emmenant ses fils à un match de football —, il pouvait parfaitement l'imaginer, mais cela n'allait pas arriver. De toute manière, ce n'aurait pas été une vie que de partager son existence avec Nell ; il avait été attiré par elle, au départ, parce qu'elle était très douce — douce, tranquille et paisible —, mais maintenant, cette douceur lui semblait surtout empreinte de stupidité. S'il pensait maintenant à une femme, c'était à Lillian. Lillian avait un peu plus de vie en elle — avec ses jolis yeux en amande, son regard félin, l'impression qu'elle vous donnait de rire secrètement de tout, comme si elle avait compris quel monument d'absurdité était la vie. Étendu tout éveillé dans le noir, il pensait aussi, bien sûr, à d'autres êtres. Il pensait à Malcolm Innes-Ward et il pensait à Jenny, la petite chienne et à son regard douloureusement stupéfait. Mais, surtout, il pensait à Albert.

Il pensait à Albert et à une journée torride où, longtemps auparavant, ils étaient allés se baigner dans l'Ouse. Albert s'était effondré à plat ventre sur la rive, luisant d'eau comme un poisson et lui avait dit :

— C'est là que Frank et moi avons appris tout seuls à nager. À cet endroit précis.

Assis à côté de lui, Jack contemplait la peau du dos d'Albert, qui était plus belle que celle de n'importe quelle femme. Albert s'était soudain mis à rire — d'un rire étouffé, car il avait le visage enfoui entre ses bras.

— Qu'est-ce qu'il y a de drôle ? avait demandé Jack, en regardant les omoplates d'Albert qu'agitait son hilarité.

De ces omoplates, on aurait pu s'imaginer qu'à tout instant, des embryons d'ailes allaient surgir, et Jack eut presque envie d'étendre la main pour les caresser.

— Qu'est-ce qu'il y a de drôle ? demanda-t-il de nouveau.

Mais Albert se leva d'un bond, piqua une tête dans la rivière, et Jack ne sut jamais ce qui l'avait fait rire ainsi. Peut-être était-ce tout simplement le bonheur. Albert avait une extraordinaire capacité de bonheur. Quand ils se séparèrent, l'un pour remonter Park Grove Street et l'autre pour continuer par Huntingdon Road, Albert cria à Jack :

— Nous avons passé une sacrément bonne journée, hein ?

Et, ensuite, après la mort d'Albert, Jack se rendit compte que celui-ci collectionnait les bonnes journées comme d'autres collectionnent les médailles ou les cartes postales.

*

Frank ne fut pas même surpris lorsqu'il apprit la mort de Jack. Elle lui fut racontée par un camarade qui avait assisté à tout. Pep, le petit chien, était revenu avec un message d'une tranchée de première en sautant et cabriolant comme à son habitude, agitant joyeusement son tronçon de queue. Il avait été cueilli en plein bond, et il était retombé au sol, une patte arrière déchiquetée par les éclats, en émettant un horrible gémissement, et il n'avait cessé, ensuite, de tenter de se remettre sur pied pour reprendre sa course. Jack l'encourageait de la voix mais le pauvre petit chien était trop grièvement blessé. Malgré la grêle de balles qui passait au-dessus de sa tête, Jack entreprit de ramper vers le chien en continuant à lui crier des encouragements. Peut-être pensait-il à la petite Flora qui avait envoyé son chien afin qu'il fasse lui aussi son devoir. Une grenade explosa juste derrière lui, le mettant en pièces alors que le chien continuait à hurler frénétiquement. Heureusement, l'un des tireurs d'élite britanniques réussit à mettre fin aux souffrances du petit animal. Ce tireur était George Mason, qui raconta toute l'histoire à Frank, en lui disant que si le chien avait continué à hurler une minute de plus, il se serait lui-même mis une balle dans la tête.

Frank ne sut pas ce qui était arrivé à Bruno, mais le cas de Betsy devint désespéré. Elle se refusa à travailler avec un autre maître et, pendant un moment, elle passa son temps à courir des premières lignes aux chenils en cherchant Jack. Puis elle resta aplatie sur le sol, sans bouger. Finalement, un officier l'emmena au loin pour l'abattre, car plus personne ne pouvait supporter la tristesse de son regard.

Frank se trouva protégé par la chance dès qu'il eut la patte de lapin, et n'eut plus de problèmes avec la mort avant 1942. Il revint au pays après l'armistice et épousa Nell, qui avait déjà rangé sa petite perle montée en bague à côté des éclats de saphir de Percy. Elle ne regarda plus ces bagues avant le moment où, trente ans plus tard, elle les donna aux jumelles, Daisy et Rose, comme cadeau de baptême.

*

Le mariage se déroula dans l'intimité. Nell était en lilas et Lillian en gris, avec des gants aux boutons de perle et de grands chapeaux aux voilettes flottantes. Frank aurait voulu pouvoir les épouser toutes deux, non parce qu'il aimait Lillian (elle était trop malicieuse, trop moqueuse), mais parce qu'il aurait voulu la protéger elle aussi. Il lui semblait important d'essayer de protéger tous ceux qui restaient. Quand Nell et lui se penchèrent par la portière du train qui les emmenait en lune de miel (dans la région des Lacs, car ni l'un ni l'autre ne pouvait plus supporter l'idée de Scarborough), Frank regarda le petit groupe leur disant au revoir sur le quai (Rachel, Lillian, Tom, Mabel et la mère de Percy Sievewright) et crut voir sa vieille amie la mort flottant au-dessus de lui. Il était convaincu, curieusement, que c'était Lillian qui était visée. Ensuite, bien sûr, il comprit que c'était Rachel, qui tomba morte dès que le train se fut éloigné.

*

Frank semblait avoir laissé derrière lui la Grande Guerre. Il était décidé à mener la vie la plus ordinaire et la moins mouvementée possible, une vie où les seuls problèmes seraient un enfant faisant ses dents ou des pucerons sur le rosier qu'il avait fait pousser à l'entrée de la maison de Lowther Street. Les souvenirs de la guerre n'avaient aucune place dans ce genre d'harmonie domestique. Un jour, toutefois, peu après la naissance de sa première fille, Barbara, Nell l'envoya chercher une épingle et, fourrageant dans un tiroir de commode, il tomba sur la photographie de l'équipe de football. Une chape de glace lui tomba sur les épaules lorsque, regardant tour à tour les membres de l'équipe figurant sur la photo, il se rendit compte qu'il n'y avait qu'un seul survivant et que c'était lui. Il regarda l'image de Percy et faillit se mettre à rire ; la disparition de Percy avait semblé immensément tragique sur le moment, et, ensuite la mort était devenue si banale... Frank jeta la photo après l'avoir déchirée en petits morceaux, car il savait que s'il regardait encore les visages de Jack et d'Albert, il se dirait que c'étaient eux qui auraient dû être vivants, et non lui. Lorsqu'il redescendit, Nell s'aperçut qu'il avait oublié l'épingle, elle fut irritée mais s'efforça de ne pas le lui montrer. Trouver et garder un mari avait été une rude tâche, et elle ne voulait pas avoir à tout recommencer.

Frank et Nell eurent en tout cinq enfants : Clifford, Babs, Bunty, Betty et Ted. Quand Clifford naquit, il avait déjà un cousin. Le fils de Lillian, Edmund, était né au printemps 1917. Lillian ne voulut jamais dire qui était le père, même lorsque Rachel tenta, sans succès, de la jeter à la porte. Pendant un temps, Nell craignit que le bébé ne naquît avec d'épais cheveux noirs et des pommettes saillantes. La chose eût été déplorable, mais, d'une certaine façon, tout parut plus déplorable encore lorsque le bébé se révéla avoir d'angéliques boucles blondes et des yeux couleur de myosotis.

# CHAPITRE III

## 1953

## COURONNEMENT

Dans sa vaste robe blanche, la Reine ressemble à un ballon sur le point de s'envoler jusqu'au toit de Westminster Abbey et d'y rebondir entre les voûtes et les arcs de pierre. Pour l'en empêcher, on ne cesse de la charger d'hermine, de globes et de sceptres, et elle devient si lourde qu'il faut des évêques et des archevêques pour l'aider à se déplacer. Elle me fait penser à la poupée chinoise à remontoir que l'oncle Ted a rapportée de Hong Kong à Patricia ; toutes deux glissent sur le tapis sans montrer leurs pieds en arborant une expression de grave sérénité. La différence entre elles est que la poupée n'a pas de pieds, en fait, mais de petites roulettes, alors que nous devons supposer que la nouvelle reine en possède, et que ce sont eux qui lui permettent d'avancer sur l'épais tapis rouge. La couleur du tapis est elle aussi le fruit d'une supposition, bien sûr, car le Couronnement se déroule en réduction et en diverses teintes de gris sur le petit poste de télévision Ferguson installé dans un coin du salon.

Ce téléviseur est un cadeau de George à Bunty pour la consoler d'avoir à élever sa famille *Au-Dessus de la Boutique* et non dans une maison normale. Nous ne pouvons prétendre avoir eu le premier poste de télévision de la rue, car cet honneur revient à Miss Portello, du magasin de vêtements pour enfants. Mais nous sommes les deuxièmes, et les vainqueurs au sein de la famille, car nul, que ce soit du côté de George ou de celui de Bunty, n'y a encore acquis cet objet désirable entre tous.

Bunty se sent déchirée. D'un côté, elle est naturellement fière du poste de télévision et entend montrer celui-ci — et quelle plus belle occasion que le Couronnement ? En même temps, elle ne peut supporter d'avoir tous ces gens chez elle. Les sandwiches ! Le thé ! Combien de temps cela va-t-il durer encore ? Elle beurre des scones dans la cuisine et les entasse ensuite comme les cubes d'un jeu de construction. Elle a économisé pendant des semaines sa ration de beurre en vue du Couronnement et l'a stockée dans le réfrigérateur avec ce qu'elle a réussi à extorquer à sa mère, Nell, et à sa belle-sœur, Tante Gladys. Elle a préparé tout un assortiment de friandises les plus diverses, car « rien ne récompense mieux la bonne cuisinière que l'aspect séduisant et varié de ses créations, ainsi que le précise la bible personnelle de Bunty, *Cuisine idéale*, « manuel offert par les cuisinières à gaz Parkinson ».

En même temps que les scones, elle a préparé des sandwiches au jambon (jambon fourni par Walter, le boucher-satyre), des « madeleines à la noix de coco », des « petites pâtisseries au caramel » (très spécial !), pour ne pas parler des « piccaninnies » (origine australienne) et des « gâteaux nègres » — ces deux derniers en l'honneur, sans doute, de nos petits amis du Commonwealth. Tous ont un arrière-goût rance de beurre trop longtemps conservé dans le Frigidaire tout neuf de Bunty — autre lot de consolation offert par George. Elle a également fait des saucisses en croûte, Tante Gladys a apporté un énorme pâté de porc et Tante Babs deux flans aux fruits — vastes comme des roues de charrette, l'un débordant de pêches en conserve et de cerises au marasquin, et l'autre de poires en boîte et de raisins en bocaux. Ces chefs-d'œuvre suscitent admiration et envie et amènent Bunty à se dire que sa sœur n'est pas assez occupée et que si elle avait plus d'enfants... Bunty, elle, a tant d'enfants qu'elle ne sait qu'en faire.

— C'est la cohue, ici, dit-elle à George, qui traverse la cuisine à la recherche d'un supplément de bière brune. Et il y a trop d'enfants.

Il est vrai qu'il y en a beaucoup. Et je suis du lot, me faufilant entre les jambes des adultes comme un chien à un concours de dressage. Ici, là et partout, je ne sais pas comment j'arrive à me déplacer aussi vite. À un moment, je suis près du poste de télévision, et au suivant je trébuche à la porte de la cuisine. En clignant un instant de l'œil, on pourrait presque croire que je suis deux. Les gens me regardent d'un air dubitatif et disent à Bunty :

— Elle est très avancée pour son âge n'est-ce pas ?

— Un peu trop pour son bien, confirme Bunty.

Notre liste d'invitations pour le Couronnement n'est pas aussi longue que celle de la Reine. Pour commencer, nous n'avons pas d'amis du Commonwealth à inviter, bien que Tante Eliza passe pour fréquenter un couple de Jamaïcains — l'un des nombreux sujets tabous portés sur une liste spéciale par George (Tante Eliza est la belle-sœur de George, mariée à son frère Bill). Il nous est aussi, entre autres choses, interdit de parler de l'opération de Tante Mabel, de la main d'Oncle Tom et de l'air souffreteux d'Adrian. Oncle Tom n'est pas notre oncle, c'est celui de Bunty et de Tante Babs, et il a été invité ici aujourd'hui parce qu'il n'a pas d'autre endroit où aller, Tante Mabel étant à l'hôpital pour cette opération dont il est interdit de parler. (La main d'Oncle Tom est une réplique en bois de celle qu'il a perdue il y a bien des années.) Adrian est notre cousin — le fils unique d'Oncle Clifford et de Tante Gladys — et nous ne savons pas, après tout, s'il est vraiment souffreteux, car nous n'avons pas d'autre garçon de dix ans avec lequel nous pourrions faire la comparaison. Il a amené son chien boxer, Dandy, et je pense que la taille des testicules dépassant entre les pattes arrière de Dandy est également un sujet interdit. Dandy a juste la taille adéquate pour me renverser, ce qu'il fait régulièrement, provoquant l'hilarité de Gillian et de Lucy-Vida.

Lucy-Vida est notre cousine, fille de Tante Eliza et d'Oncle Bill. (Bunty préférerait ne pas avoir à inviter cette partie de la famille.) Tante Babs a aussi amené son mari, Oncle Sidney, avec elle. C'est un homme aimable et enjoué que nous ne voyons presque jamais. Dans l'assistance, aujourd'hui, tout le monde est (malheureusement) apparenté d'une manière ou d'une autre à tout le monde, sauf le chien Dandy et Mrs. Havis, la voisine de Nell, qui n'a (imaginez un peu !) pas de famille à elle.

Gillian est dans son élément : elle dispose d'un public tout fait, prisonnier du salon. Son seul rival est le poste de télévision lui-même, aussi passe-t-elle un temps considérable à tenter d'en interdire la vision en dansant devant lui et exhibant sa culotte sous sa robe blanche à smocks et multiples jupons venue tout droit de la vitrine de Hapland. Notre cousine Lucy-Vida, avec ses cheveux raides et ses longues jambes en forme de poteaux, traite Gillian comme son petit chien et, lorsqu'elle importune par trop les adultes, l'appelle avec son violent accent de Doncaster : « Viens ici, la petite ! » Lucy-Vida est l'idole de Gillian car elle prend des *vraies* leçons de danse classique. Elle ne cesse d'ailleurs de taper des pieds comme un aveugle tape de sa canne.

Un soupir d'exaspération s'élève du public (mais non de l'Oncle Ted, qui a un faible pour les petites filles, surtout lorsqu'elles montrent leur culotte) quand Gillian se met à chanter et danser en même temps. Elle est la seule de ma génération à avoir hérité le gène chérubique : comme Ada et Albert avant elle, elle a une véritable toison de jolies boucles blondes. Elle ne peut encore savoir que le prix à payer pour cette joliesse supranaturelle est, d'une manière générale, une mort prématurée. Pauvre Gillian !

Lucy-Vida a droit à un gros caramel pour avoir évacué Gillian du salon et être allée lui enseigner les cinq postures de base de la danse classique dans le vestibule. Pendant ce temps, sur l'écran de télévision, la Reine reçoit le glaive symbolique de la monarchie, et Patricia, toujours prête à rendre service, complète le respectueux commentaire de Richard Dimbleby par quelques renseignements extraits du *Livre cadeau du Couronnement pour les garçons et les filles* publié par le *Daily Graphic*. Nous apprenons ainsi qu'il s'agit « d'un acte au symbolisme poignant : la mise du pouvoir de l'État au service de Dieu ». Sa voix aigrelette trébuche un peu sur le mot « symbolisme » — après tout, bien que première de sa classe en lecture et considérée comme très précoce, elle n'a quand même que sept ans — mais elle se rattrape en nous informant que l'épée de cérémonie figurant dans les attributs royaux a été confectionnée pour le couronnement de George IV. Elle déclenche ainsi une vive discussion dans tout un secteur du public adulte au sujet de la place de George IV dans la chronologie des souverains anglais. De toute évidence, il venait après George I^er, George II et George III, mais n'avait-il pas un prédécesseur direct ? Quelqu'un propose de glisser la Reine Anne entre George III et George IV, mais une nouvelle discussion intervient sur le point de savoir qui *était* exactement George IV. Oncle Bill affirme que c'est « le gros type qui a construit Brighton » tandis que l'Oncle Clifford soutient que « c'est celui qui a perdu l'Amérique ». (Ils devraient demander aux fantômes de la maison, qui doivent être parfaitement au courant.)

Patricia est invitée à trancher — une lourde responsabilité, j'en ai peur, pour une si jeune enfant. Ardente royaliste, elle a déjà appris par cœur la moitié de la liste de nos souverains en commençant par Egbert (827-839). Malheureusement, elle n'en est encore arrivée qu'à Édouard II, et ne peut être d'aucun secours en ce qui concerne les mystérieux George.

D'autres membres de l'assistance (Nell, Mrs. Havis et Tante Gladys) sont déjà lancés sur les George qui restent (Cinq et Six), et une véritable orgie de nostalgie est déclenchée par l'apparition du livre de Bunty *George V : soixante-dix ans de gloire* et la découverte du fait que l'album du *Daily Graphic* si abondamment cité par Patricia, ayant évidemment été publié avant le Couronnement d'aujourd'hui, est bourré de photos de celui de George VI, « le vieux roi » ainsi que tout le monde l'appelle affectueusement, comme si l'Angleterre n'était qu'un vaste pays de conte de fées, plein de gardeuses d'oies, de méchantes reines et de « vieux rois » tétant leur pipe en pantoufles brodées de couronnes.

Le contingent des George Un à Quatre est aussi le contingent de la Bière Brune — société de maris réunissant Oncle Sidney, Oncle Clifford, Oncle Bill et George, avec un célibataire symbolique, l'Oncle Ted.

Les souvenirs des divers couronnements commencent maintenant à sortir de tous les coins. Le pot à eau « Couronnement d'Édouard VIII » de mon père, commémorant un événement qui n'a jamais eu lieu, donne à cet assortiment une curieuse valeur philosophique, pour ne pas parler de la cuillère à thé d'Ena Tetley « Couronnement de George VI », maintenant en la possession de Bunty et qui est, bien sûr — techniquement parlant —, un objet volé. (Voir Annexe III.)

C'est Patricia qui, en tant qu'enfant d'âge scolaire, a récolté la plus belle part du butin. Elle est traînée au centre de la scène pour exhiber, à la fois timidement et fièrement : 1) sa tasse du Couronnement, 2) ses pièces du Couronnement dans un porte-monnaie en matière plastique, 3) sa médaille du Couronnement (identique à celle que la nouvelle reine va épingler sur la petite poitrine du Prince Charles dans le courant de la journée), 4) des bonbons du Couronnement dans une superbe boîte pourpre et argent, 5) l'album du *Daily Graphic* déjà mentionné, et, pour couronner — si l'on peut dire — le tout, un drapeau britannique. Pour des raisons patriotiques, elle a revêtu son uniforme scolaire : robe de guingan marron et jaune, blazer marron, béret marron. Comme Gillian, je porte ma plus belle robe — en taffetas citron, avec une collerette et de courtes manches bouffantes. Lucy-Vida arbore l'une des créations très personnelles de Tante Gladys. Chaque fois qu'elle quitte les espaces désolés du Sud-Yorkshire pour visiter des contrées plus civilisées, elle a l'air de se rendre à un bal costumé. Cette fois, ses longues et maigres jambes ressemblent à la tige de quelque fleur exotique peu connue.

Nous savons toutes que Tante Eliza est « commune » — aussi commune qu'on peut l'imaginer, si l'on en croit Bunty. Nous savons que cela tient en partie au fait que ses cheveux blonds ont des racines très noires, qu'elle a d'énormes boucles d'oreilles en pierres du Rhin et peut-être aussi que — même un jour de Couronnement — elle ne porte pas de bas, et que ses jambes rondes et molles étalent de façon éhontée leurs varices. (Sans parler du fait qu'elle est fort bien accueillie par le clan des George Un-à-Quatre, où son rire rauque réconcilie un peu les hommes avec l'espèce féminine.) Tante Eliza semble avoir en permanence les mains pleines de verres et de cigarettes, et si, de temps à autre, elle en libère une, c'est pour attraper un enfant au passage afin de lui déposer un gros baiser mouillé sur la joue — comportement inhabituel dans notre famille, pour ne rien dire de plus.

Tante Eliza a apporté à chaque petite fille un cadeau : une petite couronne de fleurs en papier confectionnée par elle et reproduisant celles que portent les Dames d'Honneur de la Reine. Elle nous organise même un petit couronnement pour nous seules en nous faisant aligner le long de l'escalier tandis qu'elle fixe nos couronnes avec des pinces qui nous tirent très désagréablement les cheveux. La douleur est compensée par l'allocation à chaque enfant d'un sac tout poisseux de bonbons aux fruits Barker et Dobson. La joue gonflée par un bonbon, le pauvre Adrian contemple tristement la petite cérémonie, dont il se trouve exclu par son sexe.

— T'en fais pas, dit Lucy-Vida. Si tu veux, je vais t'apprendre à faire des entrechats.

Et Adrian paraît tout à fait réconforté.

Dans l'ensemble, nous aimons assez Tante Eliza. Même la très sérieuse Patricia vient s'installer sur ses genoux pour lui confier certains de ses secrets les plus importants : sa matière favorite en classe (réponse : l'arithmétique), son repas favori à l'école (réponse : aucun), ce qu'elle veut être plus tard (réponse : vétérinaire).

Daisy et Rose participent peu aux festivités collectives. Petites et parfaites, elles constituent entre elles un monde autarcique. Elles sont habillées de façon identique, chacune finit les phrases de l'autre (quand elles condescendent à parler aux autres, car elles ont entre elles leur propre langage secret), et elles vous regardent avec un air froid et hautain qui leur obtiendrait facilement des petits rôles dans *Les envahisseurs venus de Mars*. Adrian est trop jeune pour le club de la Bière Brune tout en n'étant pas très bien accueilli par la coterie essentiellement féminine du « Vieux Roi ». Celle-ci a été maintenant rejointe par Tante Babs et s'est embarquée dans un vibrant éloge de la Reine Mère (la « Vieille Reine », pourrait-on supposer, mais personne ne l'appelle ainsi). La « Reine Mère — intéressante expression, n'est-ce pas ? La Reine des Mères, la Mère de toutes les Reines. Bunty aimerait bien être une Reine Mère. « La Reine Bunty, la Reine Mère. » Je serais, à ce moment, la Princesse Ruby, ce qui est assez charmant. Certainement mieux que Princesse Gillian ou Princesse Lucy-Vida.

Les Reines Mères boivent du sherry, brun et poisseux comme un curieux sirop contre la toux. Tante Babs en descend un verre à Bunty, qui est en train d'arroser de lait un plateau de saucisses en croûte.

— Oh, je croyais qu'on m'avait oubliée ! fait Bunty en saisissant le verre et commençant à en siroter le contenu.

— Tu es en train de manquer le Couronnement, lui dit Tante Babs.

Bunty lui jette un regard de martyre-victime du devoir plus éloquent que tout discours.

— C'est l'onction ! clame du premier étage la voix pointue d'une Patricia tout excitée.

Et Tante Babs réussit à persuader Bunty de cesser, quant à elle, d'oindre les saucisses en croûte et de monter voir ce qui représente, selon le *Daily Graphic*, « la partie la plus solennelle et véritablement la plus importante de la cérémonie ». Si solennelle et importante que la Reine disparaît au milieu d'un essaim d'évêques et qu'on ne voit rien de son onction *Au-Dessus de la Boutique.*

— C'est un très joli poste de télévision, dit Tante Gladys d'un ton convaincu au moment où, pilotée par Tante Babs, Bunty entre dans la pièce.

Bunty en rougit presque et remercie.

— Un beau revêtement en noyer, fait Oncle Tom, suscitant un murmure général d'assentiment.

— C'est une robe formidable que tu as là, Bunty ! dit soudain Oncle Bill.

Et Bunty tressaille imperceptiblement, car elle n'aime pas Bill (antipathie entièrement fondée sur le fait qu'il est le frère de George), et si son beau-frère pense que c'est « une robe formidable », lui, un homme totalement dépourvu du moindre goût (ce qui est en bonne partie vrai), il doit y avoir quelque chose qui ne va pas du tout. En fait, *c'est* bel et bien une atrocité : une curieuse chose tricotée en rayures alternant le marron et le jaune, qui fait ressembler Bunty à une guêpe en tenue de sortie.

— Maintenant, continue à lire Patricia, vient le moment qu'attendaient tous les citoyens de Grande-Bretagne, du Commonwealth et de l'Empire.

— Le moment suprême, susurre Oncle Ted, penché sur l'épaule de la récitante.

Sa main repose sans trop appuyer sur les basques arrière du blazer scolaire de Patricia, d'une façon qu'on pourrait dire avunculaire sans en être tout à fait sûr. De toute manière, il a mal choisi sa cible, car Patricia ne peut pas supporter qu'on la touche, et elle ne tarde pas à lui échapper en se tortillant.

C'est ce moment que choisit Gillian, brûlant de montrer ses talents chorégraphiques à l'assistance entière, pour faire une entrée bondissante dans la pièce et s'installer devant le téléviseur à l'instant précis où l'on pose la couronne sur la tête de la Reine. La clameur qui s'élève alors combine les « Dieu sauve la Reine ! » aux « Veux-tu bien foutre le camp d'ici, Gillian ! ». Sa lèvre inférieure se met à trembler, ses boucles blondes frémissent de détresse. Étendant une main maternelle, Lucy-Vida lui dit :

— Viens, ma chérie ! Viens avec moi.

Et toutes deux s'en vont retrouver leurs poupées. Ni Patricia ni moi n'avons de poupées. Patricia n'en veut pas, encore qu'elle emprunte souvent celles de Gillian pour jouer à la maîtresse d'école. Patricia joue beaucoup à la maîtresse d'école et, croyez-moi, elle ne plaisante pas sur la discipline — je le sais, car, de temps à autre, il me faut remplacer une poupée au pied levé.

Je dois l'avouer, j'aimerais bien avoir une poupée, bien qu'elles semblent toutes avoir des cheveux raides en plastique et des airs rébarbatifs. Les poupées de Gillian ont des noms comme « Jemima » ou « Arabella ». Patricia a son panda (qui s'appelle « Panda » — avec Patricia, pas de fantaisies) auquel elle est très attachée, et moi, j'ai un ours en peluche (« Teddy », comme dans « teddy bear ») qui est plus proche de moi que tout membre de la famille. J'ai un vocabulaire étonnamment avancé de dix mots : Teddy figure sur cette liste, en compagnie de Maman, Papa, Pash (Patricia), Gug (Gillian), Gamma (Nell), Avoi (Au revoir), Boutique !, Dotty (terme générique couvrant tout le reste) et — le plus important de tous — Mobo.

D'instinct, je sais où Mobo se trouve en ce moment : dans l'Arrière-Cour. Bunty est de retour dans la cuisine, où elle s'emploie à mettre les saucisses en croûte au four. Lorsque Teddy et moi trottinons de conserve vers la porte, elle nous l'ouvre avec une rare obligeance. Je respire profondément et — il est là ! La lumière de ma vie ! Le cheval Mobo est peut-être ce que l'homme a jamais fabriqué de plus beau. Cinq paumes et demie au garrot, il est en fer-blanc peint en gris pommelé, avec une crinière permanentée et une queue en panache. Ses yeux ont un regard amical, son dos est ferme, il a une selle et des rênes écarlates, avec des pédales (également en fer) de même couleur. Sous le soleil de l'Arrière-Cour (nous avons bien meilleur temps que la pauvre Reine), il est resplendissant. On s'attendrait presque à voir ses naseaux se dilater et ses sabots frapper le sol pavé. Patricia, emportée par sa gentillesse naturelle et le zèle que suscite chez elle le Couronnement, l'a décoré de rubans écossais.

Il a été acheté à l'origine pour Gillian (afin de la consoler de mon arrivée), mais elle est maintenant trop grande pour lui et je suis sa cavalière officielle. Cela ne change rien aux sentiments de Gillian, qui entend le garder jalousement et ne me laisse l'approcher que lorsqu'elle y est vraiment contrainte. Mais Gillian est présentement dans la maison avec Lucy-Vida, et ma monture est là, dans l'Arrière-Cour, sans gardes ni entraves, et, pour un bref moment, toute à moi.

Par une savante et incessante incantation — « DottydottydottydottydottydottyMOBO ! » — je finis par amener Bunty à me faire chevaucher l'objet de mon désir et je m'en vais joyeusement au trot tout autour de l'Arrière-Cour. Pour être tout à fait conforme à la vérité, ce n'est pas exactement un trot. Mobo est mû par ses pédales. On doit presser dur avec ses pieds, et il se met à avancer d'un mouvement quelque peu saccadé. Quoi qu'il en soit, je pédale avec volupté pendant dix minutes au moins avant qu'apparaisse notre némésis.

Un vent froid balaie soudain la cour comme s'ouvre de façon dramatique la porte de la cuisine, et une ombre noire se projette sur les pavés. L'ombre n'est pas seulement noire ; sa noirceur même est celle de la haine et de la jalousie meurtrière — eh oui, c'est notre Gillian ! Elle traverse la cour comme une torpille sûre de sa trajectoire, en prenant progressivement de la vitesse, de sorte que lorsqu'elle arrive sur l'objectif, elle ne parvient pas à s'arrêter, renverse le Mobo et moi avec, culbute par-dessus et atterrit lourdement sur le derrière. Le Mobo s'en va voltiger à travers la cour et s'immobilise, pantelant, sur le pavé, avec de vilaines éraflures sur ses flancs métalliques. Je reste étalée sur le dos, contemplant le ciel de juin en me demandant si je suis morte. J'ai une douleur persistante à l'arrière du crâne, mais je me sens trop assommée pour pleurer.

Ce n'est pas le cas de Gillian, dont les hurlements réveilleraient les morts — et finissent même par attirer l'attention de Bunty. Celle-ci se penche même sur le cas avec un rien d'intérêt.

— Tu pourrais faire un peu attention, dit-elle à Gillian.

Ce qui, dans sa bouche, pourrait presque passer pour de la commisération. Lucy-Vida surgit, exécutant un pas de claquettes attristé, et remet sur pieds Gillian, dont la belle robe blanche a passablement souffert et dont la couronne en papier pend lamentablement autour du cou.

— Ma pauvre ! compatit Lucy-Vida avec son accent caractéristique. Viens avec moi, on va nettoyer cela...

Puis elles s'en vont, main dans la main, nous laissant, Mobo et moi, aux bons soins de Dandy, qui nous lèche du mieux qu'il peut. On peut déceler dans son haleine une vague odeur de saucisses en croûte volées.

Le reste de la journée se brouille un peu dans ma tête. Je suppose que j'ai une petite commotion. Lorsque j'opère ma rentrée dans le salon, c'est pour y découvrir quelques scènes d'aimable et légère débauche. Les membres du cercle de la Bière Brune sont, de toute évidence, ivres et jouent au poker dans un coin de la pièce sous le drapeau britannique de Patricia.

Le groupe des Reines Mères a été rejoint par Oncle Tom. Tous portent des chapeaux en papier surgis d'on ne sait où et parlent du jour de la Victoire, des bals dans les rues et de Tante Betty, qui est de l'autre côté de l'Atlantique et se rappelle à notre bon souvenir en continuant à nous envoyer des colis de victuailles. Les Reines Mères ont également fait plus ample connaissance avec la bouteille de sherry, et les devoirs de maîtresse de maison de Bunty l'ont amenée à se coiffer d'un tricorne de pirate et à organiser un jeu de devinettes qui porte ses participants au comble de l'hystérie. Adrian et Dandy sont dans l'Arrière-Cour et jouent à lancer et aller chercher un bâton, sans qu'on sache très bien qui fait quoi. Oncle Ted est en haut avec Gillian et Lucy-Vida, jouant à un jeu appelé « Surprise ! » Le taux d'alcoolémie atteint des niveaux critiques *Au-Dessus de la Boutique*, et je me sens très soulagée lorsque Bunty, m'apercevant soudain, plaque sa main sur sa bouche en un geste horrifié avant de s'exclamer :

— Mais ils ne sont pas encore couchés !

Je crains toutefois que notre mère n'ait absorbé un peu trop de sherry pour pouvoir remédier efficacement à cette regrettable situation. Son chapeau de pirate a glissé sur son œil droit et seul le large dos de Tante Gladys l'empêche de tomber de l'accoudoir du divan sur lequel elle est installée en équilibre instable.

Version adulte de Lucy-Vida, Tante Eliza intervient, rassemble les enfants comme un chien de berger et les pousse vers les escaliers et les lits. Avec Tante Eliza, le cérémonial sanitaire d'avant-coucher est moins rigoureux qu'avec Bunty. Celle-ci nous aligne militairement dans la salle de bains et nous fait nous frotter jusqu'à ce que la peau menace de s'en aller, tandis que, pour Tante Eliza, un coup de gant de toilette sur les parties les plus crasseuses semble suffisant. Nous sommes ensuite expédiés vers nos couches improvisées. Lucy-Vida et Gillian partagent un lit, tête-bêche comme des sardines. Les jumelles ont atterri dans le lit de George et de Bunty — Dieu seul sait ce que celle-ci va en penser lorsqu'elle quittera le pont de son vaisseau pirate pour tituber vers sa cabine. Adrian a rejoint Dandy dans un chenil quelconque. Personne n'est volontaire pour partager la chambre de Patricia — à sept ans déjà, son appétit de solitude est aussi monumental que décourageant. Peut-être dort-elle accrochée la tête en bas, comme une chauve-souris, avec son panda sous une aile.

★

Quelques heures plus tard, je me réveille en sursaut, m'assieds toute droite dans mon lit et me souviens que Teddy est quelque part dans la cour, malencontreusement abandonné après ma chute de cheval.

Ma chambre donnant sur l'Arrière-Cour, je vais à la fenêtre pour essayer de le repérer. Le ciel est d'un bleu sombre magique, plein d'étoiles qui ressemblent aux boucles d'oreilles de Tante Eliza, et (compte tenu de l'heure tardive) la cour est remarquablement peuplée. Mobo reste allongé sur le flanc. J'espère qu'il dort — encore que la couronne de Patricia, posée sur sa tête, ait un aspect funèbre inquiétant. Teddy gît dans le parterre de soucis qui longe l'un des murs, les bras en croix comme un soldat mort. Dandy, dont les yeux brillent dans l'obscurité, monte la garde au-dessus de lui. George, le pantalon incongrûment baissé sur les chevilles, étreint vigoureusement une femme invisible contre la porte. Une jambe nue, sans bas, apparaît contre sa hanche et une voix rauque profère d'un ton joyeux :

— Vas-y, chéri. C'est bon.

Mieux vaut laisser pour le moment Teddy en cette douteuse compagnie et attendre le matin pour récupérer son corps trempé de rosée.

Un tapotement régulier vient de la chambre de Gillian. Peut-être Lucy-Vida fait-elle des claquettes en dormant.

Assise dans son petit lit étroit, Patricia lit à la lueur de sa lampe de chevet *Bambi et ses amis*. Elle a atteint le chapitre VII et dernier du *Livre cadeau du Couronnement pour les garçons et les filles* du *Daily Graphic*, celui intitulé « La nouvelle ère élisabéthaine ». Ce chapitre met en lumière les devoirs de tous les garçons et les filles appelés à « devenir les citoyens adultes d'une nouvelle ère élisabéthaine » dans un pays qui « demeure le phare de la civilisation occidentale ». Ces exhortations ne tombent pas en sol stérile. Patricia va être « Jeannette » et s'efforcer de conquérir tous les badges possibles avant de devenir Guide à part entière. Elle fréquentera le catéchisme et travaillera dur en classe (et, malgré toutes ces activités de groupe, elle demeurera étrangement dépourvue d'amis). Elle restera fidèle à ses principes. Mais les projections d'avenir du *Daily Graphic* ne peuvent débarrasser Patricia des deux gènes qui constituent son ADN, celui de la solitude et celui de la mélancolie. Le texte n'en est pas moins noble et exaltant : « Vous grandirez et quand votre enfance sera derrière vous, vous devrez vous conduire en adultes responsables. Cela peut sembler un peu effrayant, mais vous savez aussi bien que moi que si, en tant que nation, nous avons parfois fait des erreurs, nous n'avons jamais manqué de courage. »

Que nous sommes fiers, tous, en cette journée ! Combien nous vibrons à la pensée de ce magique voyage dans l'avenir en tant que citoyens d'un monde meilleur ! Patricia s'endort avec de royales bénédictions aux lèvres.

— Dieu bénisse la Reine, murmure-t-elle. Et Dieu bénisse tous les peuples du Royaume-Uni !

Et, en écho, le murmure des fantômes du lieu fait vibrer l'air vespéral. Ils célèbrent eux aussi à leur façon ce jour glorieux, à la lueur de chandelles suintantes et de candélabres graisseux. Ils dansent des menuets et des gavottes fantomatiques. Ils ont vu tant de choses se produire entre les murs antiques de la ville, sièges et raids aériens, incendies et massacres, l'avènement et la chute de royaumes et d'empires. Ils ont assisté, à un jet de pierre de la maison, au couronnement de l'empereur Constantin et à la disgrâce du roi des chemins de fer, George Hudson. Ils ont vu la tête du pauvre Richard d'York plantée sur une pique aux portes de la ville et les vaillants royalistes assiégés dans son enceinte. Ils ont pourtant encore la force de s'associer à Patricia en un ultime salut — levant leurs verres, soufflant dans leurs trompes et dressant de nouveau le grand aigle de la Neuvième Légion. Dieu nous bénisse tous !

ANNEXE III

## LA VIE CONTINUE

Le problème pour Bunty, durant la Deuxième Guerre mondiale, ne fut pas tant de trouver un mari que de trouver une personnalité.

À la déclaration de guerre, Bunty travaillait dans une boutique appelée *Modelia — Modes et couture de qualité pour dames*. Elle occupait cet emploi depuis qu'elle avait quitté l'école, deux ans auparavant, et en appréciait l'aspect paisiblement routinier tout en s'adonnant à d'exaltantes rêveries sur ce que lui réservait sans nul doute l'avenir — sur, par exemple, le prince charmant qui allait surgir de nulle part pour l'entraîner vers une existence dorée, pleine des cocktails, de manteaux de fourrure et de croisières au clair de lune.

*Modelia* appartenait à Mr. Simon, mais la boutique était dirigée par Mrs. Carter. Mr. Simon présentait Mrs. Carter comme sa « gérante », et le père de Bunty disait qu'il n'avait encore jamais entendu appeler *cela* de cette façon. Bunty n'était pas tout à fait sûre de comprendre ce qu'il entendait par là, mais il était hors de doute que ses employeurs avaient un côté un peu particulier. Pour commencer, Mr. Simon était étranger, Hongrois pour tout dire, bien qu'à la déclaration de guerre il eût commencé à clamer très haut sa nationalité britannique. Il était petit, avec une tête chauve luisante, et il était toujours impeccablement habillé, avec une grosse chaîne de montre en or en travers de son gilet.

— C'est un petit Juif, hein ? demanda Clifford, le frère de Bunty, lorsque celle-ci fut engagée.

Frank approuva de la tête, en frottant son pouce contre l'extrémité de ses autres doigts.

Bunty avait toujours pris Clifford pour un petit crétin prétentieux. Derrière son dos, elle convint avec Betty que « Petit Juif » était un terme qui n'allait pas du tout à Mr. Simon ; il n'avait rien d'un gamin et il ne se montrait jamais parcimonieux. Il évoquait plutôt pour Bunty un phoque très bien habillé.

Il adorait Mrs. Carter — ou Dolly, comme il l'appelait quand il n'y avait pas de clients dans la Boutique — et multipliait des baisemains et des regards veloutés qui en arrivaient parfois à mettre Bunty mal à l'aise. Elle ne se rappelait pas avoir vu son père et sa mère faire plus, à cet égard, qu'échanger un rapide baiser sur la joue. Clifford affirmait que Mr. Simon avait une femme « bouclée à l'asile », et que c'était pour cela qu'il n'épousait pas Mrs. Carter. Mais (d'après Clifford) il se passait encore plus de choses dans l'appartement de Mrs. Carter, au-dessus de la boutique, que dans la maison voisine de celle de la famille où, à travers le mur de la chambre que partageaient Bunty et Betty, on pouvait entendre des jeunes mariés, Maurice et Ena Tetley, faire grincer les ressorts de leur lit. Bunty et Betty se demandaient souvent, tard dans la nuit, ce que Maurice pouvait bien faire à Ena pour produire autant de bruit.

Bunty aimait bien Mr. Simon et Mrs. Carter — particulièrement Mrs. Carter, une grande femme à peu près de l'âge de sa mère, mais sans cette usure que les années semblaient avoir infligée à Nell. Mrs. Carter était blonde — très blonde —, se coiffait avec de grosses anglaises et se maquillait « avec une truelle », si l'on en croyait Frank. Elle avait aussi une énorme poitrine, dont on avait l'impression qu'elle allait éclater si on la piquait avec une épingle. Mais elle se comportait en véritable mère-poule avec Bunty, la dorlotant, s'inquiétant constamment d'elle et lui donnant de discrets conseils sur la façon de s'arranger, de sorte que Bunty avait renoncé aux talons plats et aux chaussettes montantes pour des escarpins, des bas et même du rouge à lèvres.

— Notre petite dame ! avait dit Mr. Simon d'un ton approbateur lorsque Mrs. Carter avait fait pivoter devant lui Bunty, revêtue de sa première robe « adulte ».

Nell n'était pas douée pour les compliments et elle n'aimait pas voir les gens sortir de leur condition. Elle avait adopté la philosophie selon laquelle les choses tendent toujours à empirer plutôt qu'à s'améliorer. Cette vue pessimiste des choses constituait pour elle une grande source de consolation. Dans sa famille, de toute façon, les préférences de Nell se portaient aux extrémités : l'aîné et le plus jeune, Clifford et Ted — Ted en particulier, ce que Betty et Bunty s'accordaient à trouver étrange, car c'était le plus sale petit putois qu'on ait jamais vu. Babs avait réussi à s'assurer un certain prestige au sein de la famille en tant que fille aînée solide et réaliste, et Betty avait fait son trou comme petite préférée de Frank, mais la pauvre Bunty était restée sur la touche.

★

— Où est donc notre petite Bunty ?
— Je suis dans l'arrière-boutique, Mr. Simon. Je fais du thé. Vous en voulez ?
— Oui, ma chère. Merci beaucoup.
Bunty essayait alors un personnage largement inspiré de Deanna Durbin, charmeur et sérieux à la fois. Cela marchait très bien avec Mr. Simon et Mrs. Carter, mais ne remportait pas le moindre succès en famille.
Le magasin était désert. On était dimanche, et Bunty avait offert de venir spécialement pour aider à l'inventaire. Ils s'installèrent autour du poste de radio avec leurs tasses et leurs soucoupes sur les genoux et écoutèrent un programme intitulé « Comment tirer le meilleur parti des conserves en boîte » en attendant d'entendre le Premier ministre, qui devait faire une « déclaration d'importance nationale ». Quand Mr. Chamberlain déclara « Je dois vous dire qu'aucune démarche de ce genre n'a été enregistrée et qu'en conséquence, notre pays est en état de guerre avec l'Allemagne », Bunty sentit un petit frisson lui passer dans la nuque. Mrs. Carter se mit à renifler bruyamment ; elle avait perdu un mari durant la Grande Guerre, et son fils, Dick, était juste en âge de se faire tuer dans la nouvelle.
— Eh bien, fit Mr. Simon en levant sa tasse de thé avec un petit toussotement, je crois que nous devrions porter un petit toast.
— Un toast ? répéta Mrs. Carter d'un ton dubitatif.

— Oui. À l'esprit combatif du bulldog anglais. Les Britanniques ne seront jamais des esclaves, et au diable M. Adolf Hitler !

Mrs. Carter et Bunty — la plus enthousiaste des deux — firent chorus en levant leurs tasses.

— *Rule Britannia !* ajouta Bunty, dans le pur style de Deanna Durbin.

Bunty plaçait de grands espoirs en la guerre ; il y avait quelque chose de fort séduisant dans la façon dont elle balayait les certitudes et créait des possibilités nouvelles. Betty disait que c'était comme si l'on avait lancé des pièces de monnaie en l'air en se demandant où elles allaient retomber — et cela rendait beaucoup plus probable que quelque chose d'excitant finisse par arriver à Bunty. Peu importait, au fond, que ce soit un irrésistible séducteur ou une bombe incendiaire — d'une façon ou d'une autre, ce serait un changement.

Clifford fut mobilisé, et Frank en manifesta une délirante fierté, ayant apparemment oublié combien la guerre pouvait être douloureuse. Clifford, lui, restait très discret. Sidney, le fiancé de Babs, reçut sa feuille de route en même temps que Clifford, et le mariage fut organisé avec ce qui eût semblé, avant la guerre, une hâte indécente.

Quand le jeune couple sortit de l'église, Mr. Simon et Mrs. Carter se trouvaient parmi les spectateurs sur les marches. Mrs. Carter tendit à Babs un petit brin de bruyère blanche, qu'elle prit avec une expression de légère répugnance, et Bunty entendit Clifford dire :

— Qu'est-ce que cette grosse pute fait ici ?

Elle en eut chaud, puis froid, et regarda vers Mr. Simon en se demandant s'il avait entendu, mais il continuait à sourire béatement à tout le monde, et, quand il repéra Bunty, il lui fit un petit signe de la main.

La réception de mariage se déroula dans la salle paroissiale déjà choisie, en son temps, par Mrs. Sievewright pour la collation de funérailles de Percy. La partie masculine de l'assistance s'y enivra assez rapidement à l'aide d'une bière forte, noire et sirupeuse, sortie d'on ne sait où. Sidney, habituellement sobre et tranquille, participa largement aux agapes sous les cris d'encouragement éméchés de ses congénères. Babs était furieuse.

— Il faut nous pardonner, s'esclaffa Frank en s'appuyant

lourdement sur Sidney, bien que celui-ci ne fût encore dans la position verticale que par miracle.

— Pourquoi ? glapit Babs avec un air de matrone offusquée.

Elle n'avait que dix-huit ans mais possédait déjà l'art de se comporter en femme mûre et installée.

— Parce que, répondit Frank d'un air sombre, nous allons tous mourir.

— Pas toi, vieil imbécile, siffla Babs.

Bunty se dit que si c'était elle qui avait dit cela à son père, elle aurait immédiatement reçu une paire de claques. Sandy Havis, le fils de la voisine, surgit alors et tenta de faire danser Babs, mais celle-ci se dégagea en lui disant :

— Danse plutôt avec Bunty. Moi, j'ai mieux à faire.

Et elle se précipita vers Clifford pour lui demander — en vain — d'essayer de rétablir l'ordre dans l'assemblée.

— Qu'est-ce que tu en dis, Bunty ?

Bunty aimait bien Sandy Havis. Lorsqu'elle était petite, il la promenait dans sa poussette, et il avait des manières franches et joyeuses qui séduisaient la plupart des gens. Il n'était pas beau du tout, bien au contraire, avec ses yeux bleus globuleux et son ridicule toupet de cheveux blond filasse. Il se propulsa avec Bunty dans un « two-step » effréné, l'accompagnement musical étant assuré par un vieux phonographe à remontoir et une sélection de la vaste collection de disques de Sidney. Sandy avait toujours évoqué pour Bunty un gentil toutou, doux, loyal et fidèle. Elle n'en fut que plus déconcertée de sentir soudain sur elle son haleine chargée de bière tandis qu'il tentait de la grignoter d'un peu toutes parts — et le tout à cent à l'heure sur une piste de danse improvisée.

Quand le disque s'acheva, Bunty, ruisselante de sueur, n'avait plus qu'une idée en tête : pousser Sandy hors de la piste avant que la musique reprenne. Se méprenant gravement sur les gestes de sa partenaire, il lui enlaça fermement la taille et commença à faire mouvoir ses doigts le long de ses côtes comme sur les touches d'un piano. Lorsqu'elle réussit à le pousser dans le corridor qui courait sur l'un des côtés de la salle, il était déjà tout excité et répétait :

— Tu reconnais cet air, Bunty ? Hein ? Hein ?

— Non, répondait fermement Bunty en tentant d'échapper à ses doigts inquisiteurs.

Il était d'une force surprenante, et Bunty se rappela alors qu'il avait été champion scolaire de natation.

— Vas-y, essaie de deviner. Vas-y ! la pressait-il.

— Le Lambeth Walk, le Beau Danube Bleu ? répondait Bunty au hasard.

— Oui, oui, faisait Sandy.

Sandy, qui servait dans la Marine marchande, se trouvait en congé à terre, et il s'était juré de posséder une femme avant de regagner son navire, le lendemain. Il ne lui restait donc plus beaucoup de temps.

— C'est le mariage de ma sœur, protesta Bunty avec indignation lorsqu'il introduisit sa langue dans son oreille.

« C'est une salle paroissiale, rappela-t-elle lorsqu'il entreprit de lui explorer l'entrejambes avec son genou.

Finalement, elle lui mordit une main de toutes ses forces. Il fit un bond en arrière en secouant ladite main d'un air de stupéfaction. Puis il la regarda avec une expression admirative et proclama :

— Quelle tigresse !

Bunty regagna à toutes jambes la grande salle surchauffée où la réception se poursuivait dans le tumulte le plus total, mais le propos de Sandy lui restait à l'esprit. Être qualifiée de « tigresse » était loin de lui déplaire. Intérieurement, elle était passée de Deanna Durbin à Scarlett O'Hara.

Un peu plus tard, les survivants de la réception se replièrent sur la maison de Lowther Street. Bunty avait subrepticement absorbé trois demi-pintes de bière forte afin de se mettre dans l'ambiance, et elle fut la première surprise de se retrouver — comme par magie — dans la cuisine en train de couper du pain. Deux bras musclés vinrent soudain encercler sa taille. Tout à son nouveau rôle, Bunty avait mis au point une moue de circonstance si Sandy tentait de nouveau quelque chose. Mais quand il se mit à la chatouiller en l'appelant « Mon petit chou à la crème », elle ne put s'empêcher de pouffer, et son fou rire redoubla quand il lui dit :

— Mais dis donc, Bunty, tu es complètement ronde !

Il la fit tant rire qu'il finit par réussir à la pousser dehors et à l'adosser au mur extérieur de la maison. Il avait des mains partout et donnait à Bunty l'impression de se trouver aux prises avec une pieuvre. À bout de résistance, elle se bornait à répéter faiblement :

— Ce n'est pas vrai !

À court d'autres arguments, Sandy finit par lui affirmer :

— Je t'aime, Bunty. Je t'ai toujours aimée. À ma prochaine permission, nous nous marierons.

Et Bunty, prenant sur le moment ses paroles au pied de la lettre et pensant avoir fait naître (cela arrive tout le temps) le grand amour, le laissa donner suite à ses honteux projets. Elle se disait que c'était peut-être là un ultime cadeau qu'elle lui offrait avant qu'il ne meure, et s'efforçait de s'abstraire en fixant son regard et ses pensées sur la clématite qui se mourait à petit feu de l'autre côté de la cour.

— Quelle fille ! s'exclama Sandy en aboutissant à une conclusion rapide et assez peu digne.

Bunty s'était sentie d'autant plus dégoûtée que, dans son excitation, Sandy lui cognait la tête contre la conduite d'écoulement des eaux, le long du mur. Mais elle avait au moins acquis une idée plus précise de la façon dont Maurice Tetley s'y prenait pour faire gémir les ressorts du lit (« Pas possible ! » fit Betty, les yeux écarquillés, quand Bunty lui raconta.)

★

1942 fut l'année la plus mouvementée de la guerre pour Bunty. Elle avait alors quitté *Modelia*. Mr. Simon et Mrs. Carter lui avaient fait des adieux pleins d'émotion, lui disant qu'ils ne savaient ce qu'ils allaient faire sans leur petite Bunty. Mrs. Carter lui avait donné une paire de bas et un peu d'eau de Cologne à la lavande. Mr. Simon lui avait donné cinq livres et un gros baiser qui l'avait fait rougir. Les choses n'allaient pas très bien pour eux : le rationnement avait fait baisser le chiffre d'affaires et le fils de Mrs. Carter avait été porté officiellement disparu.

Comme Babs, qui remplissait des obus dans les locaux de la maison Rowntree, où l'on était passé de la confiserie aux explosifs, Bunty participait à l'effort de guerre. Son nouvel emploi était dans une usine de matériel optique ; avant la guerre on y fabriquait des microscopes, mais on s'était reconverti dans les viseurs et lunettes de tir. Le travail de Bunty consistait à vérifier les lentilles après assemblage. Au début, elle s'était amusée à imaginer qu'elle tirait sur des Allemands, mais l'intérêt s'était

97

vite émoussé et elle devait surtout s'efforcer de ne pas loucher à la fin de la journée.

Au début de 1942, Bunty en avait plus qu'assez de la guerre. Elle en avait par-dessus la tête du docteur Carrot, de Potato Pete et de Mrs. Sew-and-Sew\*. Elle aurait donné n'importe quoi pour une grosse boîte de chocolats et un manteau d'hiver neuf. Elle n'était pas vraiment dans la note.

Il n'y avait pas non plus d'idylle dans l'air. Sandy vint en permission en février. Bunty ne lui était restée fidèle que parce que personne d'autre ne s'était intéressé à elle. Elle le vit arriver, son sac marin sur l'épaule, sifflant d'un air désinvolte en poussant la porte arrière de la maison Havis, et plongea derrière la fenêtre de sa chambre pour ne pas être vue de lui. Il paraissait encore plus hideux que la dernière fois qu'elle l'avait vu et la seule pensée de ce qu'il lui avait fait le soir du mariage de Babs lui donnait la chair de poule.

Sandy, dont le navire parcourait les flots gris de l'Atlantique avec les convois, fut décontenancé par l'attitude distante de Bunty. Comme Frank avant lui, il était convaincu que ses chances de survie étaient minces. À la différence de Frank, il avait raison, et, trois semaines après son retour à bord, son navire fut coulé avec tout son équipage et une cargaison de bœuf en conserve. Mrs. Havis, naturellement, fut désespérée, et Bunty elle-même ressentit durement la chose. Betty éclata en sanglots en apprenant la nouvelle, car c'était « un si gentil garçon ».

— Ils sont tous gentils, fit Nell.

La maison de Lowther Street se trouvait prise entre deux foyers de deuil et de chagrin ; une semaine après que fut parvenue la nouvelle de la mort de Sandy, Ena Tetley, de l'autre côté, perdit son mari, Maurice. Elle avait un bébé de six mois, Spencer. Elle devint bizarre. Frank disait qu'elle avait perdu la tête et l'évitait, mais Nell se sentait tenue de lui rendre visite chaque jour, comme elle le faisait pour Minnie Havis.

Ena se refusait à quitter des yeux son bébé, ne fût-ce qu'une minute. Elle devint si obsédée par cette idée qu'elle ne posa même plus l'enfant dans son landau ou dans son berceau et

---

\* Personnages inventés par les services de propagande officiels pour encourager les Britanniques à s'accommoder des restrictions. *(N.d.T.)*

refusa de laisser quiconque le toucher ; elle le portait dans ses bras toute la journée et le faisait dormir avec elle dans son lit toute la nuit. Elle passait de longs moments dans la cour, regardant le ciel et attendant le retour du père de Spencer (Maurice avait été navigateur sur un bombardier), ce qui était déjà pénible en plein jour mais devenait effrayant lorsqu'elle se trouvait encore là la nuit, avec le bébé pleurant et toussant dans le froid, et qu'on devait aller la persuader de rentrer. Même Mrs. Havis, qui pleurait son fils, en était arrivée à dire qu'il fallait contrôler un peu son chagrin.

Incapable de supporter cela plus longtemps, Nell repassa la corvée à Bunty (Babs vivait avec ses beaux-parents dans Burton Stone Lane) et celle-ci dut aller tous les matins, avant de se rendre à son travail, préparer une tasse de thé pour Ena et doser le lait en poudre pour le biberon de Spencer. Spencer était un enfant particulièrement disgracieux, hurlant constamment de rage et de l'irritation provoquée par ses couches. Il avait des marques rouges autour de la bouche et le nez bloqué par une matière épaisse et jaunâtre. Il sentait mauvais et ses couches étaient dégoûtantes. Nell avait dit à Bunty de le changer lorsqu'il était mouillé, mais il était *toujours* mouillé, et la seule idée de le changer rendait Bunty malade, aussi ignorait-elle les instructions maternelles. Bunty s'était juré qu'elle n'aurait jamais, jamais de bébés. C'était pénible d'avoir à commencer la journée entre une Ena à l'œil humide et un Spencer hurlant. Parfois, à l'usine, Bunty les imaginait tous deux dans le viseur qu'elle était en train de vérifier, à la place des Allemands, et elle les massacrait sans pitié.

Il y avait des mois qu'elle n'avait pas vu Mrs. Carter. Elle décida d'aller lui rendre visite pour lui demander conseil, entre autres choses à propos d'Ena. Mais le magasin semblait abandonné et, aux fenêtres du petit appartement de Mrs. Carter, audessus, les rideaux étaient tirés. Bunty s'évertua à sonner sans obtenir de réponse, et, quand elle redescendit, le coiffeur qui tenait boutique en face lui dit :

— Je crois qu'elle est partie. Son fils a été tué, vous savez...

Bunty se sentit brusquement glacée. Elle avait rencontré Dick Carter une fois ; c'était un beau garçon avec un sourire qui avait fait rougir jusqu'aux oreilles l'adolescente de quinze ans qu'elle était alors.

C'était à la mi-avril. Vers la fin du mois, un mardi, Bunty était allée avec son amie Vi Linvrood au cinéma Clifton voir *Ainsi finit la nuit*, avec Frederic March. Toutes deux s'accordèrent à dire que le film n'était pas extraordinaire et qu'elles auraient sans doute mieux fait d'aller à l'Electric, où l'on donnait *Hellzapoppin*. Elles rentrèrent à pied en traversant Bootham Park au clair de lune.

— Une lune à bombardements, fit remarquer Vi.

Bunty frissonna et répliqua :

— Ne dis pas des choses comme cela, Vi.

Les sirènes avaient fait bondir Betty hors du lit comme un chat échaudé. Presque simultanément un grondement sourd et profond parvint jusqu'à la maison, qui se mit à trembler légèrement. Bunty ouvrit les yeux pour découvrir qu'une vive lumière blanche illuminait sa chambre. Elle crut d'abord que c'était la Lune, mais c'étaient des fusées retombant d'un peu toutes parts dans le ciel. En une minute, ils furent tous dans l'abri Morrison * installé dans la salle de séjour. Ted serrait contre lui leur chat roux, Totty, et Mrs. Havis, coiffée de son filet, vint les rejoindre avec son petit chien Rex, que tout le monde détestait en raison de sa manie de mordre les mollets. Ted s'efforçait de parler, et tout le monde s'efforçait de le faire taire, comme si les bombardiers, dans le ciel, avaient pu entendre.

— Des Heinkel, proclama Ted, qui se posait en connaisseur.

— *Ted !* fit Nell.

— Sans doute quelques Junker en tête. On les appelle les « crayons volants » parce que...

Betty le gifla.

— Quelqu'un devrait aller chercher Ena, souffla Nell.

Mais, à ce moment, les bombes commencèrent à exploser tout autour d'eux, et, entassés comme ils l'étaient dans l'abri Morrison, ils eurent bien du mal à garder leur raison intacte. Il y eut un « bang » terrifiant et, comme il apparut plus tard, toutes les portes furent arrachées de leurs gonds, puis un « bang » encore plus violent qui marqua, on le sut ensuite, la fin d'Ena et de Spencer.

---

* Abri préfabriqué que l'on installait à l'intérieur des maisons. *(N.d.T.)*

Lorsqu'à l'aube, le signal de fin d'alerte retentit, Frank proclama :

— Jamais je n'ai été plus heureux d'entendre quelque chose.

Saint-Martin-le-Grand était détruit et le toit du vieil Hôtel de Ville réduit en cendres. Les entrepôts le long de la rivière, les bureaux de l'*Evening Press*, le Musée d'Art, l'Institut des Aveugles étaient en flammes. Il ne restait plus un panneau de verre à la magnifique voûte de la gare. Il y avait des ateliers pulvérisés, des trains endommagés, des maisons et des écoles en ruines, cinq religieuses tuées au couvent et la morgue improvisée de Kent Street presque pleine.

Bunty traversa Bootham Park pour aller travailler, reprenant l'itinéraire qu'elle avait emprunté la veille au soir pour rentrer du cinéma. Il n'y avait plus une vitre intacte aux fenêtres des grandes maisons georgiennes bordant le parc, et le seul bruit était celui des tonnes de verre brisé que l'on balayait. Mais, au-delà du parc, la cathédrale se dressait, intacte, et le cœur de Bunty se gonfla de ferveur patriotique tandis qu'à l'intérieur d'elle-même, Scarlett O'Hara cédait la place à Greer Garson dans *Mrs. Miniver*.

Un entonnoir de bombe bloquait une rue, et Bunty fit un détour l'amenant à passer devant l'endroit où se trouvait *Modelia*. Elle resta pétrifiée de voir la petite boutique et l'appartement au-dessus d'elle ouverts comme une maison de poupée dont on aurait brutalement ôté la façade. Elle pouvait voir, dans la cuisine, le fourneau à gaz et le buffet avec les assiettes en worcester de Mrs. Carter, et, plus bas, dans la boutique, un mannequin sans tête et sans bras et deux robes flottant au vent sur des cintres.

— Heureusement, il n'y avait personne, dit le coiffeur en balayant les éclats de verre sur le trottoir.

Dans sa vitrine éventrée, un écriteau proclamait : *Ouvert comme d'habitude. La vie continue.*

Mais la vie ne continuait pas pour Ena et Spencer. Ils étaient restés dans le lit d'Ena quand celui-ci avait traversé le plancher de la chambre pour aboutir dans la pièce en dessous. Les secouristes avaient dit combien il était déchirant de voir ce petit bébé immobile dans les bras de sa mère, enfin paisible.

Dans les débris qui jonchaient la cour, Nell ramassa une cuillère à thé en argent.

— C'est la cuillère du couronnement de George VI qu'avait Ena, dit-elle. Elle n'est même pas tordue.

Bunty se sentit soudain très mal à l'aise en se rappelant que, le matin précédent, elle s'était servie de cette même cuillère pour faire dissoudre avec réticence un peu de sucre dans le thé d'Ena.

Ce jour-là, le repas du soir fut sérieusement assombri par le souvenir des cadavres poussiéreux d'Ena et de Spencer extraits des décombres de la maison voisine. Ils mangeaient une tourte confectionnée à l'aide de pommes de terre et de choux récoltés dans le morceau de jardin alloué à Frank près du terrain de football. Bunty triturant son chou du bout de la fourchette, Frank lui demanda d'un ton sec :

— Quelque chose qui ne va pas avec ce chou, Bunty ?

Elle secoua la tête en se forçant à en avaler un morceau. Elle n'aimait pas les légumes récoltés par Frank parce qu'on y trouvait toujours, en les rinçant, quelques insectes morts ou quelques petites limaces tapies entre les feuilles. Ce soir-là, elle avait lavé elle-même le chou dans l'évier, et elle avait vu une limace flotter, en roulant sur elle-même, dans l'eau. Pour une raison ou pour une autre, elle avait alors pensé à Sandy Havis étouffant dans l'eau couverte de mazout, tentant désespérément de nager mais roulant de façon incessante sur lui-même dans les flots infinis de l'Atlantique. À quoi pensait-on quand on se noyait ? (À rien dans le cas de Sandy, car il avait été assommé par une caisse de boîtes de bœuf en tombant à l'eau.) « Ainsi finit la nuit », se dit Bunty.

— Pauvre Ena ! dit Betty, dont les yeux s'emplissaient de larmes.

— Putains de Boches ! fit Ted.

Vigoureuse expression, qui lui valut une non moins vigoureuse gifle de Frank.

Peu après le grand bombardement, la maison de Lowther Street reçut une visite inattendue. Tous étaient paisiblement installés autour de la radio pour écouter une émission de jeux lorsqu'on frappa à la porte. Bunty alla répondre.

Elle vit un grand jeune homme en uniforme d'officier de la RAF, dont la casquette, posée de façon désinvolte à l'arrière de la tête, révélait d'abondantes boucles blondes.

— Salut ! fit-il de façon très peu anglaise en souriant à Bunty.

— Bonjour, répondit celle-ci avec une plus grande retenue, en attendant que le visiteur explique sa présence.

Il était véritablement très beau garçon avec ses yeux extrêmement bleus et sa superbe chevelure, presque trop spectaculaire pour un homme. (Aucun des enfants de Nell n'avait hérité les boucles chérubiques de l'oncle Albert, et les efforts de Babs et de Bunty pour aider la nature à grand renfort d'eau oxygénée s'étaient révélés dérisoires.)

— Voyons, fit l'aviateur en souriant, vous devez être la fille de Tante Nell ?

— Tante Nell ? répéta Bunty.

L'homme lui tendit la main.

— Je suis votre cousin Edmund, dit-il.

— Qu'est-ce que c'est ? cria au loin Frank.

Au même moment, la voix aiguë d'un chef d'îlot féminin hurlait de la rue :

— Fermez cette foutue porte !

Sur quoi Bunty tira le visiteur dans le vestibule en criant à son tour :

— C'est notre cousin Edmund !

Nell se précipita et freina net, pétrifiée à la vue de l'étranger. Celui-ci avança vers elle en lui tendant les bras :

— Tante Nellie ?

Et Nell tomba, évanouie.

— Qu'est-ce qu'il se passe ? grogna Frank en arrivant à son tour dans le vestibule. Les Boches ont débarqué ou quoi ?

Le visiteur repartit à l'assaut, tendant la main à Frank.

— Oncle Frank ? Je suis le garçon de Lillian.

— Edmund ? murmura Frank.

Il avait l'air perplexe et émerveillé tout à la fois, comme s'il venait d'assister à un miracle. Edmund lui secoua vigoureusement la main pendant quelques secondes, puis ils tournèrent leur attention vers Nell, toujours étendue sur le plancher. Bunty et Betty la remirent en position assise, et leur cousin Edmund s'accroupit à côté d'elle.

— Tante Nellie ? fit-il avec un magnifique sourire. Lillian vous envoie toute son affection.

Leur cousin Edmund était un personnage — officier bombardier stationné à la base de Croft et ravi de faire la connaissance de sa famille anglaise. Il était, affirma Frank, le « portrait tout craché » du frère de Nell, Albert, si bien que, lorsqu'il l'avait aperçu dans le vestibule, il avait cru voir un fantôme. Nell n'avait pas eu de nouvelles de sa sœur Lillian depuis vingt ans et une mystérieuse carte postale de Vancouver disant : « Tout va bien, ne t'inquiète pas pour moi. » Ce qui avait évidemment incité Nell à s'inquiéter d'autant plus. Aucune adresse ne figurait sur la carte, elle n'avait plus entendu parler de Lillian et avait continué à s'inquiéter. Elle avait fini par décider que sa sœur était morte, et, découvrant soudain qu'il n'en était rien, elle était furieuse contre elle pour ne pas avoir donné de nouvelles.

— Elle promet d'écrire, dit Edmund.

Il apparut que Lillian était mariée à un homme appelé Pete Donner et vivait dans une ferme dans la région des prairies. Edmund avait un « petit frère » nommé Nathan.

— Nathan ? demanda Frank d'un ton soupçonneux. Ce n'est pas un nom juif ?

Edmund se mit à rire et dit :

— Je ne sais pas, monsieur.

À dix heures, il se leva pour prendre congé en disant :

— Il ne faudrait pas que je rate le car pour la base, hein ?

Et tous remarquèrent que c'était un « hein » canadien plutôt qu'un « hein » du Yorkshire. En fait, Edmund ne rentrait pas à la base ce soir-là ; il allait au *Betty's Bar* où il avait rendez-vous avec une gentille petite infirmière irlandaise, mais il ne tenait pas à le dire devant ses cousins anglais. Il promit à ceux-ci de revenir les voir dès qu'il aurait une permission, et il se mit à rire. Il ne précisa pas que s'il riait, c'était qu'il s'attendait bien à être tué d'ici là.

Ce soir-là, Bunty et Betty eurent une longue conversation chuchotée à propos du cousin Edmund. Betty proclama son intention de l'épouser, mais Bunty n'était pas si sûre ; il y avait quelque chose d'un peu troublant dans la façon dont il vous regardait avec ses beaux yeux bleus rieurs, comme s'il pouvait lire en vous et découvrir qu'il n'y avait pas grand-chose à déchiffrer.

— De quelle couleur sont ses yeux, à ton avis ? demanda Betty. Couleur de ciel ? Couleur de mer ?

— Couleur de myosotis, répondit Bunty, pensant à la vieille soucoupe où l'on mettait la nourriture du chat, avec les myosotis aux tons passés et la bordure dorée ébréchée.

Toutes deux s'endormirent en pensant à Edmund, heureuses d'avoir trouvé un point de fixation pour leurs rêves romantiques.

Edmund, malheureusement, ne revint jamais les voir ; son avion fut abattu lors de la mission suivante.

— Putain de déveine ! dit Ted.

Tout le monde était trop bouleversé pour penser à le gifler.

★

La déveine de Frank fut plus remarquable encore. Rentrant chez lui en décembre, il s'engagea, pour emprunter un raccourci, dans une ruelle longue et étroite, bordée de deux hauts murs de briques. À ce moment, les sirènes retentirent et il tenta de marcher un peu plus vite, mais il se trouva rapidement à bout de souffle, car, bien qu'il n'en eût rien dit à Nell, il avait quelques ennuis avec son cœur. Puis un sentiment étrange commença à l'envahir : marchant dans la ruelle, il se trouva ramené des années en arrière, au moment où il traversait le *no man's land* dans les premiers jours de la bataille de la Somme, et, avant d'avoir pu savoir ce qui lui arrivait, il se sentit repris par les terreurs d'autrefois. Il porta la main à son cœur, convaincu qu'il allait mourir, et, comme il l'avait constamment fait dans les tranchées, pria Dieu à haute voix pour qu'Il lui permette de voir le trépas arriver. Il regrettait d'avoir donné la patte de lapin porte-bonheur à Clifford.

Il se trouvait à peu près à mi-chemin dans la ruelle lorsqu'il entendit au-dessus de lui les ratés d'un moteur à bout de souffle. Puis, soudain, l'avion surgit, volant dangereusement bas, un moteur dégageant une fumée noire et huileuse. Il avait déjà largué la bombe qui fit disparaître Frank dans une ultime explosion de lumière. Pure malchance, car Frank n'était, bien sûr, pas visé. Le Heinkel avait dépassé son objectif (le dépôt de chemins de fer) et son équipage avait préféré larguer ses bombes avant de tenter un atterrissage forcé. L'avion fut abattu avant, et les corps relativement intacts des aviateurs enterrés dans le cimetière local. Frank y fut inhumé lui aussi, mais on avait dû auparavant réunir comme on le pouvait les débris de son cadavre.

Du coup, Bunty en avait *vraiment* assez de la guerre. Les choses empirèrent encore avec l'arrivée de Babs, chassée de Burton Stone Lane par les bombes, et toujours prête à imposer ses vues et ses méthodes personnelles, mais s'améliorèrent considérablement lorsque Bunty fit la connaissance d'un Américain nommé Buck et stationné à Grimsby. Ils s'étaient rencontrés à une soirée dansante. Bunty et son amie Vi avaient une vie mondaine tout à fait active ; elles allaient à tous les bals de chez de Grey et du dancing Clifton et étaient devenues des habituées du *Betty's Bar* (dont Bunty précisait en plaisantant — c'était sa seule plaisanterie connue — qu'il n'avait aucun rapport avec sa sœur Betty). Il était de coutume pour tous les militaires, au *Betty's Bar*, de graver leur nom sur la grande glace occupant l'un des murs. Bunty déplorait qu'Edmund ne soit pas resté assez longtemps à York pour aller au *Betty's Bar* et graver son nom sur la glace — et se trompait sur les deux points.

Buck, un grand ours de sergent venu du Kansas, courtisait donc Bunty, et Vi s'était trouvé un opérateur radio canadien. Betty, qui n'avait que dix-sept ans, était également courtisée par un Canadien, et passait beaucoup de temps chez Oncle Tom et Tante Mabel à Elvington, car c'était à l'aérodrome local que l'élu de son cœur (Will) était en poste. Buck n'était pas exactement ce dont Bunty avait rêvé. À la différence de Sandy, il avait à peu près figure humaine, mais cela n'allait guère au-delà. Et dès que leurs étreintes devenaient un peu précises, il se mettait à glousser d'un air gêné. Il se révéla qu'il était un fort strict baptiste, élevé par une mère veuve qui lui avait enseigné les bonnes manières et le respect de la femme. Après de multiples gloussements, il finit par demander à Bunty de l'épouser et il lui attacha autour du doigt un petit morceau de fil en lui disant :

— Quand je t'amènerai à la maison chez Maman, je t'achèterai une bague vraiment chère.

Ce fut peu après qu'il se fit sauter le pied dans un accident.

— Toujours capables de n'importe quoi pour rigoler, ces Amerloques ! remarqua Clifford.

Ce qui arracha un glapissement effaré à Betty, et amena Bunty à frapper si fort son frère qu'elle se fit mal à la main. Clifford se trouvait en permission Lowther Street, mais, Dieu merci, ce n'était déjà plus tout à fait sa maison, car il avait épousé une ATS* nommée Gladys, déjà enceinte de ce qui devait être leur

---

* Auxiliaire féminine de l'Armée de terre. *(N.d.T.)*

unique enfant. Buck fut réexpédié chez « Maman » aux États-Unis, promettant de faire venir dès que possible sa petite Bunty — ce qu'il ne fit jamais.

Bunty rencontra George vers la fin de 1944. Il était caporal dans l'intendance, cantonné à Catterick. Ils se firent une cour épisodique et se fiancèrent juste avant la fin de la guerre. Bunty n'était pas entièrement convaincue de faire le bon choix, mais, la guerre tirant à sa fin, les possibilités commençaient à s'évanouir et toutes les pièces lancées en l'air tendaient à retomber avec fracas en des endroits tristement prévisibles.

Tel n'était pas, cependant, le cas pour Betty : elle annonça son départ pour Vancouver. Bunty et elle cherchèrent dans l'atlas une carte du Canada pour voir où elle allait dorénavant vivre. Mais l'une et l'autre savaient que ce n'était pas le Canada qui importait, mais la vie nouvelle qui attendait Betty.

— C'est vrai pour toi aussi, Bunty, dit celle-ci en tapotant la bague de fiançailles ornant le doigt de sa sœur.

Mais Bunty n'en avait vraiment pas l'impression.

Clifford fut démobilisé, indemne grâce à la patte de lapin, et, sous l'influence de Gladys, devint un peu plus gentil. Il fit cadeau de la patte de lapin à Bunty le jour de son mariage. Il estimait qu'avec un homme comme George, elle allait en avoir besoin. Babs et Sidney attendirent jusqu'en 1948 pour avoir les jumelles, Daisy et Rose.

Betty divorça au bout de vingt ans, mais resta à Vancouver. Elle ne revint en visite en Angleterre qu'une fois, en 1975, et dit à sa fille, Hope, que, bien que c'eût été agréable de revoir Bunty, cette fois-là suffisait amplement.

Ce ne fut que des années après la guerre que Bunty apprit ce qui était arrivé à Mrs. Carter et Mr. Simon. Quand la boutique et l'appartement furent détruits par les bombes (le coiffeur s'était trompé : ils étaient encore là au moment du bombardement), ils allèrent vivre avec la sœur de Mrs. Carter à Leeds et ne revinrent jamais à York. Au cours de l'épouvantable hiver de 1947, alors que la sœur de Mrs. Carter était en visite chez sa fille à Newcastle, ils se suicidèrent au gaz dans la petite cuisine. Mr. Simon avait perdu un fils à Dachau — ce qui surprit beaucoup Bunty, car il n'avait jamais dit avoir un fils — et, bien sûr, Mrs. Carter avait aussi vu disparaître le sien. Bunty pouvait donc comprendre leur geste, mais elle aurait préféré qu'ils ne l'aient pas fait.

★

Ils allèrent tous à Liverpool voir Betty s'embarquer. Comme presque tout le monde sur le quai, Bunty pleura en voyant le grand paquebot larguer ses amarres. Elle n'avait compris combien Betty, avec son heureux caractère, allait lui manquer qu'en la voyant agiter la main au loin, sur le pont.

★

En fin de compte, la guerre n'avait été pour Bunty qu'une source de déception. Et, quelque part au fond d'elle-même, dans ses rêves, une autre guerre allait continuer à se jouer — une guerre où elle maniait des projecteurs la nuit et chargeait des canons antiaériens, une guerre où elle était toujours belle, brave et chanceuse, et où elle valsait interminablement entre les bras d'un fringant officier.

Nell donna à Bunty, avant son mariage avec George, le médaillon d'argent de sa mère. Elle avait projeté de le laisser, à sa mort, à sa fille aînée, Babs, mais Bunty semblait si déprimée qu'elle changea d'avis.

Bunty prit une autre chose dans la maison de Lowther Street. Nell avait conservé sur la cheminée la cuillère à thé d'Ena comme une sorte d'étrange *memento mori*. Elle ne parut pas trouver étrange que, la veille de son mariage, Bunty lui demande si elle pouvait emporter cette cuillère dans sa nouvelle vie. Ensuite, Bunty astiqua toujours la cuillère, la gardant nette et brillante comme un sou neuf.

CHAPITRE IV

1956

## LES NOMS DES CHOSES

Je ne pense pas que ce soit le Kansas, Teddy. Mais où pouvons-nous bien être ? C'est ce que tu dis, Teddy ? Dewsbury ? Oh, mon Dieu, faites qu'il se trompe ! Mais il ne se trompe pas : c'est Dewsbury, minable capitale du Nord.

Mais pourquoi ? Pourquoi sommes-nous à Dewsbury — et pas seulement à Dewsbury, mais, pire encore, dans la mansarde du Numéro Douze, Mirthroyd Road, l'aire, le repaire, le nid intime des jumelles de l'enfer, Daisy et Rose ?

Elles me contemplent avec leurs petits yeux graves. Elles sont perchées au bord du grand lit qu'elles partagent, tandis que je suis installée dans un coin, près de la fenêtre, sur un vieux lit de camp en toile verte, avec des tubes métalliques rouillés. Il est recouvert d'une couverture gris foncé qui empeste la naphtaline. C'est le lit de l'invitée.

Mais le comment et le pourquoi de ma présence ici demeurent autant de mystères, car je ne me rappelle rien à ce sujet. En fait, même en faisant des efforts — ce qui n'est pas facile quand les jumelles me regardent — je ne me souviens pas de grand-chose dans l'ensemble. Je m'efforce de me confirmer ma propre existence avec un sentiment croissant de panique : je m'appelle Ruby Lennox, j'ai une mère, un père, des sœurs. Ces deux-là ne sont pas mes sœurs. Peut-être Daisy et Rose sont-elles réellement des extra-terrestres qui m'ont aspirée à bord de leur vaisseau spatial alors que je jouais innocemment dans l'Arrière-Cour et s'apprêtent à opérer sur moi toute une série d'expériences barbares ? Il me semble qu'elles commencent à prendre une curieuse teinte verte...

109

— Ruby ! Tu vas bien ?

Tante Babs se faufile dans la chambre — il est clair que le lit de camp prend beaucoup trop de place — et me regarde d'un air dubitatif. J'estime que la seule ligne de conduite pour une invitée est la plus grande politesse.

— Oui, merci, Tante Babs, dis-je d'un ton ferme.

— Pourquoi ne jouez-vous pas avec Ruby, les filles ? poursuit Tante Babs en regardant sa progéniture.

Je me recroqueville dans mon coin ; je ne suis pas du tout sûre de vouloir être initiée à leurs jeux. Tante Babs se retourne vers moi avec un beau sourire étincelant et artificiel que je reconnais aussitôt, car c'est celui de Bunty. Je me demande où elles l'ont pris. (Voir Annexe IV.)

— Est-ce que tu peux les reconnaître entre elles, Ruby ? demande-t-elle.

Peut-être est-ce comme dans l'un de ces jeux qui figurent dans un livre de Gillian, où l'on a deux images « identiques » et l'on doit « Repérer la différence ». Peut-être l'une des jumelles va-t-elle avoir six doigts, pas d'oreille et un ruban dans les cheveux ?

— Regarde le plafond, ordonne Tante Babs à l'une d'elles.

Elle désigne ensuite un petit grain de beauté sous le menton de la jumelle. Est-ce tout ? Pour ce qui est de « repérer la différence », c'est vraiment maigre.

— Celle-ci, c'est Rose.

Et Rose continue à fixer le plafond jusqu'au moment où Tante Babs lui dit :

— C'est très bien, Rose. Tu peux baisser la tête.

Rose porte sur moi un regard aussi vide que celui qu'elle avait précédemment accordé au plafond. Les jumelles ont une gamme d'expressions faciales très limitée. Celles, extrêmement variées, de Gillian, ou même, plus sobres, de Patricia, commencent déjà à me manquer.

— Un jeu ? Un jouet ? propose Tante Babs.

À contrecœur, Daisy se laisse glisser à terre et exhibe une boîte de jeux. Si je joue avec les jumelles, serai-je autorisée à rentrer chez moi ? Pour d'obscures raisons, je ne le pense pas.

J'ai avec moi une petite valise contenant un pyjama en finette, une brosse à dents, un gant de toilette, une paire de pantoufles écarlates, cinq culottes, un maillot de corps, un corselet en

Liberty, deux corsages, un kilt, une robe-tablier en velours, un pantalon écossais, deux chandails tricotés à la main, un cardigan vert bouteille, un jupon et quatre paires de chaussettes. Plus, bien sûr, ce que je portais en arrivant : un maillot de corps, un corselet en Liberty, une culotte, une paire de chaussettes, un jupon, une paire de souliers, une jupe de laine bleue avec des bretelles, un chandail jaune, un manteau d'hiver, une paire de gants, une écharpe, un bonnet de laine. S'il y a une chose que nous savons faire, dans la famille, c'est nous habiller pour les grands froids.

À considérer cette somme de vêtements, on pourrait penser qu'un long séjour est prévu. Mais il y a cette anomalie : un seul pyjama. Les vêtements ne seraient-ils destinés qu'à impressionner Tante Babs, alors que l'unique pyjama traduirait la vérité ? Qui sait ? Pas moi, en tout cas. Et pourquoi suis-je ici ? Seraient-ce des vacances ? Je n'ai pas l'impression d'être en vacances. Outre Teddy, j'ai avec moi un petit livre de Gillian, *Chiots et chatons*, qu'elle doit m'avoir donné en un geste de générosité absolument sans précédent.

*

Il y a maintenant près d'une semaine que je suis là. Je ne pense pas que les jumelles dorment la nuit. Je crois qu'elles se tiennent simplement très, très tranquilles. Je n'arrive pas à dormir si je me dis qu'elles sont éveillées, et s'il m'arrive de sombrer dans le sommeil, c'est toujours pour m'éveiller au comble de la terreur. Je serre très fort Teddy contre moi sous les draps. Son petit corps chaud me rassure. Je sens sa petite poitrine velue se soulever et s'abaisser au rythme de ma respiration. Dans le même temps, l'édredon qui recouvre Daisy et Rose ne bouge pas, confirmant le fait qu'elles n'ont pas des poumons normaux d'humains. Et la façon dont elles regardent Teddy ne me plaît pas.

Dans le noir, les meubles prennent un aspect maléfique. Et les meubles, la chambre en est tout encombrée, de grands meubles massifs tout à fait déplacés dans une chambre d'enfants : outre l'immense lit des jumelles, une énorme armoire à deux portes et une commode semblant abriter un cadavre.

Dans un autre coin de la pièce se dresse la maison de poupée des jumelles — une bâtisse victorienne de quatre étages, avec des tableaux de la taille d'un timbre-poste et des lustres grands comme des boucles d'oreilles.

Cette maison de poupée est l'objet des convoitises de Gillian, qui a fréquemment tenté de convaincre les jumelles de la lui léguer par testament. Je doute qu'elles l'aient fait. Si la maison m'était léguée (ce qui est encore plus improbable), je refuserais de l'accepter. Elle a quelque chose de maléfique, avec ses microscopiques robinets de cuivre et ses minuscules livres reliés de cuir. J'aurais peur — j'ai déjà peur — de m'y retrouver prisonnière avec les figurines à bouclettes et à tablier blanc condamnées à jouer éternellement avec des poupées grosses comme des têtes d'épingle.

Peut-être les jumelles, avec leurs pouvoirs extraterrestres, vont-elles profiter de la nuit pour me miniaturiser. Tante Babs, entrant dans la chambre un beau matin, trouvera le lit de camp vide et l'un des lits de la maison de poupée (beaucoup plus somptueux) occupé par une Ruby Lennox de la taille d'un soldat de plomb serrant contre elle un ours en peluche gros comme une amibe.

Les escaliers sont ce qu'il y a de pire, tant dans la maison de poupée que dans celle de Mirthroyd Road. Il n'y a qu'une seule pièce par étage, et se rendre jusqu'à la mansarde implique une longue ascension dans une cage d'escalier étroite et sombre, avec des tournants et des recoins mystérieux où se tapissent des terreurs innombrables. Les aimables fantômes d'*Au-Dessus de la Boutique* ont été remplacés par des esprits hautement maléfiques et malveillants.

C'est moi qu'on envoie au lit au premier, et je dois opérer seule ce voyage plein d'embûches. J'ai mis au point, pour cela, certaines tactiques. Il est important, par exemple, que je garde en permanence une main sur la rampe (l'autre étant tenue par Teddy). De cette façon, nous ne pouvons être brusquement précipités dans les Ténèbres Extérieures par une force inconnue dévalant l'escalier à notre rencontre. Et nous ne devons à aucun moment regarder en arrière. En aucun cas, même lorsque nous pouvons sentir l'haleine brûlante des loups sur notre nuque et entendre leurs longues griffes racler le bois des marches là où s'arrête le tapis de l'escalier.

Des images terribles, apocalyptiques, surgissent devant mes

yeux au moment où nous entamons notre ascension — la vision de Teddy dépecé, écartelé, déchiré membre après membre, par des loups dont les mâchoires dégoulinent de bave. Tandis qu'on arrache le rembourrage de son pauvre petit ventre, le regard suppliant de ses yeux couleur d'ambre se tourne vers moi...

— Qui est-ce ? profère une voix rauque.

Nous nous trouvons sur le palier, devant la chambre de « Grand-Papa », pas mon grand-père (je n'en ai plus, l'un ayant été écrasé et l'autre volatilisé par une bombe), mais celui des jumelles — le père de Sidney. Il occupe la chambre juste au-dessous de la nôtre.

— C'est Ruby, dis-je en reprenant l'ascension.

La dernière volée de marches gravie, nous en venons au plus difficile : se mettre au lit sans tomber dans aucun piège.

Nous nous attardons un moment sur le seuil de la chambre ; les seuils sont des endroits sûrs, mais, malheureusement, on ne peut pas y passer sa vie. À remarquer également que les loups qui campent dans les escaliers ne peuvent les franchir (sinon ils envahiraient toute la maison). Mais sous le lit de camp, il y a des choses : quelques crocodiles, un petit dragon mais surtout des choses sans nom, échappant totalement à la taxonomie. Un fait est toutefois certain : tout ce qui vit sous le lit, nommé ou innommable, a des dents. Des dents qui risquent toujours de se refermer sur les petites chevilles fragiles de ceux ou celles qui tentent de se coucher.

Là, la vitesse est le seul stratagème qui tienne. Prêt, Teddy ? On y va ! Les petits pieds frappent à toute vitesse le linoléum, et, comme nous approchons de la zone dangereuse — cinquante centimètres du lit —, les petits cœurs battent à pleine cadence. Nous nous lançons sur le lit de camp. Il s'effondre presque sous notre poids, mais nous sommes en sécurité. En sécurité tant que nous ne tombons pas du lit pendant la nuit. Par mesure de précaution, je glisse Teddy sous ma veste de pyjama.

Je veux rentrer chez moi ! Je veux Patricia. Je veux la télévision pour enfants de l'après-midi...

Je décide d'utiliser *Chiots et chatons* pour m'évader. Je vais apprendre à lire ! Cela fait d'ailleurs longtemps que j'essaie de lire : je dois commencer l'école à l'automne prochain, et je voudrais prendre un départ en voltige. J'ai ingurgité tout ce que j'ai pu toutes les fois où j'ai été mobilisée pour aider Patricia à jouer à l'école (pour dire la vérité, je ne crois pas qu'elle soit aussi bonne institutrice qu'elle l'imagine), mais, bien que je connaisse l'alphabet dans tous les sens, cela ne m'avance encore à rien.

Si j'apprends à lire, puis à écrire — je sais que l'un conduit à l'autre — je pourrai adresser une lettre au monde extérieur, à Patricia, et elle viendra m'arracher à Mirthroyd Road. En cette entreprise, Tante Babs est mon alliée involontaire, car elle me donne pour m'occuper — je suis « dans ses jambes » toute la journée — les vieilles cartes d'alphabet de Daisy et de Rose. Les jumelles sont à l'école, et Tante Babs n'est visiblement pas ravie de se retrouver avec une jeune enfant dans la maison, d'autant qu'elle doit déjà s'occuper de « Grand-Papa ». Cela me confirme dans l'impression que j'ai été envoyée ici, non en vacances, mais bien en punition. Si j'étais en vacances, Tante Babs ne réagirait sans doute pas ainsi. Mais, au fond, je ne suis vraiment sûre de rien.

Dans la maison de Tante Babs, tout est réglé comme une horloge. Par exemple, il y a un ordre très strict pour l'occupation de la salle de bains le matin : Tante Babs y va la première, puis Oncle Sidney, puis les jumelles (ensemble), puis moi. Le soir, l'ordre est inverse.

Tante Babs est également l'esclave des travaux domestiques. Je le sais parce qu'elle me le dit. Souvent, même. Le lundi, elle fait la lessive. Elle fait chauffer une antique chaudière (toutes ses installations ménagères sont plus primitives que celles de sa sœur cadette) et toute la maison finit par se transformer en un immense bain turc à l'épaisse vapeur. Elle me fait rester près de l'effrayante chaudière, car j'ai une mauvaise toux et, me dit-elle, je « dois m'estimer heureuse de ne pas avoir pire ». Tante Babs a, vous le remarquerez, la même façon mystérieuse de communiquer que Bunty. Si les Allemands avaient utilisé Babs et Bunty au lieu de la machine Enigma *, ils auraient sans doute gagné la guerre. Le mardi, Tante Babs repasse tout le linge qu'elle a lavé

---

* Machine à coder allemande dont les clés furent livrées aux Britanniques au début de la Deuxième Guerre mondiale, leur permettant de déchiffrer la plupart des messages secrets du commandement adverse. (N.d.T.)

le lundi. Le mercredi, elle époussette le bas, et le jeudi, elle époussette le haut. Le vendredi, elle lessive les plinthes et les planchers. Le samedi, elle fait les courses. Elle a exactement le même emploi du temps que sa consœur en esclavage domestique, Bunty...

Les repas sont simples et ponctuels. Oncle Sidney n'attend jamais son thé plus de deux minutes lorsqu'il rentre du travail. Tante Babs se targue d'être bonne cuisinière et ne connaît aucune des affres strindbergiennes qu'éprouve Bunty lorsqu'elle se retrouve aux fourneaux (ou peut-être est-ce ibseniennes, Bunty se retrouvant aussi prisonnière d'une maison de poupée ? Juste une idée comme cela...). Oncle Sidney est le premier à vanter les talents culinaires de Tante Babs. Il parle du « Yorkshire pudding de Babs » et de la « sauce aux oignons de Babs » comme s'il s'agissait de membres de la famille — « Bonjour, bonjour, voici qu'arrive le hachis Parmentier de Babs »... Et Tante Babs est, en plus, la reine des desserts. Il y en a un nouveau chaque soir : gâteau au caramel, gâteau roulé à la confiture (ce que Patricia appelle un « bébé mort », mais je préfère ne pas utiliser cette expression à la table de Tante Babs), meringue au citron, tarte à la rhubarbe, gâteau de riz. Je me demande ce que nous aurons dimanche. Et je me demande ce que nous ferons dimanche.

*

— Tu es prête pour l'église, Ruby ?

L'église ? Voilà qui est nouveau. Nous sommes pour la plupart des païens, dans la famille, encore que Patricia se rende d'elle-même au catéchisme tous les dimanches ; elle aurait probablement fini bonne sœur si elle ne répugnait pas tant au contact humain. Je sais à quoi ressemblent les églises, car Tante Gladys m'a emmenée dans la sienne (anglicane moyenne) et je ne suis pas hostile à cette idée. Il s'agit d'une sortie purement féminine, car « Grand-Papa » ne quitte presque jamais sa chambre et, le dimanche, Oncle Sidney s'enferme dans le salon et écoute des disques de Gilbert et Sullivan tout l'après-midi.

*

Cela ne ressemble pas du tout à l'église de Tante Gladys. D'abord, c'est en sous-sol, et il faut descendre un escalier en spirale et parcourir un couloir avec des tuyaux le long des murs pour arriver à une porte avec un petit écriteau annonçant : *Église spiritualiste*. Il fait très chaud dans ce sous-sol, où règne une odeur passablement écœurante de violette de Parme et de désinfectant mélangés. Beaucoup de gens sont déjà là, bavardant entre eux comme s'ils étaient au théâtre. Il faut un long moment pour que l'ordre s'installe, mais, finalement, un petit harmonium se met à jouer et nous chantons un cantique. Comme je ne puis lire les paroles dans le recueil de chants, il me faut ouvrir et fermer la bouche pour faire mine de participer.

Puis une femme, qui se présente comme Rita, invite un homme nommé Mr. Wedgewood à monter sur l'estrade. Tante Babs se penche vers moi pour m'informer que Mr. Wedgewood est un médium en communication avec le monde des esprits et qu'il va leur parler pour notre compte.

— Ce sont les morts, me précise Rose (comme elle a le menton levé, je puis voir son grain de beauté).

Elle m'observe soigneusement, guettant ma réaction. Elle ne peut pas me faire peur. Ou plutôt si, elle le peut, mais je ne vais certainement pas le lui laisser voir. Je me contente de lever les sourcils d'un air de surprise très éloquent. Je me demande si les morts auront quoi que ce soit à me dire, et Daisy — que je commence à croire capable de lire mes pensées — me dit :

— Les morts, tu sais, ne te parlent que si tu les connais.

Compte tenu de cette règle de protocole, je suppose que personne ne me parlera, car je ne connais personne qui soit mort (là, je me trompe lourdement).

Mr. Wedgewood demande alors aux esprits de venir nous parler et toutes sortes de choses étranges commencent à se produire — les morts semblent surgir de partout. Un mari mort depuis vingt ans vient dire à sa femme qu'il y a une lumière au bout du tunnel. Puis le père d'une autre femme, « passé » l'année précédente, l'informe que le cinéma lui manque. Une mère vient expliquer à sa fille « comment se débarrasser de cette marque sur la table basse » (à l'huile de lin) et derrière la chaise d'une personne se matérialise (au moins aux yeux de Mr. Wedgewood) une famille de six personnes — des voisins morts dans un incendie trente ans auparavant. De toute évidence, on n'échappe pas aux morts.

Pour moi, le monde des esprits ressemble un peu à une salle d'attente pleine de gens échangeant les pires banalités.

Je commence à sommeiller légèrement sous l'effet de la chaleur ambiante lorsque je me rends compte que Mr. Wedgewood, debout à l'extrémité de notre travée, *me* regarde fixement. J'avale ma salive et je contemple mes pieds ; il s'est peut-être aperçu que, pour le cantique, j'ai seulement fait semblant de chanter. Mais il me sourit d'un air bienveillant et déclare :

— Ta sœur dit qu'on ne s'inquiète pas pour elle.

Tante Babs laisse échapper un petit cri, mais, avant que j'aie pu reprendre mes esprits, l'harmonium entame un nouveau cantique, identique au précédent (tous les cantiques, à l'église spiritualiste, sont exactement semblables, phénomène que personne ne semble relever).

Je me pose des questions tout le reste de la journée. Même le Rosbif de Babs et la Tarte aux Pommes de Babs — ornements du menu dominical — ne parviennent pas à dissiper ma crainte que Patricia ou que Gillian ait passé de vie à trépas. J'essaie d'aborder le sujet avec Tant Babs, mais elle se borne à me dire :

— N'essaie pas de faire la maline, Ruby. Cela ne te va pas du tout. (En fait, je pense que cela me va très bien.)

★

Une autre semaine s'écoule. Une autre semaine de travaux domestiques bien réglés et programmés. Une autre semaine d'étude assidue de l'alphabet. Je tente de reproduire les mots figurant dans mon petit livre à l'aide des cartes alphabétiques, que j'étale sur la table comme une diseuse de bonne aventure, mais, comme il n'y a qu'une carte par lettre, les phrases sont inévitablement raccourcies : « Voici un chiot » devient « Voici un ht » et « Voici un chaton », « Voici un hat ».

Je me sens avalée par la maison de Mirthroyd Road et ses usages. Déjà, Tante Babs m'habille avec les vieux vêtements des jumelles et m'a coupé les cheveux comme les leurs. Bientôt, plus personne ne pourra voir la différence, et elles auront atteint leur objectif : s'emparer du corps d'une terrienne. Si j'apprenais à écrire, je pourrais au moins tracer à la craie « A-U-S-E-C-O-U-R-S » sur le trottoir bordant la maison. Que convoitent-elles en moi ? Mes pouvoirs telluriques ou mon ours en peluche ?

117

Le pire de tout, ce sont les cauchemars — des rêves terrifiants où Teddy et moi nous nous noyons, nous tombons ou nous volons, précipités, tête la première, du haut des escaliers vers le dallage du vestibule, sans aucun contrôle sur notre vertigineuse trajectoire. Nous nous éveillons au moment précis où nous allons défoncer les vitres teintées de la porte d'entrée.

Ces rêves sont déjà épouvantables lorsqu'ils prennent pour cadre les escaliers de la maison à Mirthroyd Road, mais ils sont pires encore lorsqu'ils se déroulent dans ceux de la maison de poupée. C'est si étroit que Teddy et moi nous réveillons avec les coudes écorchés et des bleus partout.

Puis, quelque chose de vraiment horrible arrive : je commence à marcher dans mon sommeil. Je ne rêve plus seulement d'escaliers — je m'y retrouve parfois, avec Tante Babs me secouant pour me réveiller. Une fois même, je me réveille pour me retrouver seule dans le noir, sans Tante Babs. Peut-être me suis-je secouée moi-même. Je suis debout devant la maison de poupée, et la faible lumière de la rue filtrant à travers les rideaux de la mansarde me montre ses minuscules pièces sens dessus dessous, comme si quelque petite créature avait frénétiquement cherché on ne sait quoi. Horreur !

*

Je tente de réconforter Teddy en lui racontant des histoires — des histoires qui finissent bien et où l'on vient à la rescousse des personnages en danger : Blanche-Neige, la femme de Barbe-Bleue, la Belle au Bois Dormant. J'y adjoins des morceaux choisis de Robin des Bois où je suis Marianne, Teddy est Frère Tuck et Tante Babs le sheriff de Nottingham. Parfois, nous sommes prisonniers sur un navire pirate et déjà poussés sur la planche fatale, au-dessus de la mer, lorsque apparaît à l'horizon le bateau de Sinbad. Ou bien, assiégés dans une cabane en rondins, nous tirons sur les Indiens en sachant que la cavalerie, conduite par Patricia chevelure au vent, viendra nous dégager à la dernière seconde. Je me rends compte maintenant que nous avions choisi le mauvais parti : si nous étions passés du côté des pirates ou de celui des Indiens, nous aurions été parfaitement tranquilles.

Quelquefois, nous nous installons sur le tapis devant la

cheminée — un tapis moderne aux dessins géométriques noirs, rouges et gris — en prétendant que c'est un tapis volant qui va nous emmener loin de Mirthroyd Road, jusque chez nous. Mais, si fort que nous nous concentrions, nous ne parvenons à le faire décoller que de quelques centimètres au-dessus du sol. Après quoi il plane de façon indécise pendant une dizaine de secondes et retombe lamentablement.

Un autre dimanche survient. Nous allons à l'église. Cette fois, Rita nous présente un autre médium nommé Myra qui nous gratifie d'une petite causerie sur « les animaux dans le monde des esprits ». Elle soutient que les bêtes, tout comme les hommes, se muent en fantômes, laissant ainsi de nombreuses questions sans réponse. Comment, en particulier, peut-il y avoir assez de place pour tout le monde ? Si toutes les créatures vivantes continuent d'exister dans l'autre monde, il doit y avoir des millions de milliards d'amibes et de bactéries gagnant chaque jour le plan astral. Et si tel n'est pas le cas, où doit-on mettre la frontière ? Les chats et les chiens seulement ? Rien de plus petit qu'un teckel ? Qu'une guêpe ? Et sont-ils regroupés ? Les chiens avec les chiens ? Les girafes avec les girafes ? Les ht avec les hat ? Et qu'en est-il des ours en peluche ? Se retrouvent-ils tous ensemble ou sont-ils autorisés à rester avec leurs enfants ? Des questions, toujours des questions...

Je me consacre à l'alphabet. J'en étudie chaque jour les combinaisons secrètes assise avec Teddy sur le tapis volant, devant la cheminée : « A comme dans Abeille », « B comme dans Bouton », « C comme dans Chat »... Je comprends très bien le sens ; c'est la forme qui m'échappe.

Mes rêves continuent. Ce sont peut-être les jumelles qui m'ont ensorcelée — me condamnant à voler sans ailes chaque nuit. Peut-être ont-elles fait de moi une figurine de cire qu'elles ont subrepticement glissée dans la maison de poupée pour, en exerçant la nuit leurs pouvoirs télékinésiques, la précipiter dans les petits escaliers étroits tout en restant « innocemment » dans leur grand lit. Quand je m'éveille le matin, elles sont là toutes deux, couchées côte à côte, me vrillant le crâne de leurs petits yeux fixes. Je ne vais pas les laisser lire mes pensées. Je vais leur résister.

L'une d'elles, le menton baissé pour éviter d'être identifiée, me montre l'un de leurs livres scolaires (je me demande pourquoi elles perdent leur temps à apprendre un quelconque langage alors que la télépathie leur suffirait amplement) où je découvre que « A » peut être aussi pour « Albert » et « B » pour « Béatrice ». Un après-midi, peu après, Tante Babs entre dans le salon et nous trouve, Teddy et moi, avec, étalées devant nous, des cartes formant ce mot mystérieux « P-E-A-R-L ». Le visage de Tante Babs se convulse au point de la faire ressembler à un portrait peint par Picasso. Elle ramasse les lettres avec fureur et les jette dans le feu. Nous avons dû nous tromper, « P » ne doit pas être pour « Pearl ».

Depuis combien de temps avons-nous été emprisonnés dans la maison de Mirthroyd Road ? Un an ? Cinq ans ? Deux semaines et demie, en réalité, mais cela me paraît cent ans. Comment ma famille va-t-elle pouvoir me reconnaître lorsque je reviendrai ? Je n'ai pas de grain de beauté pour indiquer que je suis bien la Ruby Lennox qui est partie il y a si longtemps. Peut-être va-t-on me jeter à la porte comme un vulgaire imposteur.

★

Et puis soudain, nous sommes libres ! J'entre dans la cuisine et je vois Tante Gladys qui parle à voix basse à Tante Babs. Elle m'aperçoit et dit :

— Je suis venue pour te ramener chez toi, Ruby.

Chez moi ! Dans ma maison. Là où est resté mon cœur. Mon épreuve est enfin terminée. Patricia, debout dans le vestibule, constitue mon comité de réception.

— Salut, Ruby, me dit-elle, avec un petit sourire triste et doux.

Dans la cuisine, Bunty me donne du lait et des biscuits. Elle a les yeux bordés de rouge et un air un peu égaré. Elle me regarde — ou, plus exactement, elle fixe un point situé un peu à ma gauche — et, avec un effort visible, me dit :

— Vois-tu, Ruby, nous avons tous décidé que la vie continuait et qu'il fallait laisser l'accident derrière nous.

J'ai d'autant moins d'objections que je n'ai aucune idée de l'« accident » dont elle veut parler. Et, de toute manière, personne ne semble avoir été blessé — sauf Teddy, qui a une petite déchirure à la jambe, là où les loups l'ont mordu. Patricia

120

la répare fort efficacement avec de la soie à broder. Elle fera un jour une très bonne vétérinaire.

Avant d'aller me coucher, je la harcèle pour qu'elle m'aide à traduire « Chiots et chatons ». Je regrette d'avoir douté de ses talents pédagogiques, car tout ce qu'elle m'explique prend soudain un sens : « C'est un chiot, c'est un chaton, ce sont des chiots et des chatons. » Je me sens toute puissante. J'ai enfoncé les portes du Savoir et rien ne pourra plus m'arrêter ! Nous prenons des crayons et traçons des lettres. Plus besoin de s'arrêter à « ht » ou à « hat », il y a assez de lettres pour faire tous les « chiots » et tous les « chatons » que l'on veut, assez de lettres pour tout faire. Lentement, avec un crayon rouge, je forme mes propres hiéroglyphes : R-U-B-Y, Ruby ! Mon nom est Ruby. Je suis une pierre précieuse. Je suis une goutte de sang. Je suis Ruby Lennox.

Je vais dormir dans mon propre lit pour la première fois depuis ce qui me paraît une éternité. Il me semble étrange de me retrouver seule dans ma chambre et j'ai distinctement l'impression que quelque chose — ou quelqu'un — y manque. Il y a dans la pièce un espace qui n'y existait pas auparavant, non un vide, mais un nuage de tristesse invisible qui y dérive, se heurtant aux meubles et s'attardant au pied du lit, comme si une nouvelle recrue s'était jointe aux fantômes familiers. Teddy a les poils de la nuque qui se hérissent, et il grogne sourdement.

Mon retour au bercail n'a pas fait cesser mes pérégrinations somnambuliques et Bunty me réveille souvent en sursaut en se plaignant de mes habitudes nocturnes. Mais que se passe-t-il quand elle ne me réveille pas ? Pourquoi ai-je le sommeil si peu tranquille ?

Quelque chose a changé *Au-Dessus de la Boutique*. Patricia, par exemple, n'est visiblement pas à son aise. Il y a quelque chose de curieusement pitoyable dans son regard. Le soir de mon retour, alors que je dévore jusqu'au bout *Chiots et chatons*, je m'aperçois qu'elle essaie de dire quelque chose. Elle se mord la lèvre et demande soudain à d'une voix haletante :

— Était-ce Gillian, Ruby ? Était-ce la faute de Gillian ?

Mais je me contente de la regarder d'un air ahuri, car j'ignore totalement de quoi elle veut parler.

Quant à Gillian elle-même... Eh bien, Gillian est gentille avec moi ! Elle me dit que je peux garder *Chiots et chatons* et me servir autant que je le veux de Mobo (ce qui ne m'avance pas à grand-chose, car j'ai maintenant passé l'âge, et Mobo est pratiquement en route pour la casse). En plus, je puis lui emprunter l'une de ses marionnettes, Sooty et Sweep. Mais, au bout d'un moment, le naturel reprend le dessus et elle m'arrache de la main Sweep, que j'avais choisie. En fait, cela m'est égal : j'ai toujours Teddy et une bibliothèque digne de celle d'Alexandrie s'ouvre à moi — la section enfantine de la bibliothèque municipale d'York.

# MES BEAUX OISEAUX

En entrant dans la cuisine, Frederick se mit à rire.

— Ça bosse dur là-dedans, ma fille, fit-il en jetant un regard approbateur à l'énorme derrière de Rachel levé vers lui, tandis que sa propriétaire récurait le carrelage.

Rachel devint rouge comme une betterave mais ne se retourna pas, continuant à frotter à pleins bras, comme si elle voulait effacer du sol jusqu'au souvenir d'Alice Barker.

— Ce n'est pas si mal, ici, hein ! poursuivit Frederick.

Il tenait par les oreilles deux lapins fraîchement tués, qu'il alla poser à côté de l'évier, laissant un mince filet de sang sur le plan de travail méticuleusement récuré.

— Je fais de mon mieux, Mr. Barker, répondit Rachel, qui sentait son rougissement s'accentuer inconfortablement.

— Joli boulot, dit-il sur un ton où elle crut reconnaître une petite note égrillarde.

Elle sourit, les yeux toujours fixés sur le carrelage. Bientôt, il serait à elle. Elle prendrait la place d'Alice ; elle serait la deuxième Mrs. Barker ou tout comme. Elle aurait un homme à elle, une maison à tenir, une famille toute faite à diriger. Ils avaient tous besoin d'elle car ils étaient faibles et elle était forte.

— Je m'en vais relever les pièges vers Pengill Crags, reprit-il.

Rachel s'assit sur ses talons et essuyant d'un revers de main la sueur qui lui ruisselait sur le visage. Elle eut un mouvement de tête vers la table et dit :

— Je vous ai préparé un casse-croûte.

Frederick prit le pain et le fromage enveloppés dans un torchon propre et déclara :

— Vous êtes merveilleuse, Rachel.

C'est vrai, songea l'intéressée. Je suis merveilleuse, et je m'en vais tous les mettre au pas. Et il faudra bien qu'ils en passent par là, que cela leur plaise ou non. Elle était tout ce qui restait aux enfants, maintenant que leur idiote de mère était partie. Leur seule parente, d'ailleurs, car Rachel n'était pas une vulgaire domestique, mais une cousine d'Alice Barker. La mère d'Alice, Sophia, et la mère de Rachel, Hannah, étaient sœurs, mais Sophia s'était bien mariée et Hannah, elle, s'était mal mariée et avait été rejetée par son père. Et ainsi, alors que Rachel était placée à dix ans comme servante, la petite Alice continuait à brosser délicatement ses jolies boucles blondes et à prendre des leçons de piano. Et où cela l'avait-il conduite, cette belle éducation ? Dans une vraie porcherie, songea Rachel en regardant la cuisine autour d'elle. Avait-elle jamais sali, ici, ses jolis petits doigts blancs d'institutrice ? Pas à en juger par l'accumulation de suie et de graisse, par les marques noires sur les murs, par la poussière sur les planchers et le linge jamais rapetassé. Et Frederick Barker avait bien été obligé d'appeler Rachel après avoir si sottement perdu sa jolie petite femme.

Et les enfants ! Une véritable honte : insolents et désobéissants, ne connaissant même pas leur Bible, leurs vêtements pendant autour d'eux et leurs mouchoirs toujours crasseux quand ils avaient des mouchoirs... La fille, Ada, avait les cheveux si emmêlés que la première chose que Rachel avait dû faire avait été de lui en couper la moitié. Elle avait hurlé comme un porc qu'on égorge en voyant tomber ses mèches autour de ses pieds. Elle ressemblait tellement à sa mère que c'en était inquiétant. Pour le moment, ces enfants devaient la détester, mais, avant quelques mois, ils lui seraient reconnaissants de l'ordre qu'elle avait apporté dans leur vie — ce que cette sotte d'Alice Barker avait été incapable de faire.

De l'étage vint le vagissement du bébé, suivi des cris plus articulés d'un autre enfant. Rachel les ignora ; ils allaient devoir apprendre qu'elle n'était pas à leur service. Pour le moment, elle avait un carrelage à frotter. Quelque chose luisait entre deux des dalles, au faible soleil de novembre. Rachel extirpa l'objet de son logement. C'était un bouton — un bouton de verre rose ressemblant à une fleur, qui avait appartenu à Alice, sans aucun doute. Rachel le glissa dans sa poche afin de le mettre ultérieurement dans sa boîte à boutons. Tout ce qu'Alice Barker avait dans la sienne, c'étaient une pièce à l'effigie de George IV et un cachou à la violette. C'était ce genre de femme.

Un petit soldat de plomb vint rebondir sur le carrelage, et Albert se mit à battre des mains en riant. Il observait Rachel du couloir où il jouait avec ses soldats et ses cubes, attaché à l'aide de rênes improvisées au bas de la rampe d'escalier.

— Tu peux effacer ce sourire de ta petite gueule, fit Rachel en mettant également le soldat de plomb dans sa poche.

De tous les enfants, Albert était celui qui l'énervait le plus, toujours à mettre ses bras autour d'elle en essayant de l'embrasser. On aurait dit une petite fille, la réplique de sa mère et de sa sœur.

Rachel jeta le contenu de son seau dans la cour, et laissa la porte ouverte afin de faire sécher le carrelage, mais le soleil était déjà en train de disparaître derrière la colline. Elle revint vers l'évier et prit l'un des deux lapins. Elle s'apprêtait à le dépouiller et à le vider, mais elle s'interrompit soudain, s'empara du hachoir accroché au-dessus du fourneau et, d'un geste vif, trancha l'une des pattes. Une patte de lapin, cela portait chance, tout le monde savait cela. Le soir, elle allait aussi retourner une pièce d'argent de trois pence sous la lune nouvelle, et, s'il plaisait à Dieu, tout irait bien ensuite. Un bruit de galoches sur les pavés de la cour annonça l'arrivée des enfants les plus vieux, retour de l'école. Il semblait à Rachel qu'ils n'étaient partis que quelques instants plus tôt.

Tous trois se tenaient dans l'encadrement de la porte, comme dans un cliché de famille. Mais, soudain, Ada fit la grimace et dit :

— Les petits hurlent, vous ne les entendez pas ?

Elle se débarrassa de ses galoches et se précipita sur le carrelage mouillé. Quand elle vit Albert attaché au bas de l'escalier, elle devint toute rouge et cria à Rachel :

— Qu'est-ce qui vous a pris d'attacher ce pauvre gosse comme un chien ? C'est vous, qu'on devrait mettre à sa place !

Et, détachant son frère, elle le prit dans ses bras en lui disant :

— Pauvre petit Bertie, pauvre petit Bertie, Addie est là !

Quand Rachel lui ordonna de lâcher Albert, elle se retourna vers elle et lui lança :

— Vous n'êtes pas ma mère ! Vous n'avez rien à me dire...

Et elle adressa à Rachel un sourire de triomphe et de défi qui lui illuminait le visage. Rachel ramassa la galoche qui gisait sur le sol et la projeta de toute la force de son bras sur Ada, qu'elle atteignit à la tête. Mais le choc ne fit pas taire celle-ci, qui, tenant toujours Albert dans ses bras, malgré le poids de l'enfant, un peu de sang filtrant sous ses cheveux massacrés, le visage blanc, continuait à crier hystériquement :

— Vous n'êtes pas ma mère !

L'ombre de Frederick vint alors obscurcir la porte, et lui aussi se mit à crier.

— Veux-tu bien la fermer ! hurla-t-il à Ada.

Puis il se mit à houspiller tous les enfants, à la seule exception du bébé Nelly.

— Ces enfants ont besoin d'une mère, dit-il à Rachel lorsqu'il eut fini.

— Tout juste, Mr. Barker, répondit-elle d'un ton solennel.

★

Un chaud soleil de septembre illuminait le cottage, lui prêtant des couleurs de miel. Rachel était dans la cuisine, occupée à mettre des haricots en conserve dans un grand pot de terre empli de sel. Elle avait fait pousser elle-même haricots blancs et haricots verts le long du mur le mieux exposé de la grange, utilisant le contenu de la fosse d'aisances pour fumer le sol. Elle avait maintenant un vrai potager, avec des pommes de terre, des oignons bruns, de la rhubarbe, des carottes et des choux frisés vert sombre. Elle n'aurait jamais cru avoir la main aussi verte.

C'était maintenant son cottage, sa cuisine, sa vie. Un étranger arrivant à l'improviste (ce qui avait peu de chances de se produire) n'aurait jamais pu penser qu'Alice avait existé. Il aurait pu simplement se demander comment une masse informe comme Rachel avait pu produire une aussi belle portée d'enfants.

Elle avait placé les photos de ceux-ci sur la cheminée, de part et d'autre de la pendule que — comme les enfants — l'épouse évanouie avait laissée en partant. Frederick n'avait jamais compris d'où sortaient ces photographies.

— C'est c'Français qui est venu et qui les a prises, avait dit Ada avec sa moue un peu dédaigneuse.

Mais elle n'était pas entrée plus avant dans les détails. Deux des photos étaient déjà encadrées — sans doute par « c'Français » et c'étaient celles-là que Rachel avait disposées sur la cheminée. L'une représentait les trois garçons ensemble, et l'autre montrait Lawrence et Tom avec le bébé Lillian. Les autres, celles qui n'étaient pas encadrées, avaient été reléguées au fond d'un tiroir. Aucun des enfants ne regardait jamais les photos posées sur la cheminée ; ils ne se rappelaient que trop bien qu'elles avaient fait leur apparition le jour où ils avaient vu leur mère pour la dernière fois.

— Je voudrais bien qu'on ait une photo de Maman, avait gémi un jour Ada.

— Tu sais bien que Rachel l'aurait flanquée au feu s'il y en avait eu une, avait répondu Lawrence.

Mais, un peu plus tard, Tom les avaient emmenés à l'étage et leur avait montré le trésor qu'il avait dérobé sur la table de la cuisine le jour fatidique. Pendant une demi-heure, les trois enfants s'étaient extasiés sur la photographie d'Alice — la beauté de leur mère disparue, son expression mystérieuse et l'extravagance luxueuse du décor.

Bien que n'en pensant pas moins, les enfants avaient été, selon l'expression de Rachel, « pris en main » ; ils étaient brossés, récurés et astiqués et ils avaient leurs tâches désignées. Ils lisaient la Bible, disaient leurs prières et toute la famille allait à la messe le dimanche, Frederick portant sa plus belle jaquette et son chapeau melon.

Tandis que Rachel mettait ses haricots en conserve, la porte de la cuisine était ouverte, et elle pouvait voir, au-dehors, Albert jouer avec ce stupide petit chien que Frederick, toujours trop faible avec lui, lui avait donné. Ada, assise sur l'herbe près de la clôture, racontait des histoires à Lillian et à Nell en faisait des gestes extravagants avec ses mains. Quand Rachel eut scellé son pot de terre, elle alla le placer sur une étagère dans le lardoire. Le lardoire, frais et sombre, était le centre de la nouvelle vie de Rachel. Les étagères étaient chargées des produits de sa sagace industrie : pots de confitures, de cornichons et de chutney, grands bocaux de framboises et de groseilles à maquereau, un gros jambon, une jatte remplie d'œufs bruns, des flacons de vin de rhubarbe, des gâteaux et des pâtés enveloppés dans des torchons.

Rachel contemplait avec satisfaction ces rayons bien garnis tout en faisant tourner, sans s'en rendre compte, son alliance autour de son annulaire. Elle savait, quand Frederick la lui avait passée au doigt, que c'était l'alliance d'Alice — convenablement élargie pour son gros doigt — mais elle n'avait rien dit ; après tout, une alliance était une alliance, d'où qu'elle vienne.

— Pour faire de toi une honnête femme, lui avait dit Frederick en lui passant la bague au doigt.

Comme si cela suffisait ! Maintenant, honnête femme ou pas, elle allait récolter sa propre moisson. Elle était si grosse de cet enfant qu'il promettait d'être un colosse. Elle sentait qu'il allait être fort comme un bœuf et toujours bien portant, à la différence de ces gosses maladifs et fragiles qu'elle avait autour d'elle.

Lawrence et Tom traversaient la cour en direction du champ, Albert et son chien traînant derrière eux.

— Lawrence, ici ! cria Rachel. Il y a du travail à faire. Les samedis, ce n'est pas fait pour traîner : il y a les cabinets à vider.

Lawrence se retourna, avec une expression boudeuse directement empruntée à Ada.

— Maintenant ? demanda-t-il.

Il avait tout naturellement un rictus un peu dédaigneux qui exaspérait encore plus Rachel que le sourire artificiel d'Ada.

— Oui, mon garçon, maintenant ! Ou je te verse le seau d'aisances sur ta tête d'abruti !

Rachel s'empara de la lanière de cuir pendue derrière la porte.

— Tu vas faire ce que je te dis ? demanda-t-elle. Ou faut-il que je t'y oblige ?

Elle avança vers lui, tandis que les autres enfants se dispersaient comme des moineaux. Lawrence resta sur place, affrontant Rachel du regard. Il lui lança :

— Vide ta fosse toi-même, grande salope !

Le premier coup de la lanière le jeta à terre, et, ensuite, il ne put échapper à l'effroyable correction, qu'il subit en hurlant, tentant de se protéger la tête à l'aide de ses bras repliés. Si Ada n'avait pas envoyé Tom chercher à la pompe un seau d'eau à jeter sur leur belle-mère, celle-ci aurait sans doute continué à frapper Lawrence jusqu'à l'inconscience ou peut-être à la mort. Ce ne fut pas seulement l'eau qui la fit s'arrêter, car, au moment où elle levait le bras, pour assener un coup particulièrement violent, elle se crispa, puis se courba en deux, se tenant le ventre à deux mains.

— Le bébé, siffla-t-elle. Le bébé arrive !

Frederick enferma Lawrence et Tom dans une grange pendant deux jours et deux nuits sans nourriture ni eau pour leur donner une leçon, et ils manquèrent ainsi l'arrivée de leur nouveau frère.

— Ce petit-là, on dirait qu'il ne veut pas venir au monde, remarqua Mrs. May, qui était venue du village pour aider à l'accouchement. Mais, là, pas moyen de faire demi-tour quand on a pris la route...

Mrs. May n'adorait pas Rachel. On pouvait dire tout ce qu'on voulait d'Alice Barker — et on ne s'en était pas privé — mais elle avait toujours un mot aimable, et ses accouchements étaient faciles, ce qui importait beaucoup à Mrs. May. Quand elle sortit de la chambre, elle butta presque sur Albert, qui jouait avec ses soldats devant la porte.

— Tu vas être soldat quand tu seras grand, Albert ? demanda-t-elle.

Le petit garçon sourit.

— Eh bien, Albert, reprit Mrs. May, tu as un nouveau frère.

Elle se souvenait, à ce moment, du jour où elle avait mis Albert nouveau-né entre les bras d'Alice Barker. Elle pouvait revoir nettement celle-ci prenant le bébé et disant :

— Bienvenue, mon bel oiseau !

Sur quoi Mrs. May s'était mise à rire, car il existait une chanson assez célèbre sur un bébé arrivant en surnombre dans une famille pauvre :

> *Bienvenue, mon beau petit oiseau,*
> *Mais tu aurais pu venir à un autre moment...*

Albert était véritablement un « beau petit oiseau » ; dans les bras de sa mère, il avait l'air d'un chérubin.

★

— C'est jaune comme du beurre, dit Frederick, quand il vit son dernier fils nouveau-né.

— « Il est », pas « c'est », rectifia aussitôt Rachel. « Il », et son nom est Samuel.

Mrs. May avait apporté des sucreries pour les enfants, et, un peu plus tard, Albert s'étant réveillé et ne voulant pas se rendormir, Ada lui donna un caramel, le prit sur ses genoux et entreprit de lui raconter l'histoire de Blanche-Neige et de sa méchante belle-mère, ainsi que d'autres histoires où les méchantes belles-mères étaient condamnées à danser à perpétuité avec des sabots chauffés au rouge. Les histoires se concluaient par : « Puis leur mère revint, et ensuite tous vécurent heureux. »

— Maman revient, se mit à chantonner Albert.

Ada plongea la main dans la poche de son tablier ; c'est là qu'elle gardait le petit médaillon d'argent de sa mère, de façon à pouvoir le toucher de temps à autre, comme un talisman. Elle n'arrivait pas encore à croire que leur mère avait pu partir en les abandonnant pour toujours.

★

Assise près du gros fourneau noir, Rachel actionnait du pied le lourd berceau de bois. On gardait le bébé dans la cuisine, auprès du fourneau, comme une miche de pain mise à lever, mais cette miche-là ne lèverait jamais. Mrs. May venait régulièrement au cottage, amenant avec elle des femmes du village ayant toutes des idées différentes sur la façon de soigner un bébé malade. Samuel n'était guère plus gros ni plus vivace que la vieille poupée d'Ada.

Durant les froides soirées de l'unique hiver vécu par Samuel, tous se rassemblaient dans la cuisine, Rachel et le berceau d'un côté, et les enfants de l'autre, serrés les uns contre les autres sur le banc de chêne. Entre les deux factions, la lampe à pétrole jetait une nappe de lumière qui faisait paraître plus noires encore les zones d'obscurité. La plupart du temps, Frederick était absent, occupé à boire au village. Parfois, Ada prenait Nell dans ses bras comme un bébé, et sa belle-mère et elle s'affrontaient du regard, comme des reines rivales.

Rachel se disait que, l'année suivante, elle placerait Ada comme servante quelque part et qu'on en finirait ainsi avec cette comédie. Cela flattait son sens personnel de la justice d'imaginer la fille d'Alice Barker récurant les fonds de casserole et vidant les seaux hygiéniques. Changeant d'avis sur sa condition, Rachel en était venue à haïr l'endroit où elle se trouvait. Fille de la côte elle se sentait prisonnière au milieu de cette campagne s'étendant à perte de vue. Le cri des mouettes et l'odeur du sel et du poisson lui manquaient, et s'il n'y avait pas eu Samuel, elle aurait peut-être fait ses malles. Du mari ou des enfants, elle se demandait qui elle détestait le plus.

— Il est temps que vous alliez tous au lit, dit-elle sans regarder aucun d'entre eux.

— On ne peut pas attendre que Papa rentre ? demanda Lawrence, dont la seule voix mit Rachel hors d'elle.

— Quand je dis qu'il est l'heure d'aller se coucher, il est l'heure d'aller se coucher, fit-elle, les dents serrées.

Quelqu'un d'un peu plus malin que Lawrence aurait vu tout de suite qu'elle souhaitait l'épreuve de force.

— Pourquoi ? demanda-t-il.

Rachel étendit le bras, saisit Lawrence par les cheveux et le tira vers le faisceau de lumière que projetait la lampe. Alors, elle le regarda et le lâcha avec un petit cri d'horreur. Tous se rassemblèrent, rongés de curiosité, autour de Lawrence. Il avait de méchants petits boutons rouges sur toute la figure.

— Qu'est-ce que c'est ? C'est la peste ? demanda Tom en levant la tête vers Rachel.

Celle-ci secoua la tête avec dégoût et dit :

— Non, petit crétin, c'est la varicelle.

*

À deux heures du matin, le feu, bien attisé toute la journée, rougeoyait encore dans l'âtre. Ada avait écouté les heures et les demi-heures sonner à la pendule d'acajou qui avait appartenu à sa mère bien avant le mariage de celle-ci avec Frederick. Sa mère avait adoré cette pendule. Ada sortit de son lit, gagna sans bruit la porte et souleva le loquet en retenant sa respiration, redoutant le grincement qui la trahirait. Elle ouvrit tout grand la porte et une brusque bouffée d'air glacial vint soulever le pan d'un napperon sur la cheminée. Mais, à l'extérieur, l'air semblait immobile, comme gelé. Encore enfiévrée par la varicelle, Ada trouvait presque plaisante cette sensation de froid sur sa peau.

Une énorme lune blafarde teignait de bleu les champs au-dessous. Sur les branches des arbres, le givre évoquait le glaçage de quelque pâtisserie biscornue. Face à cette lune blanche, Ada formula un vœu — le seul vœu qui hantait tous les enfants : que Rachel meure et que son gros corps informe pourrisse dans la terre. Dire qu'elle ressemblait aux vaches dans les champs était injuste envers celles-ci, car les vaches dans les champs étaient des créatures du Bon Dieu, alors que Rachel était sûrement une créature du Diable.

Ada sortit de sa poche le petit médaillon d'argent et l'ouvrit dans le rayon de lune. À cette lueur, les cheveux, à l'intérieur, étaient sans couleur. Elle avait disparu dans la nuit. Elle les avait tous embrassés les uns après les autres lorsqu'ils s'étaient couchés, comme d'habitude, et, au matin, elle était partie. Ada avait retrouvé sous son oreiller le médaillon d'argent qu'y avait glissé dans la nuit le fantôme de sa mère. Dans la matinée, Frederick les réunit autour de la table de la cuisine et leur dit que leur mère était morte. Ada fut préposée à préparer le porridge pendant que Frederick allait au village pour tenter de trouver une nourrice pour Nellie, maugréant comme il s'en allait :

— Elle aurait pu emmener cette sacrée mioche avec elle !

Ada ne voyait pas bien comment sa mère avait pu mourir sans laisser de cadavre. Mais si elle n'était pas morte, où pouvait-elle bien être ?

Ada referma la porte aussi silencieusement qu'elle l'avait ouverte et alla sur la pointe des pieds jusqu'au berceau.

— Alors, Samuel, murmura-t-elle, tu as aimé cela ? Un petit peu d'air bien froid pour t'envoyer voir le Bon Dieu...

Puis, lentement et délibérément, elle creva du bout du doigt l'une de ses pustules de varicelle, se mordant la lèvre et tapant du pied sous l'effet de la douleur. Puis elle frotta son index barbouillé de pus sur le visage du bébé, comme un prêtre donnant l'onction.

— Qu'est-ce que tu fais là ?

Comme un vaisseau de haut bord sous pleine toile dans son immense chemise de nuit, Rachel fonçait sur Ada, qui fit un bond en arrière et dissimula machinalement sa main derrière son dos.

— Rien, fit-elle avec un sourire forcé.

— Petite menteuse ! Ne joue pas les innocentes avec moi. Et écarte-toi de ce berceau.

La voix de Rachel s'enflait sous l'effet d'une rage croissante.

— Si tu as posé un seul doigt sur ce bébé, je vais t'arracher les membres un à un ! Compris ?

Du fond du berceau, Samuel fit entendre un petit miaulement, et Rachel, saisissant Ada par le bras, la fit pivoter sur elle-même. Elle lui attrapa la main pour voir ce qu'elle pouvait y cacher.

— Il n'y a rien ! hurla Ada. Rien dans ma main. Je ne lui faisais rien ! J'ai cru que je l'entendais pleurer...

— Comme si cela pourrait te faire quelque chose ! dit Rachel en commençant à lui fouiller les poches.

Se rappelant le médaillon, Ada fit des efforts frénétiques pour se dégager, mais Rachel la tenait solidement.

— Et qu'est-ce que c'est que cela, mademoiselle ? fit-elle en brandissant triomphalement le médaillon. Je crois bien que je sais qui t'a donné cela !

— C'est ma mère qui me l'a donné ! Cela ne te regarde pas !

— Oh, mais si ! ricana Rachel.

Elle repoussa si violemment Ada que celle-ci alla s'effondrer contre le banc de bois. Elle tritura un moment le médaillon, qui finit par s'ouvrir brusquement. Elle en retira la mèche de cheveux blonds et la jeta dans l'âtre, sur les braises, où elle se consuma en sifflant. Crachant comme un chat, Ada était prête à se lancer, griffes en avant, sur Rachel, lorsque Frederick, le visage congestionné par la boisson, poussa la porte. Rachel retourna sa fureur sur lui :

— Regarde-toi un peu ! Bon à rien, saloperie d'ivrogne ! Je comprends pourquoi elle t'a quitté...

Le reste de la diatribe fut effacé par le gros poing rouge de Frederick.

*

Le bébé n'était mort que depuis une heure, mais il semblait déjà s'être rétréci. Et pourtant, Rachel continuait à le bercer comme s'il avait été encore vivant.

— J'vais chercher l'pasteur ? demanda Lawrence au bout d'un moment.

133

Tous étaient restés agglutinés dans un silence coupable, et nul ne s'était même soucié de remettre une bûche sur le feu.

— Je vais y aller, se hâta de dire Ada.

Et elle traversa la cour aux pavés gelés en trébuchant dans ses galoches. Tout au long de la route menant au village, elle priait Dieu qu'il lui pardonne ; bien qu'il fût mort sans la moindre pustule, elle était convaincue d'avoir assassiné Samuel.

*

*Diphtérie.* Elle pouvait entendre ce mot chuchoté à travers la porte. C'était un joli mot. *Diphtérie* : on aurait dit un nom de fille. Rachel avait envoyé chercher le vieux docteur Simpson. Il avait souri à Ada, entre ses favoris en côtes de mouton, regardé sa gorge et dit :

— A-ha, je vois ce que c'est, a-ha...

Il avait senti son haleine malodorante et vu la membrane en travers de sa gorge. Puis il lui avait pris la main et lui avait dit :

— Bientôt tu seras sur pied, Ada.

Après qu'il eut quitté la chambre, Ada avait pu saisir des fragments de sa conversation avec Rachel :

— La tenir éloignée des autres enfants... une évolution rapide... dans des cas comme celui-ci... ce sera la fin.

Rachel avait une voix bizarre, mais Ada n'avait pu comprendre ce qu'elle répondait. Puis il y avait eu des pas descendant l'escalier et le silence, seulement rompu par le tic-tac de la pendule de sa mère sur la cheminée. Elle avait demandé à l'avoir dans sa chambre, et Rachel, humble devant la mort, avait obtempéré. Au bout d'une minute ou deux, Ada avait entendu les sabots du grand cheval bai du docteur Simpson résonner sur les pavés de la cour. En s'éloignant dans l'éblouissante lumière hivernale, le vieux médecin se disait que la petite Ada était bien jolie, tout comme sa mère. Il revit les boucles blondes d'Alice Barker et ne fut arraché à cette vision que lorsqu'un lièvre débouchant sur la route fit faire un écart à son cheval, manquant le désarçonner. Ada entendit le bruit des sabots s'éloigner puis disparaître. Alors, la neige se mit à tomber.

*

134

Ada savait ce qu'annonçaient les râles s'échappant de sa gorge. La sœur d'une de ses camarades de classe était morte de diphtérie l'hiver précédent et, donc, elle savait. La mort n'était pas si effrayante lorsqu'on l'approchait. Les cloches de l'église sonnaient un glas étouffé, comme si elles avaient deviné son arrivée. En fait, c'était un seigneur des environs, mort peu avant, qu'on enterrait ce jour-là. Noël était venu et reparti sans même qu'on s'en aperçoive dans la chambre de la malade. Le froid qui avait contribué à emporter Samuel s'était intensifié, et le sol était devenu dur comme du fer et froid comme du plomb. Il allait falloir de robustes pioches pour enterrer Ada.

Reflétée par la neige, la lumière qui entrait par la fenêtre éblouissait ; elle semblait ondoyante et tremblante comme de l'eau. Albert, Lillian et Nell jouaient au-dehors, leurs voix aiguës perçant cet épais silence qui s'installe toujours avec la neige.

Il recommença à neiger. D'abord légèrement, puis de plus en plus fort et de plus en plus dru. Les flocons devenaient de plus en plus gros, finissant par ressembler à un duvet arraché au poitrail de quelque gros oiseau blanc ou à l'aile d'un ange. Ada était dehors, pieds nus dans la neige cristalline, seulement revêtue de sa chemise blanche, mais elle n'avait pas froid. Elle cherchait des yeux les petits mais il n'y avait pas trace d'eux. Regardant soudain les arbres, elle vit que leurs branches chargées de neige étaient également couvertes d'oiseaux blancs. Lorsqu'elle porta son regard sur eux, tous s'envolèrent ensemble, dans un grand bruissement d'ailes, et des plumes se mirent à flotter dans l'air, se muant en de gros flocons de neige qui venaient fondre doucement sur ses joues offertes. Puis la blanche escadrille fit demi-tour et revint voler au-dessus d'Ada, qui pouvait entendre les ailes brasser l'air, avec, quelque part au loin, le son étouffé des cloches, et, plus près, le tic-tac de la pendule de sa mère et le bruit des sabots du grand cheval du docteur Simpson trottant dans la cour pavée.

Les oiseaux descendirent ensuite vers elle, en décrivant de vastes cercles concentriques et, avant d'avoir pu se rendre compte de ce qui lui arrivait, elle se retrouva en train de voler avec eux vers un grand soleil arctique au cœur duquel sa mère lui tendait les bras.

★

135

Lawrence disparut deux ans plus tard, s'éclipsant de la maison un beau matin d'été pour aller prendre la mer. Tom fut pris d'une véritable hystérie, convaincu que son frère avait été emporté par quelque force surnaturelle.

— Petit crétin ! dit Frederick en le calottant vigoureusement.

Tom n'en persista pas moins dans sa conviction, arrivant même à la communiquer à ses jeunes frères et sœurs, pour qui la disparition de Lawrence demeura toujours entourée de mystère. Ils n'entendirent plus jamais parler de lui ; en fait, il avait tenté d'écrire, mais la famille, à ce moment, avait déménagé.

Lawrence s'était retrouvé à Hull, les souliers usés par la marche et l'estomac criant famine. Un vieux marin l'avait alors pris en pitié et fait embarquer sur son caboteur. Pendant les deux années qui suivirent, Lawrence alla ainsi de port en port sur la côte est de l'Angleterre, ainsi qu'en Hollande et en Allemagne, avant d'embarquer comme soutier à bord d'un navire se rendant en Amérique du Sud. Il y resta une quinzaine d'années, puis le mal du pays le ramena vers l'Angleterre. Lorsque le navire qui le transportait atteignit les eaux britanniques, la Grande Guerre avait commencé. Il ne revit jamais son pays, car son navire sauta sur une mine allemande dérivant en Mer du Nord.

Un an plus tard, par une nuit glaciale de février, Frederick mourut d'hypothermie devant la porte de son propre cottage — trop ivre pour atteindre le loquet. Rachel décida alors qu'elle avait assez vu la campagne et opéra un retour vers la civilisation urbaine. Elle aurait naturellement préféré revenir vers le bord de mer, mais la belle-sœur du pasteur lui proposa une place de cuisinière à York, et elle estima qu'il serait bête de refuser. La famille s'installa d'abord en location dans un taudis de Walmgate, puis, quand la situation fut un peu rétablie, Rachel se procura un pavillon décent aux Groves. Les enfants allaient à l'église et avaient des mouchoirs propres. Ils avaient perdu leur accent de terroir et pratiquement oublié la campagne.

*

136

Quand Nell revint de son voyage de noces dans la région des Lacs pour découvrir que Rachel était morte (« Je n'ai pas vu de raison de gâcher ta lune de miel avec cela », lui dit sagement Lillian), sa sœur avait déjà jeté la plupart de ses affaires, mais non le médaillon d'argent qui s'y trouvait. Elle savait qu'il avait appartenu à leur mère, car sur la seule et unique photo de celle-ci que possédait Tom, il apparaissait clairement. Lillian donna le médaillon à Nell en lui disant :

— Tu n'étais qu'un bébé ; elle ne t'a jamais vraiment tenue dans ses bras.

Et toutes deux pleurèrent sur le médaillon vide et tout ce qu'il pouvait représenter.

Elles ne pouvaient savoir qu'à ce moment précis, leur mère était en pleine crise de rage dans une chambre de Whitby. En hurlant, elle lança à travers la pièce un gros vase, qui, malheureusement, atteignit en pleine tempe M. Jean-Paul Armand. La femme de chambre de l'hôtel dut multiplier les compresses sur l'énorme ecchymose qui ne tarda pas à se former.

# CHAPITRE CINQ

## 1958

## INTERLUDE

Bunty et le Perroquet disparurent la même nuit, et ce ne fut qu'après leur retour au bercail que nous comprîmes qu'il ne s'agissait là que d'une coïncidence et que Bunty ne s'était pas enfuie avec le Perroquet. Ce n'était pas non plus le Perroquet qui s'était enfui avec notre mère, idée fermement logée sous mon petit crâne ; Patricia s'était récemment employée à me lire les *Contes extraits des Mille et Une Nuits*, et je m'imaginais le Perroquet volant à travers les cieux avec Bunty tant bien que mal cramponnée, tel Sinbad, à l'une de ses pattes reptiliennes. Il n'apparut pas, sur le moment, à nos esprits enfantins combien il était improbable que Bunty ait choisi le Perroquet comme la seule chose à emporter avec elle en fuyant le domicile conjugal.

Il nous faut un certain temps pour nous rendre compte de l'absence de Bunty. Elle est notre réveille-matin vivant, et si elle ne se met pas à sonner, nous continuons tout simplement à dormir. Nous ne nous éveillons en fait, ce matin-là, qu'à neuf heures et quart, au moment où un client se met à frapper violemment à la porte de la Boutique, au-dessous de nous, réveillant en sursaut les animaux qui, eux aussi, ont continué à dormir. Patricia, qui déteste être en retard (elle est du genre à arriver à l'école avant le concierge), est furieuse. Elle réveille Gillian, et Gillian me réveille — en me bondissant dessus, hurlant que je lui ai volé sa poupée favorite, Denise — qui a remplacé Sooty et Sweep dans ses affections. Quant à moi, je réveille George en me précipitant en pleurs dans la chambre

139

parentale pour exhiber la grosse marque rouge laissée sur ma joue par le pied de Gillian. Tout cela dépasse George, qui se dresse dans le lit avec un air parfaitement égaré, saisit le réveil sur la table de chevet, lui jette un regard incrédule, contemple la place vide à ses côtés dans la couche conjugale, et, finalement, se recouche en marmonnant :

— Va chercher ta mère !

Il apparaît très vite que c'est plus facile à dire qu'à faire. Nous jouons toutes trois à « Chercher la Mère » pendant une bonne demi-heure avant de retourner voir George pour lui avouer notre totale incompétence en ce domaine.

— Qu'est-ce que vous racontez, que vous ne la trouvez pas ?

Entre-temps, il s'est levé, et il se rase avec son appareil électrique tout en surveillant d'un œil le grille-pain. De temps à autre, la sonnette de la Boutique retentit, et il doit se précipiter pour aller servir un client. Bien qu'ayant réussi à mettre son pantalon, il est, toujours, pour le haut, en maillot de corps et veste de pyjama, et, à la Boutique, tout l'humour de rigueur se déchaîne.

— Pas encore les yeux en face des trous, Mr. Lennox. Ah, ah, ah !

— T'as trouvé une bonne raison pour rester au lit, George ?

Cette dernière remarque est, bien sûr, formulée avec l'inimitable accent cockney de Walter, venu acheter un os de seiche pour la perruche de sa mère. La nature de cette acquisition entraîne évidemment un redoublement d'allusions grivoises, mais George ne paraît pas d'humeur à les apprécier.

— Comment va Doreen ? demande Walter, avec un geste des deux mains semblant évoquer les contours d'une vaste poitrine.

L'air sombre, George marmonne quelque chose à propos de Bunty.

— Perdu ta femme ? répète Walter d'un ton incrédule. Eh bien, en voilà une bonne !

À en juger par son expression, George n'a pas l'air de la trouver si bonne que cela. Il jette un regard circulaire sur la Boutique et découvre simultanément deux choses : l'absence du Perroquet et la présence de Ruby.

— Va t'habiller immédiatement ! tonne-t-il.

À l'entendre, on croirait que je suis en train d'effectuer un numéro de strip-tease particulièrement provocant, alors que je

140

suis simplement là, en chemise de nuit et pantoufles, avec un morceau de toast calciné à la main.

Dans la cuisine, Patricia fait brûler toast sur toast, avant de se mettre à hurler d'exaspération contre le grille-pain. La sonnette de la Boutique annonce enfin le départ de Walter, et George se précipite pour nous rejoindre.

— Où est-elle passée, Bon Dieu? demande-t-il en nous regardant tour à tour.

— Elle a peut-être laissé une lettre, dit Patricia en visant soigneusement la poubelle avec un toast carbonisé.

— Une lettre? répète George.

Il a l'air abasourdi. L'idée que Bunty a pu nous quitter au lieu de se perdre simplement dans la maison ne l'avait pas encore effleuré.

— Oui, une lettre, insiste Patricia en expédiant le toast dans la poubelle sur une impeccable trajectoire (elle est avant-centre de l'équipe de handball junior de son école). Une lettre, tu sais.

— Je sais ce que c'est qu'une lettre, merci! rugit George avant de se précipiter de nouveau vers la Boutique.

Je soupire et m'empare de la boîte de flocons d'avoine dont Gillian s'est déjà largement servie. Ils se répandent un peu partout mais quelques-uns parviennent quand même dans le bol. Patricia se beurre un morceau de toast presque incandescent avec une sorte de délectation morose. Nous mangeons debout, en prenant notre temps, libérées des contraintes de la salle à manger, et cette situation entraîne pour nous une sorte de jubilation interne affectueusement partagée. Cet heureux sentiment disparaît lorsqu'il s'agit de nous rendre à l'école. Patricia vérifie son cartable et dit :

— Bon. Eh bien, j'y vais.

— Et moi? braille alors Gillian en s'enfournant dans la bouche l'ultime morceau de toast (habituellement, c'est Bunty qui nous accompagne, Gillian et moi, jusqu'à l'école primaire).

— Tu dis? demande Patricia de ce ton infiniment dédaigneux qui a le don de mettre Gillian hors d'elle.

— Comment j'y vais moi, à l'école? lui hurle Gillian en sautant sur place (je remarque qu'il est question, dans sa phrase approximativement construite, de « moi » et non de « nous »).

★

141

Patricia hausse les épaules.

— Je n'en sais rien, fait-elle d'un ton encore plus dédaigneux. Cela ne me regarde pas. De toute manière, tu as presque dix ans — tu devrais quand même pouvoir aller à l'école toute seule.

Sur quoi, elle prend son cartable et s'éclipse. Gillian commence à bouillir d'indignation, mais se calme soudain au moment où Patricia réapparaît.

— Je prends mon cartable, se hâte-t-elle de dire.

— Pas la peine de te fatiguer, fait alors Patricia. Je ne suis pas revenue pour toi. J'ai oublié de me faire un mot, c'est tout.

Patricia va écrire une lettre, elle aussi ? Et je demande aussitôt, horrifiée :

— Tu t'en vas aussi, Patricia ?

— Mais non, imbécile ! J'ai oublié de m'écrire un mot parce que je suis retard.

Elle déchire une page de son cahier et écrit, en contrefaisant parfaitement l'écriture de Bunty :

*Chère Miss Everard,*
*Veuillez excuser Patricia qui sera en retard ce matin. Mais notre chien a été écrasé par une voiture.*
*Bien à vous,*
*Mrs G. Lennox.*

Gillian et moi regardons par-dessus l'épaule de Patricia, et Gillian dit :

— Quel chien ? Nous n'avons pas de chien.

— Si, fait Patricia en pliant bien proprement sa lettre. Nous en avons des tas.

— Oui, mais ils sont à vendre, dit Gillian, interloquée. Et aucun ne s'est fait écraser.

Patricia la regarde avec exaspération.

— Gillian, dit-elle, tu *passes ton temps* à mentir. Alors je ne vois vraiment pas ce qui t'excite.

Mais Gillian, précisément, s'excite à vue d'œil. Comme toujours lorsqu'elle s'apprête à piquer une crise, sa peau se marbre curieusement de rose — comme les écailles d'une truite saumonée.

— Cette fois-ci, je m'en vais, déclare Patricia en l'ignorant royalement.

Elle se tourne vers moi et me dit d'un ton affectueux :

— À ce soir, Ruby.

Je l'en remercie en l'accompagnant jusqu'au portail de l'Arrière-Cour et en lui faisant un petit signe d'adieu de la main, ce que Bunty ne daigne jamais faire. Derrière moi retentit un beuglement de sirène de brume :

— Je veux Maman !

Mais, comme « Maman » elle-même le souligne fréquemment, « vouloir » et « avoir » sont deux choses totalement différentes. Nous ne nous rendons pas à l'école ce jour-là, mais nous avons soin de nous tenir très à l'écart de George. Nous restons surtout dans la chambre de Gillian, qui a entrepris de jouer elle-même les maîtresses d'école, installée sur le lit, tandis que Denise et moi nous retrouvons entassées derrière un minuscule bureau. Le plus clair de l'activité pédagogique de Gillian consiste apparemment à infliger des punitions, et lorsque je me hasarde à lui faire remarquer qu'avec Patricia, au moins, on *apprend* des leçons, je me retrouve au coin pendant plus d'une heure. On ne me libère que pour me faire chercher de quoi manger un peu. Tout ce que je puis trouver, c'est une demi-miche de pain complet et quelques biscuits, ce qui ne fait pas de moi le chouchou de l'institutrice. De temps à autre, George vient se placer au bas de l'escalier pour nous demander d'une voix tonitruante si tout va bien. Nous répondons par l'affirmative, ne voyant pas très bien ce qu'il pourrait faire dans le cas contraire.

\*

— Vous êtes restées là toute la journée ? demande Patricia, effarée, en rentrant de l'école.

— Oui.

— Et pas de signe de Maman ? (Le terme était en voie de disparition dans le vocabulaire de Patricia, mais la situation de crise l'y a apparemment fait revenir.)

— Non.

Elle a disparu sans laisser la moindre trace. Ni un cheveu ni un ongle. Peut-être est-elle morte. Peut-être a-t-elle rejoint la cohorte de nos fantômes familiers, traversant les murs et glissant

143

le long des escaliers. Si nous avions sous la main Mr. Wedge-wood ou Myra, ils pourraient peut-être demander poliment à nos fantômes de chercher un peu. Cela permettrait à la Neuvième Légion de s'occuper un moment.

George sort un moment et nous rapporte du poisson et des frites. Il a l'air très préoccupé.

— Ce fichu Perroquet a mis les voiles aussi, vous savez, fait-il en secouant la tête. Vous croyez qu'il faudrait appeler la police ?

Nous le regardons toutes trois avec stupéfaction, car c'est la première fois qu'il daigne nous demander notre avis sur quoi que ce soit.

— Eh bien, fait Patricia prudemment, est-ce que tu as *vraiment* cherché s'il n'y avait pas une lettre ?

— Comme si j'avais eu le temps ! réplique-t-il d'un ton chagrin.

Une perquisition immédiate est ordonnée. Gillian suggère à Patricia d'écrire elle-même une lettre en imitant l'écriture de Bunty.

— Cela avancerait à quoi ? demande Patricia.

— Cela pourrait le calmer un peu, répond Gillian.

— De façon à ce qu'il nous fiche la paix ?

J'appuie le projet avec enthousiasme, tout en ayant un peu honte de constater que nous nous préoccupons plus, en ce moment, de notre petit confort que du sort de notre mère. De toute manière, le plan est abandonné car aucune d'entre nous n'a la moindre idée de ce que Bunty pourrait écrire à George pour le calmer un peu.

Nous fouillons le tiroir de la table de chevet de Bunty, qui est parfaitement rangé mais ne contient aucun message pour George. Nous y trouvons, en revanche, un petit médaillon d'argent.

— Qu'est-ce que c'est ? demandé-je à Patricia, qui hausse les épaules en signe d'ignorance.

« Oh, c'est moi ! fais-je, ravie.

En ouvrant le médaillon, j'y ai trouvé, se faisant face, deux petites photos de bébé qui semblent l'une et l'autre me représenter. Je me retourne pour adresser un regard triomphant à Gillian, dont l'effigie est absente.

— Maman a ma photo près de son lit, lui dis-je.

— Ah, oui ! fait-elle d'un ton sarcastique. Elle a mis cela là parce qu'il y a une photo de P...

Elle ne termine pas la phrase, car Patricia vient de lui donner un violent coup dans les côtes.

Sur ce, Patricia découvre, dans le tiroir de George, ce qui paraît être une lettre authentique, voisinant avec un paquet de Craven A, un peu de monnaie et un paquet de préservatifs rose et rouge. Le nom « George » est griffonné en travers de l'enveloppe, que nous hésitons longuement à ouvrir.

Gillian suggère que nous la décollions à la vapeur, mais il nous paraît un peu risqué de nous rendre dans la cuisine. Sur quoi Patricia a l'idée de génie d'utiliser la bouilloire électrique que Bunty garde à côté de son lit.

Lorsque nous finissons par ouvrir la lettre, Patricia s'est ébouillantée, et l'enveloppe est toute détrempée et gondolée. De toute manière, nous sommes obligées de la déchirer.

— Qu'est-ce qu'elle raconte, Patricia ? demande avidement Gillian.

Patricia se met à lire à haute voix en imitant instinctivement Bunty, encore que le contenu de la lettre ne ressemble pas tellement à celle-ci. C'est un peu comme si elle avait trouvé les mots qu'elle emploie dans un livre — ou plus vraisemblablement dans un film.

> *Cher George,*
> *Ma patience est à bout, et je ne puis plus continuer ainsi. Je pense qu'il est préférable que je passe quelque temps séparée de vous tous, si fort que j'aime, tu le sais, les enfants. Tu dis que tu ne fréquentes pas une autre que moi, et il faut bien que je te croie parce que tu es mon mari, mais, comme tu le sais, la vie n'a plus été la même pour moi depuis que P...*

Patricia s'étrangle sur ce mot, lance un regard un peu étrange à Gillian et il y a une courte pause gênée avant que la lecture reprenne.

> *De toute manière, je m'en vais parce que j'en ai par-dessus la tête. (Cela ressemble plus à Bunty.) Ne t'inquiète pas pour moi. Mais là, il n'y a pas de danger.*
> *Bunty.*

145

Nous digérons ce texte en silence pendant un moment — surtout le passage où Bunty proclame son amour pour ses enfants. Puis Patricia renifle dédaigneusement et dit :

— Quel tas de bêtises !

Cela me surprend, car j'ai trouvé cela plutôt émouvant.

— Peut-être qu'il vaudrait mieux ne pas le lui donner ? suggère Gillian.

Mais Patricia, scrupuleuse jusqu'au bout, dit qu'il n'en est pas question et imite l'écriture de Bunty sur une autre enveloppe.

— Vous n'avez pas ouvert cette lettre ? demande George d'un ton suspicieux.

— Bien sûr que non, rétorque Patricia avec un air offusqué. L'enveloppe est fermée, non ?

George renifle longuement et fait mine de s'absorber dans la lettre alors qu'il est évident qu'il a fini de la lire.

— Bien, dit-il finalement. Votre mère a dû partir subitement voir Tante Babs parce qu'elle est malade. Je veux dire Tante Babs, pas votre mère.

Nous couvrons Tante Babs de murmures de compassion tout en nous regardant, les yeux exorbités. Nous nous contenons toutefois et, un peu plus tard, Patricia rappelle à George nos vacances imminentes ; nous avions oublié que nous devions nous rendre à Whitby pour les congés scolaires de la Pentecôte. Du coup, George va, de façon tout à fait spectaculaire, se frapper la tête contre la porte.

— Non, dit-il. Non, ce n'est pas possible ! Comment ai-je pu oublier ?

Nous entrons dans son jeu avec quelques mimiques interrogatives du plus bel effet

— Je vais fermer la Boutique, proclame-t-il finalement, après avoir téléphoné partout pour chercher un remplaçant sans le trouver.

— Et qu'est-ce qui arrivera aux animaux si tu fermes la boutique une semaine ? demande la sage Patricia.

— Je ne sais pas, fait George, qui semble soudain épuisé. Vous pourriez peut-être toutes aller chez Tante Babs, ou quelque chose comme cela...

— Non, lui rappelle Patricia d'une voix douce. Tante Babs est malade, tu te souviens ?

Il lui jette un regard encore plus affolé.

— Et Lucy-Vida ? demande Gillian, qui, entre-temps, s'est mise à sangloter.

— Lucy-Vida ? Lucy-Vida ? Quoi donc, Lucy-Vida ?

— Elle est censée venir avec nous, précise Patricia. (Tante Eliza entre à l'hôpital pour se faire retirer ses varices.) Elle va arriver dans la matinée.

Cette fois, George tombe à genoux et se frappe la tête sur le plancher. C'en est trop pour lui. Il en a plus qu'assez : sa femme et le Perroquet disparus, quatre petites filles sur les bras, une Boutique dont s'occuper, des vacances... Soudain, il relève la tête. Une idée l'illumine.

— Ah ! fait-il.

Mais il ne précise pas plus avant sa pensée.

*

Patricia est assise à l'avant, tandis que Lucy-Vida, Gillian et moi sommes entassées sur le siège arrière de notre vieille Ford Anglia de 48. Nous allons toujours dans un appartement meublé à Whitby pour les vacances de la Pentecôte, comme il avait été prévu, mais, au lieu de nous diriger sur Pickering, nous effectuons un curieux détour. Nous apercevons un panneau annonçant *Leeds, Mirfield, Dewsbury*, et je me recroqueville d'horreur sur mon siège. Patricia lance à George un regard inquisiteur.

— Je croyais que nous n'allions pas chez Tante Babs, dit-elle.

— Nous n'y allons pas, fait George, sibyllin.

Après ce qui nous semble une éternité, nous nous arrêtons devant un petit pavillon assez sinistre de Chapeltown.

— J'en ai pour une minute, affirme George en sautant de la voiture avant de s'appuyer de tout son poids sur la sonnette électrique du pavillon.

La porte est ouverte par une main invisible, et George disparaît à l'intérieur. Il nous a informées qu'il a « trouvé quelqu'un pour s'occuper de nous », et les spéculations vont bon train quant à l'identité de ce « quelqu'un ». Nous avons toutes nos préférences : Lucy-Vida aimerait bien Margot Fonteyn, je veux Nana, la chienne de *Peter Pan*, et Patricia préférerait Mary Poppins (une femme capable de combler les nombreuses lacunes de notre éducation). De façon caractéristique, Gillian voudrait qu'une fée vienne s'occuper d'elle et mettre les autres à l'orphelinat. De toute manière, nous ne récoltons rien de tout cela. Nous récoltons Tante Doreen.

— À l'arrière, Patricia ! ordonne George comme s'il parlait à un chien.

Patricia se glisse à contrecœur sur le siège arrière déjà bondé, et nous lançons des regards hargneux à l'intruse du siège avant.

— C'est Mrs. Collier, présente George. Vous pouvez l'appeler Tante Doreen.

« Tante Doreen » se retourne pour nous sourire. C'est une femme rondelette et assez appétissante, plus vieille que notre mère mais moins maquillée. Elle tend à une Patricia effarée une petite main grassouillette.

— Vous devez être Patricia, déclare-t-elle avec l'accent le plus extraordinaire que j'aie jamais entendu, puisque vous êtes la plus grande.

L'air dubitatif, Patricia serre la main tendue.

— Voudriez-vous être assez bonne, ma chère, poursuit Tante Doreen, pour me présenter aux autres petites filles ?

Elle nous serre la main à toutes d'un air solennel. George nous surveille d'un œil d'aigle dans le rétroviseur, à l'affût de la moindre entorse aux bonnes manières.

Les présentations terminées, il nous déclare :

— Votre Tante Doreen a très gentiment accepté de s'occuper de vous cette semaine afin que vous puissiez profiter de vos vacances. Qu'est-ce que vous en dites ?

— Merci, Tante Doreen, disons-nous toutes en chœur.

Toutes, à l'exception, en fait, de Patricia, qui hausse les sourcils et me murmure :

— Qu'est-ce que c'est que cela ? *La Petite Maison dans la prairie* ?

C'est un livre qu'elle abomine tout particulièrement. La manifestation de mauvais esprit de Patricia passe inaperçue de George, alors aux prises avec la capricieuse boîte de vitesses de l'Anglia. La présence de Tante Doreen semble prévenir le flot de jurons qui accompagne habituellement cette opération.

Dès que nous sommes en route, Tante Doreen sort un paquet de cigarettes et demande à George s'il en veut une. Il accepte avec des manifestations de gratitude si éperdues qu'on pourrait penser qu'elle vient de lui offrir un cigare de La Havane. Elle allume deux cigarettes et lui en passe une. Ce signe d'intimité ne passe pas inaperçu du siège arrière. Tante Doreen serait-elle une parente de George ?

Le trajet jusqu'à Whitby s'effectue sans incidents — ce qui est rarissime avec l'Anglia. Tante Doreen et George semblent connaître fort bien Whitby et tout au long de la descente menant à la ville, se mentionnent l'un à l'autre des endroits familiers. Gloussant déjà de rire, Tante Doreen demande :

— Tu te souviens des harengs fumés ?

George, alors, rejette la tête en arrière et part d'un rire presque adolescent.

Whitby a vraiment l'air d'un endroit magique, avec ses ruines mystérieuses en haut de la falaise et ses minuscules maisons de pêcheur. Patricia est tout particulièrement ravie, parce c'est là, dit-elle, que le *Déméter,* venant de Varna, a terminé son voyage.

— Le *Déméter* ? demande Tante Doreen.

— Oui, précise Patricia, le navire de Dracula est arrivé ici avec tout son équipage mort, au milieu d'une tempête surnaturelle, et ces falaises doivent être celles où il s'est réfugié sous la forme d'un chien noir. Un chien de l'enfer.

Elle se pourlèche visiblement et, dévisageant Lucy-Vida qui est coincée entre elle et Gillian (je suis tout au bout, écrasée contre une portière qui va probablement se détacher si nous prenons un virage trop serré), suggère :

— Tante Eliza t'a peut-être appelée comme cela à cause de Lucy Harker. Elle était devenue vampire, tu sais ?

— P'têt bien, répond flegmatiquement Lucy-Vida.

Elle connaît Patricia depuis bien trop longtemps pour se laisser impressionner par elle.

— Mon Dieu, mon Dieu, fait Tante Doreen.

Elle se tourne vers Patricia et lui dit sans la moindre trace de sarcasme :

— Quelle belle imagination vous avez, Patricia !

Et Patricia se donne un mal fou pour ne pas paraître flattée.

Nous finissons par atteindre le *Royal Crescent*. Après avoir monté tous nos bagages jusqu'à l'appartement, au troisième étage, George ne reste que le temps d'une tasse de thé.

— Bien, dit-il, je ferais mieux de retourner à la Boutique.

Sur quoi il nous plaque et nous laisse en compagnie d'une totale étrangère.

— Bien, dit à son tour Tante Doreen, en mettant dans ce

simple mot plus de voyelles que nous n'en avons jamais entendues à la fois, il faudrait peut-être défaire les bagages, les filles...

Chez Patricia, la curiosité finit par l'emporter sur la réserve.

— D'où êtes-vous, Tante Doreen ? demande-t-elle.

L'intéressée part d'un grand rire gloussant.

— De Belfast, Patricia, de Belfast !

Patricia ayant disparu avec le plateau à thé, Lucy-Vida et moi en sommes réduites à nous tourner vers Gillian pour la solution de notre problème géographique.

— C'est la capitale du Pays de Galles, précise Gillian avec la plus grande assurance.

Nous sommes toutes séduites par l'appartement ; il n'est pas encombré comme ceux que nous fréquentons habituellement, et il a juste assez d'un peu tout — draps, couvertures, casseroles et couteaux. Le papier à fleurs des murs est tout propre et n'a pas été imprégné par les miasmes des drames familiaux. Le tapis feuille-morte et les rideaux orange de la salle de séjour n'expriment rien de plus que la joie des vacances. Le seul inconvénient est qu'il n'y a que deux chambres à coucher. Tante Doreen en prend une, ce qui nous laisse à quatre filles dans une seule chambre, avec deux grands lits. Il est plus simple de laisser Patricia prendre un des lits pour elle toute seule et de nous entasser à trois dans l'autre. Cela fait beaucoup de monde ensemble, en comptant Panda, Teddy, Denise et l'inqualifiable « Mandy-Sue » de Lucy-Vida, qui ressemble à un chat noir et blanc sortant des mains d'un taxidermiste particulièrement incompétent. En compensation, notre chambre jouit d'une vue magnifique sur Crescent Gardens, sur la Promenade, sur le Pavillon et, au-delà, sur une Mer du Nord ondulant à l'infini — la limite du monde tel que nous le connaissons.

★

Il faut un jour ou deux à Tante Doreen pour faire la conquête de Patricia. Au début, elle est carrément hostile, et s'enfuit pendant plusieurs heures. On la retrouve finalement sur la plage, aidant le meneur d'ânes à promener ses bêtes. L'ânier est ravi d'avoir trouvé ainsi du personnel gratuit, ignorant que Patricia est simplement en train de créer chez lui un faux sentiment de sécurité de façon à pouvoir, le moment venu, libérer tous les ânes.

150

Elle revient à la maison en larmes (chose très inhabituelle chez elle) et n'est même pas ramenée à de meilleurs sentiments par le fait que Tante Doreen s'abstient d'avoir recours à ces violences physiques dont Bunty est assez prodigue à notre égard. Le lendemain, au cours d'une sortie sur la Promenade, elle tombe de la chaussée — chute apparemment accidentelle, mais en laquelle je subodore ensuite une tentative de suicide adroitement déguisée.

Elle a simplement le poignet foulé, et est pansée avec une rare compétence par Tante Doreen.

— J'ai été infirmière pendant la guerre, explique celle-ci en souriant.

Cela la fait monter de plusieurs crans dans notre estime, car le métier d'infirmière a droit à toute notre considération bien qu'aucune d'entre nous ne s'y destine. Patricia veut à toutes forces être vétérinaire pour sauver tous les animaux de la Création. Lucy-Vida va être danseuse de music-hall : ses longues jambes peuvent effectuer d'incroyables entrechats, révélant des dessous dont la couleur arrache des exclamations d'horreur à Bunty et à Tante Babs. Moi, je serai comédienne quand je serai grande (« C'est déjà fait, Ruby », me dit aimablement Bunty), et Gillian va simplement être célèbre, et ne se demande même pas comment. À la différence de Bunty, Tante Doreen écoute nos puériles confidences avec un réel intérêt.

Patricia finit par capituler, impressionnée par l'affectueuse qualité des soins que lui prodigue Tante Doreen :

— Cela ne te fait pas mal, Patricia ? Oh, je suis désolée ! Là, tu es très courageuse...

Le contraste entre ce comportement et celui de Bunty ne peut que frapper. Et il y a bien d'autres domaines où la comparaison avec Bunty tourne en faveur de Tante Doreen. Sa façon de cuisiner, par exemple : sans la moindre histoire, elle nous sert de bons repas bien reconstituants, à base de ragoûts mijotés.

— De quoi bien te lester, Patricia. Pour que tu n'aies plus la force de t'enfuir.

Elle rit, et — chose effarante — Patricia rit avec elle. Tante Doreen n'a rien non plus contre les pâtisseries achetées dans le commerce (dont la seule idée fait frémir Tante Babs, Tante Gladys et Bunty), et nous les laisse choisir chaque jour.

— Nous sommes en vacances, après tout, proclame-t-elle.

Cela ne veut pas dire qu'elle cultive le laisser-aller. Bien au contraire, elle fait régner autour d'elle l'ordre et l'harmonie, et se montre aussi stable et solide que la digue du port quand les émotions de Gillian menacent de déborder. Elle a le don très particulier de nous persuader que les tâches domestiques les plus prosaïques — laver la vaisselle, faire les lits et le reste — sont autant d'occasions de jeux divers, tant et si bien que Gillian se bat pour s'emparer du balai avant tout le monde.

— Regardez un peu not'Gillian, s'émerveille Lucy-Vida. On ne l'aurait pas crue comme cela...

Il y a beaucoup de choses, en fait, que nous n'aurions pas crues comme cela. Même mon somnambulisme semble se calmer à proximité de Tante Doreen. (« C'est parce qu'elle ne te réveille pas, me dit dédaigneusement Gillian, et que, comme cela, tu ne t'en aperçois pas. » Merci, Gillian.)

Tante Doreen organise des jeux sur la plage, des concours de châteaux de sable, ainsi que de petites expéditions pédestres aux alentours ou, simplement, des promenades dans les rues de Whitby, qui ont souvent des noms aussi drôles que celles de York — comme la Place de la Porte Sombre et la Place de la Dispute (George et Bunty auraient dû habiter là).

Tante Doreen connaît d'innombrables jeux de cartes dont je n'aurais même pas soupçonné l'existence (Patricia est transportée de joie en apprenant qu'il y a tant de variétés de réussites), et, les après-midi pluvieux — il y en a plusieurs —, elle s'amuse vraiment à jouer avec nous, assise sur le tapis et nous passant biscuits au chocolat et verres de jus d'orange. Elle réussit même à persuader Gillian de ne pas tricher, ce que personne n'avait réussi à faire avant elle. Gillian, toutefois, continue à hurler à pleins poumons quand elle perd. À ce moment, Patricia a coutume de la frapper vigoureusement, mais Tante Doreen se contente de la prendre par la main, de la conduire dans la chambre et refermer la porte en disant :

— Laissons la pauvre petite se calmer un peu.

*

Pour la première fois de notre vie, nous disons nos prières avant d'aller au lit.

— Juste une petite prière, dit Tante Doreen, pour que Dieu sache que vous êtes là.

Elle nous fait ajouter un petit post-scriptum pour demander à Dieu de veiller sur Papa et Maman. Peut-être parce que George n'est pas tellement entré dans les détails, Tante Doreen semble croire que Lucy-Vida est notre sœur. Personne ne se soucie de la détromper : cela ne ferait guère de différence et, de toute manière, nous aimons bien avoir une sœur de plus.

— Quatre de nouveau, fait Patricia — d'un ton assez lugubre en mettant le couvert pour le petit déjeuner un matin.

Elle a apporté avec elle en vacances *Les Quatre Filles du docteur March*, dont elle nous lit les passages les plus tristes jusqu'au moment où nous commençons toutes à pleurer (sauf Gillian).

Tante Doreen fait souvent allusion à Bunty. Elle dit des choses comme « Je suis sûre que ta maman aimerait bien que tu fasses cela, Gillian » ou « Je crois que ta maman t'aime beaucoup, Patricia ». Mais quand nous lui demandons si elle connaît effectivement Bunty, elle s'étrangle de rire et nous dit :

— Moi ? Grands dieux, non...

Quand Lucy-Vida lui demande si elle a elle-même des enfants, Tante Doreen prend un air triste et lui répond :

— Non, ma chérie, j'ai eu une petite fille, mais je l'ai perdue.

— Comment s'appelait-elle, Tante Doreen ? fait doucement Patricia.

Tante Doreen la regarde d'un air absent et secoue la tête.

— Je ne sais pas, dit-elle.

C'est vraiment curieux de ne pas savoir le nom de son propre enfant ! Mais peut-être pas, après tout : Bunty doit toujours réciter tous nos noms avant de trouver le bon. « Patricia, Gillian, P..., Ruby... Comment t'appelles-tu, déjà ? » Peut-être que si Bunty ne revient pas, nous aurons une autre mère, Tante Doreen, de préférence, qui se rappellera mon nom.

★

George débarque le vendredi soir et nous annonce que nous rentrons à la maison le lendemain matin à la première heure. Il nous apporte du poisson et des frites pour le dîner — nous en avons déjà eu au déjeuner, sur le port.

— Je ne sais pas ce que vous en pensez, les enfants, dit alors Tante Doreen, mais il se passera un moment avant que je mange une seule frite !

153

Nous sommes bien d'accord avec elle.

— Où vas-tu dormir, Papa ? demande innocemment Patricia.

— Oh, fait George avec un sourire à la Bunty, je vais dormir ici, sur le canapé.

Alors, tout va bien.

Je suis réveillée le lendemain matin de bonne heure par les cris d'une troupe de mouettes, et je vais en traînant les pieds dans la salle de séjour me poster derrière les rideaux orange de l'une des vastes fenêtres pour jeter un dernier coup d'œil à la mer, bleue et brillante comme un saphir. La matinée est superbe, et j'ai peine à croire que nous n'irons pas, comme d'habitude, jouer sur le sable mouillé en regardant la marée descendre. J'ai complètement oublié que George dort dans la pièce : il n'y a pas trace de lui sur le canapé, ni couverture ni oreiller. Je ne me souviens de lui qu'en entendant approcher sa toux matinale de fumeur. Cachée par les rideaux, je le vois entrer dans la pièce en se grattant longuement la nuque, vêtu d'un pyjama à rayures. Tante Doreen entre à sa suite, revêtue d'une combinaison de nylon rose sous laquelle ballottent mollement ses vastes seins. Subitement, elle entoure de ses bras robustes la taille de George sous la veste de pyjama, et il laisse échapper un curieux grognement.

— Bon Dieu, Doreen ! fait-il, tandis qu'elle se met à rire.

Puis Tante Doreen lui dit :

— Allez viens, Georgie-Porgie, allons préparer un peu le petit déjeuner des gosses !

George soupire et se laisse traîner vers la cuisine par le cordon de son pantalon de pyjama.

★

Sur le chemin du retour, nous déposons Tante Doreen à Leeds, après de multiples embrassades. Même Patricia a les yeux humides.

— Qui s'occupe de la Boutique ? demande-t-elle, après un long silence chargé d'émotion.

— J'ai fermé pour la journée, dit George.

Nous sommes très flattées qu'il ait placé sa famille avant Mammon.

Valise au poing, nous entrons dans la Boutique. « Boutique ! »

crie Gillian sans attendre de réponse. Elle reste pétrifiée lors-qu'elle voit Bunty émerger de l'arrière-boutique.

— Maman ! faisons-nous en chœur.

Nous avons l'impression de ne pas l'avoir vue depuis des années.

— Bunty ! dit George, qui ajoute, de façon relativement superflue : Tu es revenue !

S'ensuit un silence gêné. Nous devrions, en bonne logique, nous précipiter vers Bunty et l'entourer de tous nos petits bras. Mais nous demeurons figées sur place, jusqu'au moment où George annonce :

— Je vais préparer le thé.

— Laisse, dit alors Bunty. Je vais le faire.

Et elle se dirige vers la cuisine d'un pas très naturel, comme si elle revenait d'une séance chez le coiffeur et non d'une fugue d'une semaine.

Tandis que Bunty disparaît, le sourire s'efface lentement sur les lèvres de George, et c'est un visage tragique qu'il tourne vers nous pour nous murmurer :

— Vous n'êtes jamais allées en vacances avec Tante Doreen. Compris ?

Nous hochons la tête sans bien comprendre.

— Et avec qui sommes-nous allées en vacances ? demande Patricia, intriguée.

George la regarde, muet et l'œil fixe — on pourrait presque voir les mouvements désordonnés de sa matière grise se refléter dans sa rétine.

— Avec qui, Papa ? insiste Patricia. Avec qui ?

À ce moment, la voix lointaine de Bunty nous parvient de la cuisine.

— À propos, demande-t-elle, qui s'est occupé de la Boutique, toute la semaine ? Elle était fermée quand je suis arrivée.

— Quand était-ce ? crie George avec un détachement très affecté.

— Il y a une demi-heure à peu près.

George laisse échapper un soupir de soulagement et répond :

— La mère de Walter. Mais je lui avais dit de fermer de bonne heure — elle se fatigue assez vite.

— La mère de Walter ?

Bunty ne semble pas très convaincue — ce qui n'a rien de

surprenant. La mère de Walter est presque aussi gâteuse que Nell. Il est hors de doute qu'avec un petit encouragement de Walter (qui doit un service à George), elle pourra se convaincre qu'elle s'est bel et bien occupée de la Boutique toute la semaine.

George s'accroupit pour pouvoir nous regarder dans les yeux — à l'exception de Patricia — et nous chuchote :

— J'étais avec vous à Whitby. C'est moi qui me suis occupé de vous toute la semaine. Compris ?

— Compris, murmurons-nous en chœur, tandis que Bunty annonce que le thé est infusé.

— Offrons-nous une petite gâterie ce soir, suggère-t-elle un peu plus tard.

— Oh, oui ! fait Gillian. Quoi ?

— Du poisson et des frites, bien sûr, répond Bunty avec un sourire radieux.

★

Je suis réveillée en plein milieu de la nuit par un grattement à la fenêtre. Je reste couchée toute raide dans mon lit, pétrifiée d'horreur, imaginant qu'un vampire particulièrement affamé essaie d'entrer. Combien de temps encore jusqu'à l'aube ? Très longtemps, à ce que je découvre en écoutant de mon lit les bruits fantomatiques de la vieille maison, les craquements des poutres et du plâtre, et les pas cloutés des légionnaires défunts dans l'escalier. Tous ces sons me paraissent inoffensifs à côté du bruit à ma fenêtre. Quand il fait enfin jour et que les oiseaux commencent à chanter, je trouve le courage d'écarter le rideau et de regarder à l'extérieur. Ce n'est pas du tout un vampire, mais le Perroquet, installé sur le rebord de la fenêtre, maigre et l'air abattu. Il a le même air de vaincu que George, comme s'il avait cherché toute la semaine l'Amérique du Sud et ne l'avait pas trouvée.

★

Les choses reprennent vite leur cours normal pour nous tous, y compris le Perroquet. Dès que George et Bunty ont leur première dispute, Lucy-Vida se rappelle, comme par magie, qu'elle n'est pas notre sœur et s'en retourne chez Oncle Bill et

Tante Eliza. Les vacances prennent rapidement l'aspect d'un mythe. Nous avons presque l'impression que c'est à d'autres que tout cela est arrivé, dans quelque conte pour enfants. Pendant quelque temps, nous continuons à parler entre nous de Tante Doreen, puis, peu à peu, elle devient aussi irréelle que Mary Poppins. Au bout de quelques mois, Gillian en est même venue à croire qu'elle l'a vue voler au-dessus du port de Whitby, planant au-dessus du quai et tournant autour du phare, au bout de l'estuaire. Ce souvenir semble si cher à notre sœur que nous n'avons pas le cœur de la détromper.

ANNEXE V

# VOYAGE DE NOCES

1958 : Ted posa la valise de sa mère sur le sol, dans sa chambre, et s'attarda un moment, passant son doigt sur le dessus de la cheminée en fredonnant un air sans musique. Ils venaient d'arriver dans la pension de famille, et Nell avait hâte que Ted quitte la chambre, pour pouvoir retirer son corset et ses bas et s'étendre sur le lit.

— Bien, finit-il par dire, je vais défaire ma valise, Mère. Je te retrouve en bas pour le thé.

Il mit encore un certain temps à sortir. Nell le regardait en se demandant ce qu'il voulait au juste. Le dernier fils de Nell avait près de trente ans, mais, quand elle le regardait, c'était toujours un petit garçon qu'elle voyait.

— Pour le thé, c'est entendu, Ted.

Ted venait de quitter la marine marchande après douze années de service, et cette semaine dans la pension de famille de Kendal était destinée à le réadapter à la vie à terre. Nell n'était venue qu'à contrecœur. Elle n'aimait plus sortir de chez elle.

Ted referma la porte tout doucement, comme s'il quittait la chambre d'une malade, et Nell se demanda soudain combien de temps il lui restait à vivre. La mort était une chose terrifiante, mais, de plus en plus, Nell se surprenait à penser qu'elle serait contente quand tout serait fini.

Bien que la fenêtre fût ouverte il faisait chaud dans la chambre. Il y avait un lit dur et étroit, une table de chevet, une table de toilette, une armoire et une pendule sur le manteau de

159

la cheminée. Elle marquait quatre heures moins dix, mais Nell ne savait pas si elle était à l'heure.

— J'ai déjà été dans la région des Lacs autrefois, avait dit soudain Nell dans la voiture qui les amenait à Kendal.

De surprise, Ted avait failli lâcher le volant ; il n'avait jamais imaginé sa mère allant plus loin que le marché d'York le vendredi matin.

— Vraiment ? Et quand cela ?

— En voyage de noces.

Ted n'imaginait pas non plus sa mère en voyage de noces. Pendant qu'il s'y efforçait, Nell repensait soudain à une carte que lui avait adressée, il y avait bien longtemps, Percy Sieve-wright pour la Saint-Valentin, une carte rose recouverte de dentelle. Il y avait inscrit, de sa grande écriture ronde de policier *Je suis à toi pour toujours.* Et le pire, c'est que c'était vrai, car qui d'autre aurait voulu de lui dans l'état où il se trouvait ?

★

1919 : Nell savait qu'elle devait rêver, car elle ne se trouvait plus dans la chambre louée par les soins de Ted dans la pension de famille de Kendal. Elle se retrouvait soudain dans cet hôtel sinistre, avec vue sur le lac, où Frank l'avait amenée en voyage de noces. La nuit était chaude, étouffante. Toute la journée, Nell avait eu l'impression que l'air autour d'elle était une force qui allait finir par lui écraser le sommet du crâne.

— Il y aura de l'orage ce soir, Nellie, lui avait dit Frank, comme s'il lui faisait une promesse personnelle afin de lui redonner goût à la vie.

Mais comment pouvait-elle reprendre goût à la vie quand il se trouvait sur elle, pesant de toutes ses forces et la pressant contre le matelas ? Allait-il faire cela toutes les nuits de leur vie conjugale ? Ne serait-elle jamais délivrée de ses pyjamas en coton épais, des chatouillements de sa petite moustache et de cette autre partie de son anatomie dont la honte lui faisait détourner les yeux ?

Un étrange bourdonnement se fit alors entendre, et il fallut un certain temps à Nell pour comprendre que le bruit était dans la chambre et non à l'intérieur de son propre crâne. Elle secoua légèrement, pour le réveiller, Frank qui ronflait déjà doucement

160

à côté d'elle. Elle ne comprenait pas comment on pouvait s'endormir aussi facilement. Lillian était pareille ; chaque soir, elle se tournait dans son lit, comme un petit animal cherchant la position la plus confortable, et elle s'endormait comme un bébé, tandis que Nell restait étendue dans son lit, à regarder le plafond en sachant qu'il lui faudrait des heures pour trouver le sommeil. Elle fut presque heureuse lorsque Lillian quitta leur chambre, après la mort d'Albert. Sans un mot d'explication ni d'adieu, elle avait pris ses affaires et les avait transportées dans l'ancienne chambre de son frère. La seule allusion qu'elle avait faite à ce changement avait été le lendemain au petit déjeuner.

— Oh, Nelly, avait-elle dit. Je regrette d'avoir changé ses draps quand il est reparti pour le front...

Rachel avait lancé une cuillère à la tête de Lillian en la traitant de dégoûtante, mais Nell avait compris ce qu'elle voulait dire ; elles auraient voulu pouvoir toucher et respirer quelque chose ayant été en contact avec lui.

Elle pinça Frank au bras, mais il la repoussa brusquement. Nell chercha à tâtons les allumettes sur la table de chevet et alluma la bougie pour voir quelle créature pouvait bien faire ce bruit.

Quand elle aperçut l'insecte, elle poussa un petit cri et secoua énergiquement Frank ; une énorme guêpe, une sorte de mutant noir et jaune aux allures de zeppelin, avançait d'un vol régulier vers leur lit. Frank mit quelques secondes encore à émerger de sa torpeur, mais quand il l'eut fait, il s'exclama :

— Bon Dieu ! C'est un frelon !

Nell se pencha, ramassa une pantoufle et se mit à l'agiter autour de sa tête. Le frelon esquiva et s'en alla faire, toujours bourdonnant, le tour de la lampe à gaz accrochée au plafond.

— Tue-le ! Tue-le ! glapissait Nell, tandis que Frank se glissait prudemment hors du lit pour chercher sa propre pantoufle.

Il s'approcha lentement, courbé en deux, du frelon qui continuait à tourner frénétiquement autour de la lampe et tenta de l'abattre d'un coup de pantoufle. Le frelon esquiva et fonça vers Frank, qui plongea vers le sol les mains plaquées sur la tête. Nell, alors, surprit à la fois Frank et le frelon en éclatant de rire.

— Ce n'est vraiment pas drôle, Nell ! fulmina Frank, l'œil toujours fixé sur l'ennemi.

Nell glissa au fond du lit et se couvrit la tête des draps. Il avait raison : ce n'était pas drôle du tout. Ce frelon l'avait vraiment rendu fou de peur. Qui aurait pu croire qu'un homme ayant traversé toute la Grande Guerre était resté un lâche ? Percy aurait réglé le problème sans faire la moindre histoire — fermement, en vrai policier. Et Albert ? Albert se serait employé à rendre la liberté au frelon. Elle se rappela qu'un jour, il avait capturé un gros bourdon et que, le tenant entre ses mains fermées, il s'était tourné vers elle avec son magnifique sourire et lui avait dit :

— C'est une grosse bête, Nelly. Tu veux la voir ?

Puis il avait ouvert les mains et laissé s'envoler le bourdon. Et Jack ? Qu'aurait fait Jack avec le frelon ? Elle se le demandait. Elle se disait qu'elle ne l'avait jamais vraiment connu. Il lui arrivait de penser qu'il valait peut-être mieux qu'il fût mort, car elle n'arrivait pas à se représenter ce qu'aurait été sa vie avec lui. Se souvenant de l'air dubitatif avec lequel il la regardait durant sa dernière permission, elle se disait qu'il se serait vite lassé d'elle.

Au lit, parfois, quand Frank abaissait les épaulettes de sa chemise de nuit pour lui caresser les épaules, Nell pensait à Jack et à sa peau magnifique, pareille à un bois de noyer bien ciré — une peau qui devait maintenant avoir totalement pourri. Bientôt, il n'allait plus rester de Jack Keech qu'un squelette entièrement nu. Il ne semblait pas juste que quelqu'un cesse ainsi d'exister. Comme Percy, comme Albert. Comme leur mère.

La voix de Frank était triomphante :

— Je l'ai tué, cette fois, Nelly ! Nelly ? Pourquoi pleures-tu ? Qu'est-ce qui se passe ? Tout va bien, maintenant ; je te dis que je l'ai tué...

Frank l'entoura de ses bras en lui tapotant doucement le dos. Il ne savait jamais trop quoi faire quand les gens se mettaient à pleurer, et se demandait vraiment pourquoi Nell sanglotait ainsi et hurlait :

— Je veux ma mère !

Au loin, le tonnerre commençait à gronder.

★

1958 : Debout dans l'encadrement de la porte, Ted demandait anxieusement :

— Mère, Mère ? Tu vas bien ? Tu ne descends pas ? On commence à servir...

162

Sa mère soupira et se mit en position assise.

— Je descends dans une minute, dit-elle.

Ted parti, Nell se leva avec quelque peine et entreprit de remettre son corset. Elle alla se repeigner et se repoudrer un peu devant le miroir et tenta de se rappeler l'odeur de la peau de Jack Keech, mais tout cela était si loin qu'elle ne parvenait plus à se souvenir de son visage. Il se mit à pleuvoir, une petite pluie légère d'été, et l'odeur de l'herbe de juin mouillée par l'averse vint soudain emplir Nell de nostalgie et de chagrin.

# CHAPITRE VI

## 1959

## DES PLUMES DE NEIGE

Le dernier jour de Gillian. C'est la veille de Noël qu'elle paie le prix de ses boucles angéliques ; il y a donc peu de chances qu'on oublie l'anniversaire de sa mort. Cela jettera une grande ombre sur le Noël de cette année-là, ainsi que sur les suivants. Ce 24 décembre, nous allons assister à une pantomime. J'aimerais penser que c'est une sorte de consolation pour Gillian (« Au moins elle a passé un bon moment avant de mourir » et le reste), mais, en réalité, c'est d'aller voir cette pantomime qui va la tuer.

— Ruby !

Ça, c'est George qui hurle du haut de l'escalier, s'efforçant de dominer de sa douce voix le bruit de la pluie martelant les vitres.

— RUBY !

En fait, il ne veut rien de particulier. Je sais reconnaître ce timbre de voix. Il est entré dans la cuisine et y a trouvé Bunty dans sa célèbre interprétation de la Femme Martyre (elle aurait vraiment dû faire du théâtre), et, maintenant, il cherche la première sur qui passer ses nerfs. Moi.

Bien qu'il fasse froid dans la chambre — il n'y a pas de chauffage dans nos chambres à coucher — je me suis réchauffée en me livrant à une séance de hula-hoop effrénée dans l'étroit espace séparant les lits. Maintenant, je suis douillettement recroquevillée sur mon dessus de lit rose avec un vieil exemplaire de *Judy* appartenant à Gillian. Mon dessus de lit est la réplique de celui de Gillian, de l'autre côté de la chambre, à part que celui de Gillian, qui a choisi la première, est couleur pêche. Il me faut partager la chambre de Gillian parce que Nell a quitté la maison de Lowther Street pour venir s'installer avec nous. La raison en est que, selon George, « elle n'a plus toute sa tête ». Elle n'est toutefois pas assez diminuée pour être mise dans un établissement spécialisé — ce qui serait le souhait le plus cher de George. Cependant elle l'est juste assez pour porter sur les nerfs de Bunty. Mais qu'est-ce qui ne porte pas sur les nerfs de Bunty ?

Comme on peut l'imaginer, Gillian est furieuse de cet arrangement, et, pour l'apaiser un peu, je dois raser les murs en faisant mine de n'être pas vraiment là. Je passe beaucoup de temps à apaiser Gillian, alors que Patricia (presque une adolescente, maintenant !) ne consacre pas une minute à cette tâche. Mais Patricia n'évolue plus tout à fait dans la même sphère que nous (si c'est vraiment cela, l'adolescence, alors je ne veux *pas* être adolescente).

— RUBY ! ! !

Il ne va décidément pas m'oublier. L'air coupable, je lisse mon dessus de lit. S'étendre sur les lits après qu'ils ont été faits est strictement contraire aux règles domestiques édictées par Bunty. Je pense que la vie lui paraîtrait plus ordonnée si nous ne nous y couchions pas du tout. Elle brûle toujours de nous en faire sortir dès le matin, tirant brutalement les rideaux et nous extirpant de nos draps bien chauds avec une hâte très proche du sadisme.

Notre chambre (Gillian n'use jamais de ce possessif pluriel. « Ma chambre », souligne-t-elle. Comme si je pouvais l'oublier...) comporte un tapis, du papier mural avec des fleurs roses grimpantes et une étroite armoire de chêne dont l'intérieur sent la vieille valise. Le meuble le plus important est une coiffeuse en forme de rognon, enjuponnée d'un tissu analogue à celui des rideaux. Gillian la considère également comme sa propriété personnelle, bien qu'elle ait été achetée pour « nous », en même temps que les dessus de lit, après mon arrivée dans la chambre. L'une des nombreuses raisons pour lesquelles Gillian déteste devoir partager une chambre avec moi est que je continue à marcher dans mon sommeil ; elle a très peur que je lui fasse les pires choses pendant qu'elle dort à poings fermés et se trouve donc incapable de se défendre. Si seulement...

Avant de descendre, je vérifie ma mise dans le miroir de la coiffeuse. On ne peut jamais savoir si on n'est pas en faute avec

George et Bunty, qui ont toutes sortes de lois non écrites. Certaines sont bien connues, d'autres beaucoup moins, et les plus mystérieuses nous sont souvent révélées par hasard. J'ai appris ainsi hier que les filles ne devaient pas s'asseoir les jambes croisées (George) et que le Parti travailliste était encore plus dangereux que l'Église catholique (Bunty).

— Ruby ! Descends et va donner un coup de main à ta mère !

Je descend l'escalier avec beaucoup de réticence, surtout la dernière volée de marches où les plus agités des fantômes complotent leur retour en force. Ce sont les derniers jours que nous passons *Au-Dessus de la Boutique* — Bunty louche déjà sur un « gentil petit pavillon » dans les lointaines banlieues d'Acomb et notre déménagement va être considérablement accéléré par la mort de Gillian, cause première du Grand Incendie de la Boutique. La disparition de Gillian aura donc quand même un côté positif pour Bunty. Et pour moi, bien sûr, puisque je vais devenir seule propriétaire de la coiffeuse (légèrement abîmée par la fumée).

Je fais halte devant la porte de la cuisine et écoute avant d'entrer. Tout semble assez paisible. Il est important que tout le monde reste d'humeur acceptable à cause de la pantomime. Je suis déjà sortie avec George et Bunty alors qu'ils se disputaient, et ce n'est pas une partie de plaisir, croyez-moi.

Prudemment, j'ouvre la porte. Il semble faire chaud dans la cuisine, mais je me méfie. Il doit y avoir du givre partout, sur la nouvelle machine à laver English Electric, sur le réfrigérateur qui ronronne dans son coin, sur le mixeur Kenwood Chef.

— Tu pourrais aider un peu ta mère.

C'est très clairement une démonstration de force de la part de George. Comme il ne peut prétendre exercer le moindre pouvoir sur Bunty, il s'attaque au membre le plus faible et le plus désarmé de la famille — moi. À voir l'expression butée peinte sur le visage de Bunty, il est tout à fait évident qu'elle se débrouille très bien sans aide extérieure, merci. C'est avec une fureur démoniaque que, debout devant l'évier, elle pèle les pommes de terre, tous les muscles de son corps contractés. Quelque chose de terrible est visiblement en train de se produire entre George et elle. Quelque chose devant avoir trait, à ce que nous soupçonnons, à Ta Chérie.

Assis à la table de la cuisine et encore tout mouillé, George vient, de toute évidence, de rentrer. Je me demande pourquoi il était sorti. À cette heure-là, il devrait être à la Boutique. Peut-être nous achetait-il à toutes des cadeaux de dernière minute. Ou peut-être avait-il un rendez-vous secret avec Ta Chérie. Ta Chérie est nouvelle venue dans notre vie familiale. Seule Bunty l'appelle ainsi. George n'en parle jamais et s'efforce de se comporter comme si le personnage n'était que le fruit de l'imagination surchauffée de son épouse légitime. Un dialogue typique à ce sujet se présente à peu près ainsi :

BUNTY (s'adressant à George) : Tu sais l'heure qu'il est ? Où étais-tu ? (Silence.) Avec Ta Chérie, je suppose ?
GEORGE (apaisant) : Ne sois pas ridicule. J'étais allé prendre une bière au *Bol de Punch* avec Walter.
BUNTY : Je ne sais vraiment pas ce qu'elle te trouve. Cela ne peut pas être ton physique et ce n'est certainement pas ton argent. Qu'est-ce que tu lui fais ? Tu la paies ?
GEORGE : Personne n'a vu le journal ?

Nous, les Innocentes, nous demandons ce qu'est exactement Ta Chérie. Tout ce que nous savons, c'est qu'elle est *mauvaise*. Patricia dit que c'est une Jézabel, mais c'est aussi le nom de la chatte des voisins.
— Moyen d'avoir une petite tasse de thé, Bunt ?
George tente d'imiter la façon dont, pense-t-il, on se parle au sein des couples heureusement mariés. Il fait souvent cela quand Bunty est de mauvaise humeur (ou, tout au moins, de pire humeur que d'habitude) et cela ne contribue généralement qu'à la rendre un peu plus furieuse encore. Nous le savons toutes. Pourquoi pas lui ? Bunty cesse de peler les pommes de terre, s'essuie les mains et soupire bruyamment. Posant la bouilloire sur le fourneau, elle allume le gaz avec, sur le visage, l'expression qu'a la Vierge Marie lorsqu'elle se tient debout au pied de la Croix sur la peinture accrochée dans l'église catholique où m'a emmenée ma nouvelle amie Kathleen Gorman. (*Personne*, pas même Patricia, ne sait que j'y ai été.) Je n'ai pas aimé l'endroit ; c'était plein de cœurs sanglants et d'images de gens faisant d'horribles choses à d'autres gens. Je pense que Bunty aurait aimé l'église catholique si elle avait eu l'occasion de la connaître.

— La petite peut faire cela, dit George en désignant les pommes de terre abandonnées à côté de l'évier.

— Non, elle ne peut pas, rétorque Bunty d'un ton sec, au grand soulagement de la « petite ».

Bunty relève une mèche de cheveux sur son front en un geste séculaire de souffrance féminine. La vie d'une femme est rude, et il n'est pas question qu'on tente de la frustrer de son martyre.

George écrase sa cigarette avec une sorte de vague grognement et se renverse en arrière sur sa chaise en regardant Bunty lui préparer sa tasse de thé. Il trouve moyen de s'éclaircir la gorge et de cracher dans son mouchoir au moment précis où Bunty pose la tasse et la soucoupe devant lui avec un air glacial. C'est l'expression qu'elle adopte lorsqu'elle ramasse (avec des gants de caoutchouc) les chaussettes, caleçons et mouchoirs de George et les laisse tomber dans un seau de désinfectant où ils marineront avant d'être admis à rejoindre notre linge dans l'English Electric.

Bunty reprend son épluche-légumes tandis que je reste à la porte de la cuisine, incertaine quant à mon sort immédiat. George et Bunty semblent avoir oublié qu'on est la veille de Noël et, malgré la montagne de tartelettes sur le buffet, on ne peut pas dire qu'un climat de fête règne dans la pièce. Je remarque que le gâteau de Noël est encore sans glaçage au sommet du réfrigérateur. C'est mauvais signe. Je me jette à l'eau en oubliant toute prudence :

— Nous allons *bien* à la pantomime, ce soir ?

Bunty se retourne d'un mouvement brusque.

— Et pourquoi crois-tu que je me donne tout ce mal ? demande-t-elle.

Son épluche-légumes, fendant l'air, désigne d'un geste balayant les tartelettes, le gâteau de Noël, les pommes de terre et George.

— Et je n'ai pas eu le temps de faire un pudding, ajoute-t-elle d'un ton féroce. Il faudra vous contenter de fruits en conserve.

Elle marche d'un pas martial et résolu vers une boîte de pêches au sirop, l'éventre à grands coups d'ouvre-boîtes et verse les pêches dans un grand saladier de verre où elles nagent comme des poissons rouges. George ouvre le journal du soir et commence à siffloter doucement, entre ses dents, *Vive le vent d'hiver.*

— Tu n'as rien à faire, Ruby ? me demande sèchement Bunty.

Effectivement, je n'ai rien à faire. Je ne pensais pas qu'on devait avoir quelque chose à faire la veille de Noël.

— Et où est notre Gillian ? demande subitement George.

Favorite de Bunty de toute éternité, Gillian a réussi récemment à se rendre extrêmement populaire auprès de George. Je suppose qu'en se donnant du mal, on peut arriver à n'importe quoi.

— Leçon de piano, répond Bunty en baissant le gaz sous les pommes de terre.

— La veille de Noël ? dit George avec une note de surprise dans la voix.

Vous voyez cela d'ici ? Je suis censée « faire quelque chose », mais pas « notre Gillian ». Me considérant comme congédiée, je vais dans le salon regarder la télévision.

Gillian fait irruption dans la pièce, jette à terre sa serviette à partitions et s'effondre dans un fauteuil, les jambes croisées, exhibant sa culotte bleu marine.

— Tu ne dois pas croiser les jambes, lui dis-je aimablement.

Sans daigner me répondre, elle les décroise, puis les recroise lentement. Si je lui disais « Écoute, Gillian, c'est ton dernier jour sur la terre, alors sois un peu gentille, pour l'amour du Ciel », je me demande si elle en tiendrait compte. Probablement pas.

George passe la tête à la porte.

— Le thé est prêt, annonce-t-il.

Silencieusement, Gillian me tire la langue, décroise les jambes, se retourne et adresse à George un grand sourire radieux.

— Bonjour, Papa, lance-t-elle d'un ton chargé d'affection.

Si seulement elle voulait bien me donner la recette avant de partir !

★

La salle à manger. Une toute petite pièce à côté de la cuisine. Il y a juste assez de place pour la table, les chaises et quelques occupants. George, Gillian, Nell et moi sommes assis à table tandis que Bunty fait beaucoup de bruit dans la cuisine pour le cas où nous serions tentés de l'oublier. Il n'y a guère de danger.

Patricia étudie longuement sa chaise avant de daigner s'y asseoir. George la regarde, visiblement énervé et lui dit :

— Tu prends ton temps, dis donc.

Elle penche la tête comme le Perroquet de la Boutique, regarde à son tour George et déclare tranquillement :

— Oui, n'est-ce pas ?

George a visiblement envie de la gifler. Mais il ne le peut pas. Pas seulement parce qu'on est la veille de Noël, mais parce que Patricia a rencontré accidentellement Ta Chérie et pourrait aller tout révéler à la Reine des Neiges dans la cuisine. George, en conséquence, traite sa fille aînée comme une bombe amorcée risquant d'exploser à tout moment. Patricia savoure sa position de force.

Bunty fait son entrée dans la salle à manger en chantant d'une voix aiguë et discordante une chanson de Doris Day tout à fait déplacée en la circonstance (*Les collines noires du Dakota*) indiquant ainsi qu'elle a décidé d'ignorer tout ce qui a pu se passer entre George et elle. Après tout, les circonstances sont particulières : la pantomime, Noël et tout le reste. Elle circule autour de la table en tenant les assiettes à bout de bras, comme une serveuse de restaurant dans un film américain. Elle paraît ridicule.

— Le porc est un peu dur, dit George.

Pourquoi ne peut-il pas mâcher et avaler comme les autres, en s'abstenant de faire des remarques ? D'autant que Bunty n'est pas d'humeur à se laisser faire.

— Vraiment ? dit-elle, avec des icebergs qui lui roulent sur la langue.

Ses sourcils se sont tellement levés qu'ils semblent lui planer au-dessus de la tête.

— Vraiment ?

George plie sous le poids de l'esprit de Noël et reste coi. Il a pourtant raison : cuit à la flamme de la mauvaise humeur de Bunty, le porc est dur. Dommage pour Gillian, dont c'est le dernier repas. Si nous avions su, nous aurions pu avancer d'un jour le dîner de Noël.

Le couteau de Nell glisse de la table et tombe sur le plancher. George et Bunty échangent des regards lourds par-dessus sa tête, comme elle se penche pour tenter, en vain, de ramasser le couteau. Finalement, George pousse un soupir et le remet bruyamment sur la table.

— Puis-je me mettre à côté de toi à la pantomime, Papa ? demande Gillian en braquant sur George son sourire le plus aguichant.

— Bien sûr, ma chérie, fait-il, ravi.

C'est assez écœurant, mais je suppose qu'il faut quand même admirer Gillian.

Assise à côté de Nell, je mâche ma viande sans rien dire, mais cela ne me met pas à l'abri pour autant. Bunty se tourne soudain vers moi comme un cobra trop longtemps désœuvré et siffle :

— Si tu ne te dépêches pas, Ruby, tu seras toujours là, à table, quand nous serons tous à la pantomime !

Elle me dit cela comme si elle était contente d'elle et de ses spirituelles remarques. Est-ce là ma vraie mère ? Pourquoi fait-elle cela ? Quel plaisir tire-t-elle de méchancetés de ce genre ? D'abord, nous avons tout notre temps. Et ensuite, ils n'iraient jamais à la pantomime sans moi. Il faut l'espérer...

— Oui, intervint soudain George. Arrête de traîner, Ruby. Tu ne peux pas passer ta vie à être en retard, tu sais.

Il est difficile de dire s'il fait cause commune avec Bunty pour l'apaiser ou pour l'irriter. Je commence à manger aussi vite que je le puis.

Bunty, tout en continuant à mâchonner péniblement un morceau de porc, commence à débarrasser les assiettes, ignorant les protestations de Nell, qui n'a encore rien réussi à manger. Bunty, à mon avis, préférerait commencer la vaisselle avant même que nous ayons dîné. Valsant avec le grand saladier de verre dans les bras, elle nous sert d'autorité les pêches en conserve qui s'y trouvent. Comme Patricia proteste, elle l'informe qu'elle a besoin du saladier pour autre chose. Patricia se résigne et accepte sa ration de pêches au sirop, non sans avoir murmuré à George :

— On dit que la discrétion est la plus grande vertu, n'est-ce pas ?

George paraît extrêmement mal à l'aise ; il ne sait pas exactement ce que veut dire Patricia, mais il est à peu près sûr que cela a quelque chose à voir avec Ta Chérie.

Il coupe un morceau de pêche en deux avec sa cuillère, verse un peu de crème dessus et le porte à ses lèvres.

— La crème est rance, proclame-t-il, après l'avoir à peine goûtée.

172

Et il regarde fixement Bunty, comme si, ayant soudain abandonné tout esprit de conciliation, il la mettait au défi de le contredire. Patricia, qui me fait face, prend une cuillerée de crème et grimace. Elle me fait un signe de tête et articule sans bruit le mot : « Rance ». Nell, craignant sans doute de mourir de faim, a déjà fini toute sa crème. Bunty, elle, fait mine de se pourlécher comme un chat.

— Elle me paraît très bonne, dit-elle tranquillement.

Elle fait bonne figure face à l'adversité, comme Deborah Kerr dans *Le Roi et moi*.

— Eh bien, tu n'as qu'à tout manger ! fait George en repoussant son assiette.

Cela pose un cruel dilemme à Gillian, qui, les joues enflées de morceaux de pêche et de crème rance, ne sait plus au juste quelle paire de souliers cirer. Elle réussit à recracher son dilemme dans son bol lorsqu'un ronflement sonore de Nell, qui s'est endormie la tête dans son assiette, vient détourner l'attention de George comme de Bunty.

*

— Elle est derrière vous ! Elle est derrière vous ! hurle frénétiquement Gillian (Elle veut parler de la méchante sorcière.)

— Chut ! murmure Bunty, avec une moue de ses lèvres fraîchement repeintes. Pas si fort : on va t'entendre !

Réflexion dont l'absurdité n'échappe pas à Gillian, tout le jeune public du théâtre étant en effervescence alors que la sorcière, un elfe, un panda, une vache et un robuste jeune villageois se ruent simultanément sur la scène où Hansel et Gretel se cachent sous un tas de branchages. (Pourquoi un panda, au fait ? Pour faire plaisir à Patricia ? Elle me pousse du coude et me dit avec un ton de rare béatitude : « Regarde ! Un panda ! ») Point découragée, Gillian continue à brailler comme une sourde. Profite de l'occasion, Gillian !

Quand on demande des volontaires pour monter sur la scène, je me recroqueville dans mon fauteuil et Patricia a réussi à se rendre complètement invisible. Mais nul ne pourrait retenir Gillian ; avant même qu'on ait pu ouvrir la bouche, elle s'est précipitée sur la scène, dans un grand envol de jupons, pour faire du charme au panda et chanter à tue-tête.

— Eh bien, vraiment ! dit Bunty avec une fierté mal dissimulée à la femme assise à côté d'elle. (Je suis au milieu du sandwich Lennox : George à une extrémité, puis Gillian, moi, Patricia et, à l'autre extrémité, Bunty, Nell ayant été laissée à la maison.) Vraiment, elle est impayable, notre Gillian !

Plus pour très longtemps.

Quand Gillian revient à sa place, on peut tout de suite voir qu'elle est furieuse (la fille de sa mère) d'avoir eu à quitter les feux de la rampe.

— Les meilleures choses ont une fin, fait Bunty, les yeux fixés sur la scène.

Si Hansel et Gretel étaient restés perdus à tout jamais dans la forêt, nous serions restés bloqués avec eux, oubliant Ta Chérie, la crème rance et le gâteau sans glaçage. Et Gillian ne serait, quant à elle, pas morte. Mais on n'arrête pas le cours des choses : la sorcière est brûlée jusqu'au dernier morceau de haillon, la méchante belle-mère pardonnée, les enfants retrouvés. Hansel et Gretel découvrent le trésor de la sorcière : un coffre regorgeant d'émeraudes, de diamants, d'opales, de rubis — mais comment donc ! —, de saphirs, brillants comme les bonbons que Gillian et moi sommes en train de partager. La baguette magique de la Bonne Fée expédie dans la salle des étincelles qu'on a l'impression de pouvoir toucher.

— Eh bien, fait George, nous voilà tranquilles pour un an !

Il s'est levé de son siège avant même que les lumières ne se soient rallumées, et nous sommes toujours en train d'applaudir qu'il est déjà dans le hall, allumant une cigarette. Bunty, soudain frénétique, nous houspille tandis que nous nous efforçons désespérément de retrouver écharpes, bonnets et programmes. Pourquoi fait-elle cela ? Pourquoi s'emploie-t-elle à nous communiquer un tel sentiment de panique alors que, de toute évidence, nous allons devoir faire queue pendant une éternité pour gagner la sortie ? Gillian, fascinée par la vue de la scène vide, éclate brusquement en sanglots. Bunty la saisit par la main, et, la tirant vicieusement le long de la travée, marmonne à l'adresse des gens alentour des morceaux de phrase tels que : « Très fatiguée », « Trop d'excitation », « Les enfants, vous savez... » Et, tout bas, elle siffle à Gillian :

— Quand te décideras-tu à être sortable ?

Il est, à mon avis, dommage pour Bunty que ses derniers mots

174

à Gillian soient ceux-là. Mais c'est le problème de Bunty, et pas le mien. Quant à moi, mes derniers mots à Gillian auront été, en lui tendant le sac de bonbons :

— Est-ce que tu veux le dernier bonbon rouge ou est-ce que je peux le prendre ?

Par bonheur, elle le prend (c'est Gillian, souvenez-vous), de sorte que je n'aurai aucune raison de me sentir coupable par la suite.

★

Devant le Théâtre Royal, George court en tous sens pour essayer de trouver un taxi (nous avons découvert, en partant pour le spectacle, que notre voiture avait un pneu crevé — un élément de plus dans le concours de circonstances appelé à tuer Gillian). La pluie tourne à la grêle. Patricia boude sous les arcades du théâtre, terrifiée à l'idée que quelqu'un pourrait la voir avec sa famille (pouvons-nous l'en blâmer ?). Bunty, pour quelque raison inconnue, me tient fermement par la main tandis que nous attendons, grelottantes, sur le trottoir. Elle est en train de commettre une lourde erreur : elle ne tient pas le bon enfant. Gillian s'efforce de prendre un air dégagé. Elle vient de repérer un groupe de camarades d'école — elle vient juste de terminer son premier trimestre à la Queen Anne's School — de l'autre côté de la rue. Toutes crient et agitent la main comme un troupeau d'idiotes congénitales.

Je n'ai pas vu ce qui est arrivé ensuite, mais je suppose que Gillian a jailli en courant d'entre les voitures en stationnement sans regarder autour d'elle, car, tout à coup, il y a un grand bruit et une fourgonnette Hillman Husky bleue la soulève et la projette devant les roues du taxi que George vient de réussir à héler.

J'essaie d'échapper à Bunty, mais je n'arrive pas à arracher ma main à l'étreinte de ses doigts crispés ; elle s'est figée en une sorte de *rigor mortis* en voyant Gillian projetée en l'air. Les gens se précipitent avec de grandes exclamations, mais, au bout d'un moment, un espace se dégage, et nous voyons George assis sur le bord du trottoir, l'une de ses jambes de pantalon bizarrement relevée sur une chaussette de laine beige. Il vomit dans le caniveau. Alors, Bunty commence à hurler, très fort, d'abord, puis

175

de façon de plus en plus aiguë, comme si l'onde sonore de sa voix s'amenuisait à mesure que montait la douleur.

★

Le matin de Noël, je m'éveille à côté de Patricia dans la vaste étendue, autrement désertique, du lit de George et de Bunty. Entre nous sont couchés Teddy et Panda. Il est extraordinaire de partager une chambre avec Patricia, et à plus forte raison un lit. Je pense que, comme moi, elle a eu peur de rester seule alors que devait rôder l'esprit vengeur de Gillian. À onze heures la veille au soir, George et Bunty ont téléphoné de l'hôpital pour dire que Gillian était morte, et depuis, ils semblent s'être totalement évaporés.

Nous restons un long moment étendues, Patricia et moi, sur les oreillers de nos parents, partageant une tablette de chocolat et jouant — par une ironie du sort qui ne nous échappe pas — au Jeu des Sept Familles.

Finalement, nous nous rendons dans la chambre de Nell pour embrasser ses joues parcheminées. Un léger relent d'urine monte de ses draps. Elle porte une énorme liseuse rose pâle qui la fait paraître toute menue. Les mains qui jaillissent des manches ont des veines pourpres qui saillent comme des cordages.

— Joyeux Noël, Grand-Mère.

— Joyeux Noël, Patricia.

— Joyeux Noël, Grand-Mère.

— Joyeux Noël, Ruby.

Nous faisons un effort. J'allume les lumières de l'arbre de Noël, tandis que Nell met un tablier. Patricia nettoie l'âtre et tente vaillamment, mais vainement, d'allumer un feu de cheminée. Elle finit par aller chercher le radiateur électrique de la chambre de Nell, et nous nous blottissons toutes trois autour de l'engin, qui dégage une odeur âcre de cheveux brûlés.

Nous regardons d'un air dubitatif les cadeaux déposés sous le sapin.

— Autant les ouvrir, dit finalement Patricia.

Elle hausse les épaules pour bien montrer qu'elle ne s'en soucie pas le moins du monde, alors que, bien sûr, elle s'en soucie terriblement. Comme de tout.

176

J'ai plusieurs cadeaux. George et Bunty m'ont donné une collection annuelle de *Girl*, une toque blanche (neuve, et non héritée de Gillian), une paire de patins à roulettes, une barre de chocolat à l'orange et des petits bijoux en verroterie. Je me trouve gâtée de façon surprenante. Nell m'a donné une grande boîte de talc parfumé Yardley et Patricia un exemplaire neuf des *Enfants du rail*, acheté avec son argent de poche. D'outre-tombe, Gillian m'envoie un petit chien en nylon, avec un ruban rouge autour du cou et une petite bouteille d'eau de Cologne à la violette entre les pattes de devant.

— C'est dégoûtant, fait Patricia, sans égard pour la nouvelle situation de Gillian.

Il faut remarquer que si, hier soir, nous la pensions morte, il nous paraît presque impossible de penser qu'elle est toujours morte ce matin.

— Dégoûtant, dis-je à mon tour en mordant largement dans le chocolat à l'orange.

Patricia et Nell ouvrent aussi leurs cadeaux, mais les autres restent intacts sous l'arbre, comme des offrandes aux morts. Je pense que Patricia et moi devrions nous partager les cadeaux de Gillian, mais je m'abstiens de le dire.

Peu après, nous nous apercevons, Patricia et moi, que Nell a disparu. Partant à sa recherche, nous la trouvons dans la cuisine, en train de se livrer à des pratiques étranges sur la dinde, restée crue. Patricia lui prend le tablier, se l'attache d'autorité autour de la taille et me dit d'emmener Nell et de jouer avec elle. Réaliste, Patricia ne tente pas de faire cuire la dinde, mais se limite à une concoction de corned-beef, de haricots à la tomate et de purée de pommes de terre. L'ouverture de la boîte de corned-beef résulte toutefois en quelques douloureuses lacérations. Nous avons pour dessert des tartelettes et du gâteau de riz en conserve. Nous mangeons devant la télévision, avec nos assiettes sur les genoux, et tirons de ce repas de Noël plus de plaisir qu'il ne semble décent en la circonstance. Nell avale inconsidérément deux grands verres de rhum et s'endort dans son fauteuil. Patricia et moi plaçons entre nous la boîte de biscuits au fromage, et j'entreprends d'informer ma sœur de quelques données sur le Monde des Esprits récoltées lors de mon séjour d'exil à Dewsbury. Patricia est très séduite par l'idée d'une survie spirituelle des animaux, mais beaucoup moins par

177

celle de Gillian se promenant éternellement dans l'air ambiant et apprenant la façon d'effacer les marques sur les tables basses.

Dès le lendemain de Noël, nous nous installons assez confortablement dans des habitudes de vie essentiellement fondées sur le sommeil, la télévision et les tartelettes. Patricia a même appris à faire un feu de cheminée correct.

★

Nous serions peut-être revenues toutes trois à l'état quasi sauvage, si Bunty et George n'étaient pas soudain réapparus le 31 décembre, avec les premiers flocons de neige. Ils avaient eu la décence de sonner à la porte avant d'entrer et avaient la mine un peu confuse, conscients d'avoir quelque peu abjuré les responsabilités parentales. Gillian, bien sûr, n'était pas avec eux.

Où étaient-ils allés ? Patricia et moi en discutâmes longuement. À ce que nous crûmes comprendre, ils avaient décampé chez Oncle Clifford et Tante Gladys (gâchant ainsi, sans nul doute, le Noël d'Adrian). Dieu sait pourquoi. Peut-être parce qu'ils voulaient qu'on s'occupe d'eux, ou (chose moins probable) parce qu'ils voulaient nous épargner le spectacle de leur chagrin. Ils avaient procédé à l'enterrement et à tout le reste sans nous. Ni Patricia ni moi ne regrettions d'avoir manqué cela, mais cela nous laissa pendant longtemps — peut-être pour toujours, en fait — l'impression que si Gillian n'était pas exactement vivante, elle n'était pas exactement morte non plus.

Pendant un certain temps, Bunty ne fut plus elle-même. Il était surprenant de voir combien la mort de Gillian l'avait affectée. Je la voyais par la porte de sa chambre, étendue à plat dos sur son lit, griffant l'édredon en poussant de petits gémissements. Parfois, elle répétait : « Mon bébé, mon bébé est parti », comme si elle n'avait jamais eu qu'un seul bébé. D'autres fois, elle se mettait à hurler longuement : « Gilliaaann ! »

★

Au bout de quelque temps, elle commença à se remettre. Les animaux de la Boutique, eux aussi, allaient mieux. Patricia et moi les avions oubliés pendant deux ou trois jours, et ce n'est que lorsque les chiens se mirent à hurler au milieu de la nuit que nous nous rappelâmes qu'ils n'avaient pas été nourris. Heureusement, aucun d'eux n'était mort de faim, mais le souvenir de notre négligence pesait lourdement sur nos consciences — et particulièrement sur celle de Patricia, inutile de le dire. Pendant le court temps qui lui restait à vivre, le Perroquet ne nous pardonna jamais.

★

Nous sommes la veille d'une nouvelle décennie, le dernier jour de 1959. Nos parents récemment retrouvés dorment à poings fermés dans leur chambre et mon réveil Blanche-Neige marque trois heures du matin. Je descends sans bruit dans le salon, éveillée et non en état de somnambulisme. Je préfère ne pas être dans ma chambre ; la vue du lit vide de Gillian me rend nerveuse. Morte ou non, elle est toujours là ; si je regarde son lit avec assez d'attention, je vois le dessus de lit pêche se lever et s'abaisser au rythme d'une invisible respiration.

La pendule, sur la cheminée du salon, égrène lentement ses trois coups. Les rideaux sont restés ouverts, et, dehors, je vois la neige tomber silencieusement. Il y a de gros flocons, semblables à des plumes d'oie, des petits, incurvés comme un duvet de cygne. On dirait que tous les oiseaux du monde ont secoué en même temps leurs plumes dans le ciel. Presque toutes les aiguilles du sapin de Noël sont maintenant sur le sol, mais j'allume quand même les lumières dans l'arbre. Puis je commence à faire tourner sur elles-mêmes les boules de verre. Si je m'applique vraiment, je puis arriver à les faire tourner toutes ensemble.

# LA SORTIE DU CATÉCHISME

La sortie à Scarborough du catéchisme promettait d'être un grand moment. Mrs. Mildred Reeves, qui avait la charge du catéchisme de St. Denys et de ses sorties annuelles, avait mobilisé ses collaborateurs à la gare bien à l'avance. Son adjointe, Miss Adina Terry, attendait déjà au contrôle des billets avec Lolly Paton, l'amie qu'elle avait amenée avec elle pour la journée. Le nouveau et zélé vicaire, Mr. Dobbs, était accompagné de sa fiancée, Miss Fanshawe, et tous deux montaient une garde vigilante devant le grand panier d'osier contenant le déjeuner des enfants. Presque tous les parents avaient contribué, mais, malheureusement, ils avaient surtout fourni des gâteaux et des sucreries, de sorte que Mrs. Reeves et Miss Fanshawe s'étaient employées depuis l'aube à confectionner des sandwiches (pâté de poisson et œufs durs).

— Quelle merveilleuse journée ! s'exclama l'amie de Miss Terry, Lolly Paton, en écartant les bras avec tant d'ardeur que le vicaire rougit légèrement et que Mrs. Reeves eut une petite moue désapprobatrice.

Lolly Paton n'en avait pas moins raison : c'était une merveilleuse journée, le dernier samedi ensoleillé de juillet, et l'on pouvait voir, si l'on regardait au-delà de la vaste verrière de la gare, que le bleu du ciel était là pour durer. De plus, contrairement à ce qui s'était produit les trois années précédentes, la marée serait propice, permettant aux enfants de jouer sur la plage sans craindre d'être emportés par la mer.

Dans son sac à main, Mrs. Reeves avait un morceau de papier

sur lequel elle avait inscrit la liste des chansons à chanter dans le train et des jeux à jouer sur la plage : course en sac, concours de châteaux de sable, épreuve de traction à la corde, croquet sans arceaux et cricket de plage. Mrs. Reeves se réjouissait de la mâle présence de Mr. Dobbs, non seulement pour préciser les règles du cricket, un peu confuses pour elle, mais aussi pour maintenir l'ordre chez les petits garçons, souvent par trop turbulents, venus de familles passablement déshéritées et où la discipline régnait peu.

Miss Terry n'était pas tout à fait aussi organisée que Mrs. Reeves ; elle n'avait pas établi de listes, mais elle avait apporté quelques histoires à lire aux enfants, non point les habituels contes bibliques qu'elle répétait dimanche après dimanche, mais des extraits d'un livre intitulé *Hirondelles et Amazones*, chaudement recommandé par son jeune frère. Ce livre, en fait, ne devait jamais être utilisé, car Lolly Paton organisa une représentation tout à fait impromptue de *Peter Pan*, en faisant jouer les Petits Garçons Perdus à tous les enfants et en convainquant l'austère Mr. Dobbs d'incarner un Capitaine Crochet plein d'ardeur, tandis que Mrs. Reeves refusait énergiquement de faire le crocodile et que Miss Fanshawe boudait derrière ses bouteilles de limonade.

— Je vais aller prendre les billets, annonça Mrs. Reeves. Ce n'est pas la peine d'attendre que tous les enfants soient là. De toute façon, il y aura sûrement des retardataires, et il n'est pas question de manquer le train.

Déjà, une enfant particulièrement ponctuelle s'approchait, vêtue de blanc immaculé de la tête au pied et les cheveux attachés par un savant assemblage de rubans divers.

★

Cependant, dans la maison de Lowther Street, les enfants n'avaient même pas pris le départ, retardés à la fois par leur naturel profond et par leur mère, qui venait juste de s'aviser qu'elle n'avait rien fourni pour le pique-nique, oubliant les requêtes formulées par Mrs. Reeves. Nell avait jeté une brassée de scones dans le four, sans même attendre que celui-ci soit à la bonne température, et avait refusé de laisser Babs, Clifford et Bunty quitter la maison avant que tout soit cuit. Betty était au

lit, dernière de la famille à succomber à une épidémie de coque-
luche qui avait failli rendre folle Nell. Ted était encore jugé trop
jeune pour les sorties du catéchisme.

— Il n'y a qu'à y aller comme ça, fit Clifford en cognant du
pied contre le mur de la cuisine. Il y aura plein de trucs là-bas.

— Là n'est pas la question, rétorqua Nell avec colère. Qu'est-
ce qu'ils vont penser ?

— Qui, qui va penser ? demanda Bunty, qui, assise sur le
linoléum de la cuisine, se battait en se mordant la lèvre pour
boutonner ses souliers.

— Mrs. Reeves, les gens du catéchisme, tout le monde...

Nell s'interrompit pour saisir Ted, qui glissait quelque chose
dans sa bouche et lui faire, de force, recracher un caillou. Babs
se peignait à la hâte.

— Est-ce qu'on ne pourrait pas simplement y aller ?
demanda-t-elle d'un ton inquiet.

Pas de rubans pour Babs et Bunty : leurs cheveux coupés au
bol pendaient comme ils pouvaient. Pas non plus de robes
blanches : Babs portait une tenue d'un vert bizarre et Bunty une
robe-sac marron.

— Le train part à dix heures cinq, poursuivit Babs, et il faut
une bonne demi-heure pour aller à la gare...

— Surtout en remorquant Bunty, renchérit Clifford.

— Et Mrs. Reeves nous a dit d'être là à dix heures moins
vingt, gémit Babs.

— Il est déjà moins vingt-cinq, fit Clifford, avec l'air d'un
condamné à mort se résignant peu à peu à son sort.

— Taisez-vous, vous deux ! coupa Nell. Les scones vont être
prêts dans une minute. Toi ! Attrape un torchon pour les envelopper !

S'efforçant de retenir ses larmes, Babs sortit d'un tiroir un
torchon à carreaux verts et blancs, et Nell y déversa les scones à
peine cuits.

— Il aurait fallu les laisser plus longtemps, fit-elle d'un ton
agacé.

— Non, non, il faut qu'on y aille ! hurla Babs, qui ne pouvait
plus s'empêcher de pleurer.

Elle noua ensemble les quatre coins du torchon et se précipita
dehors à la suite de Clifford, qui avait déjà pris le départ. Bunty
se mit elle aussi à pleurer, car elle n'avait encore réussi à

boutonner que l'une de ses chaussures. Nell se pencha et lui donna une tape sèche sur le mollet avant de lui attacher son soulier. Bunty se précipita hors de la maison sur les traces des deux autres.

— Viens ! lui cria Babs en lui saisissant la main au vol avant de remonter au grand galop Lowther Street puis Clarence Street.

Bunty commençait à être torturée par un point de côté, mais Babs lui hurlait constamment de ne pas ralentir. Lorsqu'ils prirent à toute allure le pont de Scarborough pour franchir l'Ouse, un train roulait au-dessus d'eux.

— Ce doit être le nôtre ! haleta Babs, manquant dégringoler les escaliers métalliques jusque dans Leeman Road.

Elle continua à courir à la poursuite de Clifford, mais Bunty, elle, dut s'arrêter un moment pour reprendre sa respiration, avant de boitiller le long de Station Road. Elle vit la robe verte de Babs disparaître derrière les grandes portes de la gare.

Bunty sentait son épais jupon lui coller à la peau sous sa robe, tandis que les pleurs lui piquaient désagréablement les yeux. Terrifiée à l'idée d'être laissée sur place, elle trotta, essoufflée, jusqu'à la barrière où un employé l'arrêta d'un geste impérieux. Le chef de gare avait déjà sifflé, et le train, clairement visible de la barrière, commençait à s'ébranler lentement. Bunty le regarda avec des yeux pleins de désespoir. Puis, pétrifiée, elle vit Clifford courir de toutes ses forces sur le quai, le long du train, ouvrir au vol une portière et sauter à bord en tirant Babs derrière lui. Babs criait toujours le nom de Bunty, mais elle fut aspirée dans un compartiment. Au moment où elle y disparaissait, le torchon vert et blanc qu'elle tenait à la main se dénoua, et les scones se répandirent sur le quai et sur la voie. Comme le train prenait de la vitesse, Bunty aperçut à une portière le visage ahuri de Mrs. Reeves et se demanda si celle-ci allait tirer le signal d'alarme lorsqu'elle s'apercevrait qu'elle, Bunty, n'était pas à bord.

Mais rien ne se produisit. Le train siffla bruyamment, provoquant un envol de pigeons sous la verrière de la gare, et s'éloigna sous le ciel bleu. Bunty se mit à sangloter de toutes ses forces. Il y eut un bruit métallique, et le préposé aux billets quitta sa petite cabine pour venir prendre la main de Bunty, déjà trempée de larmes mais ayant aussi, à ses pieds, une flaque d'un liquide plus embarrassant.

Il fallut un certain temps au chef de gare pour extirper à une Bunty toujours sanglotante son nom et son adresse. Un jeune employé la reconduisit en tramway, la laissant dans Huntingdon Road, d'où elle fit le reste du trajet à pied. Elle avait l'impression d'être restée des heures en la seule compagnie d'étrangers et n'aspirait plus qu'à épancher sa douleur entre des bras familiers. Mais, dans la cuisine, un spectacle pour le moins troublant l'attendait : sa mère était apparemment en train de confectionner un gâteau de riz (il y avait des grains de riz éparpillés sur toute la table, comme de petites perles), mais elle ne semblait pas dans son état normal, car, alors que le grand plat d'émail qu'elle utilisait pour les crêpes et les flans débordait déjà, elle continuait à y verser du lait en marmonnant des paroles indistinctes.

Bunty sortit sans bruit de la cuisine et alla s'asseoir sur le banc, dans la cour. Elle avait épuisé toute sa provision de larmes, et elle resta tranquillement au soleil, en s'efforçant de ne pas penser à ce qui pouvait se passer pendant ce temps-là à Scarborough. Venant du premier étage, la toux spasmodique de Betty retentissait régulièrement à ses oreilles. En regardant par-dessus son épaule, elle pouvait apercevoir, par la fenêtre de la cuisine, Nell grattant une noix de muscade au-dessus du lait. Mais elle ne se contentait pas de saupoudrer légèrement celui-ci, comme à l'habitude ; elle raclait frénétiquement la noix, qui ne tarda pas à être entièrement pulvérisée. Elle ne s'arrêta que lorsqu'on entendit soudain un choc sourd, suivi de hurlements. Bunty supposa que Ted était encore tombé dans l'escalier.

Le dimanche suivant, Mrs. Reeves rassembla ses ouailles autour d'elle et leur permit de bavarder pendant cinq bonnes minutes à propos de la merveilleuse excursion de la semaine précédente. Puis elle regarda Bunty et dit :

— Quel dommage que tu aies manqué cela, Berenice. J'espère que cela t'a un peu appris la ponctualité.

Sur quoi elle fit signe à Adina Terry, qui, avec un petit soupir, ouvrit *La Bible illustrée pour les enfants* et annonça :

— Aujourd'hui, nous allons lire l'histoire du Bon Samaritain.

# CHAPITRE VII

## 1960

## AU FEU !

Nous avons rendu visite à Gillian. Elle est couchée, bien calme et bien gentille, sous une couverture de gazon vert qui ressemble à une table de jeu. Mais nous n'y jouons pas. Bunty pique des anémones dans une grosse pierre trouée à cet effet. Elle me rappelle la pierre de Burton Stone Lane — un gros roc noir qui marquait autrefois la limite de la ville, et où les paysans des environs laissaient leurs offrandes quand York était en proie à la peste. Notre Gillian est maintenant aussi intouchable qu'une victime de la peste. Nous ne pourrions la toucher, même si nous le voulions, à moins d'arracher le gazon vert et de creuser très profond la terre froide et amère du cimetière. Nous le ferons d'autant moins que nous avons, pour cette visite, revêtu nos plus beaux atours. Je suis en taffetas et Patricia porte une jupe de laine écossaise tendue à craquer sur un jupon empesé. Au-dessous, ses maigres jambes s'ornent de bas attachés à un authentique porte-jarretelles, tandis que se dessinent, sous son chandail Courtelle rose, les modestes contours de son soutien-gorge *Miss Junior*. Elle a une queue-de-cheval attachée par un ruban de satin rose. C'est parfois dur d'être une femme. Devant nous, la pierre tombale annonce :

*Gillian Berenice Lennox*
*14 janvier 1948 - 24 décembre 1959*
*Fille bien-aimée de George et de Bunty*
*Repose dans les bras de Jésus.*

187

Bunty sort un chiffon de son sac et entreprend de frotter la pierre tombale. Toujours les travaux ménagers.

— On ne parle pas de nous, là-dessus, dis-je à voix basse à Patricia.

— De nous ?

— Il n'y a pas « sœur bien-aimée ».

— Ce n'était pas tellement notre cas, répond Patricia, non sans un certain bon sens.

Néanmoins, nous nous sentons immédiatement coupables d'avoir eu une telle pensée. Reviens, Gillian, tout est pardonné ! Reviens, et nous nous arrangerons pour que tu sois notre « sœur bien-aimée ».

Bunty sort maintenant des ciseaux et commence à égaliser le gazon. Que va-t-elle faire ensuite ? Passer l'aspirateur ? La pierre tombale de Gillian est toute simple et sans rien de bien excitant. Je suis déjà venue dans ce cimetière avec mon amie Kathleen et sa mère, voir la tombe de son grand-père. Kathleen et moi avons joué à cache-cache entre les tombeaux. Nous avons particulièrement aimé ceux qui avaient des anges de pierre — seuls ou par couples, un de chaque côté de la tombe, les ailes levées pour protéger l'occupant. Kathleen et moi avons passé quelque temps à jouer les anges protecteurs, avec les pans de nos blazers en guise d'ailes.

Est-ce qu'il faut être mort pour être dans les bras de Jésus ? Apparemment pas. Kathleen, qui m'avait déjà montré la très sanglante décoration intérieure de l'église catholique de St. Wilfred, m'explique que nous sommes tous dans les bras de Jésus, particulièrement les petits enfants. Et plus spécialement encore, ajoute-t-elle, ceux qui souffrent. Je pense que Patricia et moi souffrons assez pour remplir les conditions. De plus me dit-elle, Jésus est un Agneau et nous sommes lavés dans Son Sang (je vous jure que quand Kathleen parle, *j'entends* les majuscules résonner.) Je dois avouer que j'ai quelque réticence à être lavée dans du sang d'agneau, mais si cela doit m'éviter les flammes éternelles de l'enfer (ou de l'Enfer, car il me semble qu'une majuscule s'impose), je suppose que je peux m'en arranger.

Mrs. Gorman, la mère de Kathleen, se précipite tout le temps à l'église comme Bunty se précipite aux toilettes pour dames de St. Sampson's Square quand elle fait des courses.

À un moment, nous nous promenons dans Duncombe Place

en parlant tranquillement d'aller prendre un chocolat chaud quelque part, et la minute suivante, nous sommes à l'église. La mère de Kathleen trempe son doigt dans le bénitier, se signe et fait une génuflexion devant l'autel. Kathleen l'imite. Quelle est la procédure correcte, ici ? Est-ce que je fais comme elles au risque d'être foudroyée sur place par Dieu parce que je ne suis pas catholique ? Ou par Bunty pour la même raison ? Ni Kathleen ni Mrs. Gorman ne regardent ; elles allument des cierges. Alors, j'oublie l'eau bénite et fais une vague petite révérence dans la direction générale de l'autel.

— Viens allumer un cierge pour ta sœur, me dit Mrs. Gorman avec un sourire encourageant.

Les cierges à la cire crémeuse sont très jolis et fins comme des crayons, pointant tous vers le haut, vers une place inconnaissable où l'Ange Gabriel, l'Agneau et toute une troupe de colombes blanches vivent sur les nuages. Comment Gillian va-t-elle survivre à une telle compagnie ? (Elle doit déjà, sans doute, tyranniser les chérubins.) Elle va avoir besoin de toute l'aide qu'on pourra lui apporter. Alors, d'une main légèrement tremblante, j'allume un cierge, et la mère de Kathleen laisse tomber une pièce de six pence dans le tronc, tandis que je fais mine de dire une prière.

Pour Gillian, je ne sais pas, mais moi, je me sens incontestablement beaucoup mieux après avoir allumé ce cierge. Je me rends compte que ce rituel a du bon. Plus tard, à la maison, je retire les petites bougies de Noël du buffet où elles traînent encore malgré le passage du temps et les dispose respectueusement sur ma table de nuit Lloyd Loom rose. Chaque soir, je les allume et entreprends d'inventer des prières nouvelles.

Je prie tellement que je finis par avoir mal aux genoux. Si mal que même Bunty s'en aperçoit un samedi, alors que nous sommes allées acheter des chaussures neuves. Elle est tellement frappée par ma démarche d'infirme qu'elle cesse de me houspiller et me demande ce qui ne va pas (elle est un peu plus attentive à ses enfants maintenant qu'elle en a perdu une). Le résultat est que nous nous retrouvons dans la salle d'attente du médecin.

En fait, on s'installerait volontiers dans le salon d'attente du docteur Haddow, tant il est chaud et confortable, à la différence de celui de Mr. Jeffrey, le dentiste, qui est glacial et empeste le désinfectant pour cabinets. Il y a un feu de charbon, des fauteuils de cuir où l'on peut s'enfoncer jusqu'à s'y perdre, et aux murs sont accrochées des aquarelles peintes par la femme du docteur Haddow. Une grande horloge avec des roses sur le cadran fait un bruit digne et rassurant, beaucoup plus agréable que les sons aigrelets produits par la pendule de notre salon, et une vaste table bien cirée est chargée de magazines et de revues allant de *Country Life* à des vieux *Dandy*. Je préfère le *Reader's Digest*. Bunty feuillette *Woman's Realm,* tandis que je m'efforce d'étendre mon vocabulaire. J'aime aller chez le médecin. Je trouve que nous ne nous y rendons pas assez souvent.

De plus, le docteur Haddow est très gentil, et il vous parle comme à une véritable personne, même si, dans mon cas, Bunty répond à toutes les questions à ma place, me laissant assise là comme une poupée de ventriloque frappée d'hémiplégie.

— Eh bien, comment vas-tu, Ruby ?

— Ses genoux lui font mal.

— Et où, exactement, as-tu mal, Ruby ?

— Juste là, précise Bunty en me frappant le genou si fort que je pousse un cri.

— Qu'est-ce que tu as bien pu faire, Ruby ? me demande le médecin en souriant gentiment. Tu as trop prié ?

Il se met à rire.

— Il n'y a pas lieu de s'inquiéter, dit-il finalement, après beaucoup de « Hum » et « Hem ». Je pense que c'est simplement un hygroma.

— Un hygroma ? répète Bunty.

— Oui, un hygroma du genou.

Bunty me lance un regard soupçonneux. Elle m'en veut sans doute d'avoir une maladie au nom aussi savant.

Le docteur Haddow ne nous prescrit aucun médicament et aucun autre traitement qu'« un peu de repos ». Cette seule idée arrache à Bunty un reniflement de dédain, mais elle n'ose rien dire. Très gentiment, le médecin propose de lui faire une autre ordonnance pour des tranquillisants.

— Vous aussi, vous devriez vous reposer un peu, dit-il en rédigeant son ordonnance d'une écriture qui ressemble à de l'arabe.

« Le temps finit par tout guérir, ajoute-t-il (il parle de la mort de Gillian, pas de mes genoux). Je sais que Dieu a été cruel envers vous, ma chère, mais il y a une fin à toute chose.

Il retire ses lunettes et frotte ses yeux bleu pâle, au regard un peu enfantin, en souriant à Bunty. Celle-ci est si noyée, pour le moment, dans le chagrin et les tranquillisants que ses réflexes sont extrêmement atténués. Mais, bien qu'elle regarde le médecin sans réagir, je sais que, d'une minute à l'autre, elle va se mettre en colère, car elle ne peut supporter ce genre de propos. Je me lève très vite, remercie le docteur et tire sur la main de Bunty. Elle me suit comme un petit agneau.

Nous cheminons comme nous pouvons vers la maison par Clifton Green et Bootham. L'hiver est encore partout présent. Les arbres de Clifton Green n'arborent encore ni feuilles ni bourgeons et projettent de grandes silhouettes noires sur le gris pâle du ciel. Une grêle fine commence à tomber. Je relève le capuchon de mon duffle-coat et, la tête baissée, traîne derrière Bunty le long de Bootham comme une petite Esquimaude boiteuse. Il est curieux que, si vite que je marche, Bunty soit toujours à un mètre au moins devant moi, comme si nous étions reliées par un invisible cordon ombilical pouvant s'étendre mais non se contracter. Rien de tel n'existe entre Bunty et Patricia. Ma sœur est libre de marcher résolument en tête, de traîner comme elle l'entend à l'arrière et même de disparaître de temps à autre dans une rue latérale.

Malgré le froid pénétrant, mes genoux sont brûlants et douloureux. Je prie Jésus de m'envoyer un tapis volant pour me transporter jusqu'à la maison, mais, comme à l'habitude, mes prières semblent se diluer dans l'air ambiant. Lorsque nous arrivons enfin à la Boutique, nous avons des roses de gel sur les joues et des lames de glace dans le cœur. Bunty pousse violemment la porte, faisant tinter longuement la sonnette, mais c'est moi qui lance à sa place : « Boutique ! » George lève un sourcil roux et demande :

— Alors ?

— Un hygroma, fait Bunty avec une moue significative.

— Un hygroma ?

— Un hygroma du genou, tiens-je à préciser.

Mais tous deux m'ignorent.

— Pourquoi n'as-tu pas allumé les radiateurs ? demande Bunty. On gèle, ici.

— Il n'y a plus de paraffine, répond George, qui enfile déjà son gros pardessus. J'attendais que tu reviennes pour aller en chercher.

Chacun d'eux est toujours en train d'attendre que l'autre revienne. Tout se passe comme s'il leur était impossible de se trouver tous deux au même endroit en un même moment. George prend de l'argent dans le tiroir-caisse et dit :

— Je ne serai pas long.

— Tu parles ! murmure Bunty, qui se trouve de nouveau bloquée derrière le comptoir.

« J'ai des tonnes de repassage à faire ! clame-t-elle au moment où la porte de la boutique se referme sur George.

Pour Bunty, le repassage se mesure toujours en « tonnes ».

Je pose une main sur l'émail froid du radiateur, tentant de le conjurer de se remettre en marche. J'aime l'odeur de ces radiateurs à paraffine, si bienfaisants et si dangereux.

— Fais attention ! lance automatiquement Bunty.

Dans une autre vie, Bunty était une proche de Jeanne d'Arc, toujours attentive aux dangers d'incendie. Peut-être était-elle Jeanne d'Arc elle-même. Je l'imagine à la tête d'un bataillon de paysans transformés en soldats, leur lançant des ordres, les joues roses d'exaspération. Et je l'entends crier, à la fin, au moment où l'on approche un brandon enflammé des fagots empilés autour d'elle :

— Attention à ce brandon ! Regardez un peu où vous le mettez !

Au bout de quelques instants, je demande :

— Puis-je aller en haut ?

— Non, pas toute seule.

C'est d'un tel illogisme qu'il est inutile de discuter : j'ai neuf ans, et je suis montée à l'étage par mes propres moyens depuis que je sais marcher. Depuis la mort de Gillian, Bunty est devenue hypersensible aux dangers qui peuvent nous entourer. Et ce n'est pas seulement le feu qui nous menace — sous tous les prétextes pleuvent les avertissements maternels : « Fais attention avec ce couteau ! Tu vas te crever l'œil avec ce crayon ! Tiens-toi à la rampe ! Laisse ce parapluie ! » Je ne puis même pas prendre un bain en paix ; Bunty vient s'assurer que je n'ai pas glissé dans la baignoire et que je ne me suis pas noyée (« Fais attention à ce savon ! »). Il n'en est pas de même avec Patricia, qui se barricade et s'enferme à double tour dans la salle de bains. Pauvre mère ! Elle ne peut supporter ni de nous voir ni de ne pas nous voir...

Patricia rentre, en hurlant « Boutique ! » de façon si agressive que le Perroquet hurle de terreur. Patricia s'avance vers lui en mimant un étranglement, de sorte que le malheureux volatile tente de reculer sur son perchoir. Au fil des ans, il s'est révélé totalement invendable, de sorte qu'il a fini par devenir le Perroquet de la Boutique — partie intégrante du fonds et des meubles. Il se refuse obstinément à parler et attaque quiconque s'approche de sa cage. On ne lui a jamais fait la grâce de lui donner un nom. Même pas Jacquot. Nul — et pas même Patricia — ne le traite comme l'une des petites créatures du Seigneur. Comme moi, il est devenu une sorte de bouc émissaire. De perroquet émissaire, plus exactement.

— Fais attention à ce radiateur ! hurle Bunty.

Les pans du manteau de Patricia sont à cinquante centimètres de l'engin. Patricia se retourne et fixe sa mère.

— Il n'est pas allumé, dit-elle lentement, en détachant bien les syllabes.

— C'est pareil, réplique Bunty.

Sur quoi elle fait mine de trier des laisses pour chiens ; elle n'ose plus nous regarder, sachant qu'elle vient de se rendre ridicule. Patricia fait une grimace éloquente et se dirige vers l'escalier. Voyant là une occasion de m'échapper, je demande en toute hâte :

— Est-ce que je peux monter avec Patricia ?

— Non ! répondent-elles toutes deux, en chœur.

Après avoir repêché au fond de son sac son tube de tranquillisants, Bunty se calme un peu. Elle fait le tour de la boutique comme une automate, sert quelques clients, puis, brusquement, au milieu d'une vente, elle porte la main à son front en murmurant qu'elle « en a assez ». Elle se précipite vers l'arrière-boutique en me déposant dans les bras en passant un énorme lapin des Flandres.

— Votre mère va bien ? me demande le client d'un ton inquiet.

— Oh oui ! dis-je. Elle vient simplement de se rappeler qu'elle avait une casserole sur le feu.

★

193

Je ne perds pas mon temps ce matin-là et vends deux chatons (un tigré et un roux), un petit chiot très mignon, deux gerbilles, une roue pour hamster, trois sacs de sciure, six livres de croquettes, un panier pour chiens, un collier pour chat incrusté de pierreries (fausses) et le lapin des Flandres, que je revendique, car si Bunty a entamé la transaction, c'est moi qui l'ai conclue. Je me trouve quelque talent en la matière et rends compte de mes succès à George lorsqu'il se décide à revenir (sans paraffine, à ce que je remarque), mais il me regarde d'un air absent. Il semble parfois avoir les plus grandes difficultés à reconnaître les membres de sa propre famille.

Je ne suis pas totalement frustrée, toutefois, car, cinq minutes plus tard, George me donne une barre de chocolat au lait et m'autorise même à sortir les lapins de leurs cages pour les caresser (un à la fois, bien sûr, car, autrement, Dieu sait ce qui se passerait). J'enfouis mon visage dans leur fourrure et écoute les battements rapides de leur cœur. Je pense que si Jésus était un animal, il ne serait pas un agneau, mais un lapin, un gros lapin à l'épaisse et soyeuse fourrure.

— Où est ta mère ? me demande George au bout d'un moment.

— Tu as rapporté la paraffine ? fais-je d'un ton innocent.

C'est un service à lui rendre : s'il doit rencontrer « ma mère », il ferait mieux de penser à la paraffine. Il me gratifie d'un autre regard vide. Non seulement il n'a pas l'air de me reconnaître, mais, en plus, il ne semble pas comprendre ce que je dis. Puis, dix minutes plus tard, alors qu'il est en train de compter l'argent dans le tiroir-caisse, il lève la tête et dit :

— J'ai oublié cette foutue paraffine.

Il jette un regard dubitatif vers la porte de la Boutique et ajoute :

— Je ne peux pas aller la chercher si ta mère n'est pas là.

— Je peux tenir la boutique.

— Non, impossible.

Qui, à son avis, a fait rentrer l'argent qu'il est en train de compter ? Mais ce n'est pas la peine de discuter ; il est capable d'être d'une totale mauvaise foi.

— Va chercher Patricia, dit-il. Elle tiendra la boutique.

Mon cœur chancelle en entendant ces mots, « Aller chercher

Patricia » est une tâche qui me revient régulièrement, et c'est là une besogne particulièrement ingrate. Dès que je lui transmets le message, Patricia sombre dans les humeurs les plus maussades et tend, en plus, à me rendre responsable de cette intrusion dans sa sacro-sainte intimité.

Je monte l'escalier avec lenteur et réticence, les genoux douloureux. En passant devant la chambre de Bunty, je la vois assise à sa coiffeuse, contemplant le miroir comme si elle attendait d'y voir apparaître Gillian. Mon reflet la fait sursauter. Elle se retourne brusquement, me voit et dit d'une voix lasse :

— Oh, ce n'est que toi...

Je reprends le refrain sur un ton un peu plus enlevé en frappant à la porte de Patricia :

— Ce n'est que moi ! Ce n'est que Ruby !

— Fiche le camp ! hurle-t-elle.

Du coup, j'ouvre la porte.

— Papa te demande, dis-je.

Elle est étendue sur son lit, les bras croisés sur sa poitrine naissante, l'air macabre.

— Fiche le camp, répète-t-elle sans même me regarder.

J'attends un moment, puis je lui délivre de nouveau mon message. Après un silence, elle tourne à moitié la tête dans ma direction et déclare d'une voix atone :

— Dis-lui que je suis malade.

— Qu'est-ce qui ne va pas ?

C'est, je le sais, la question que George va poser. Autant avoir la réponse dès maintenant plutôt que de devoir remonter en tirant la patte dans cinq minutes. Patricia se remet à fixer le plafond en adoptant cette expression d'ennui sublime que les peintres préraphaélites exigeaient habituellement de leurs modèles.

— J'ai mal à l'âme, proclame-t-elle.

— C'est cela que je dois lui dire ?

Je vois d'ici la réaction de George si je lui déclare tout de go : « Patricia ne peut pas descendre ; son âme est malade. »

Elle a alors une sorte de petit rire d'outre-tombe et lève une main pâle :

— Dis-lui que j'ai mes règles. Comme cela, il me fichera la paix.

Elle avait raison : ça marche.

— C'est bien le moment ! maugrée-t-il, comme si le cycle

menstruel était partie d'une vaste conspiration dirigée contre lui. Bon, eh bien, je sors de toute façon...

Il s'en va en mettant l'écriteau *Fermé* derrière la vitre. Dès qu'il s'est vraiment éloigné, je retourne l'écriteau pour faire apparaître la mention *Ouvert*. Je passe deux heures très plaisantes à vendre diverses choses et à m'amuser avec les animaux. Je joue tout particulièrement avec un drôle de petit terrier blanc (baptisé Rags par Patricia) que personne ne semble vouloir acheter, malgré les efforts de George. Patricia et moi souhaitons de toutes nos forces qu'il trouve acquéreur, car George menace constamment de « le faire endormir », euphémisme entre tous. Rags figure en bonne place dans mes prières : « Cher Jésus, Agneau de Dieu, pardonnez-moi mes péchés et donnez-nous notre pain quotidien. Veillez sur Gillian, donnez un foyer à Rags, et je serai sage tant que je vivrai. Avec tout mon amour. Ruby. Amen. »

George se bat avec la porte de la Boutique, un énorme bidon de paraffine dans chaque main. Il les dépose avec fracas près du baril de sciure, dans un coin de la boutique. Espérons qu'il ne va pas laisser tomber sa cigarette là-dessus.

— Attention ! clame Bunty quand j'entre dans la cuisine.

Elle est en train de faire cuire les saucisses, des œufs et des frites — un repas idéalement sain pour une femme sous médication. Son attention est concentrée tout entière sur les frites, au détriment des saucisses qui se calcinent doucement dans leur bain de graisse fumante, sans parler des œufs, dont les blancs s'entourent lentement de noir. Je rase les murs de la cuisine, évitant la zone de danger, pour aller me chercher un verre de lait dans le réfrigérateur.

— C'est prêt, annonce Bunty, en donnant une légère secousse au panier à frites. (Elle serait certainement plus tranquille si elle avait un extincteur dans l'autre main.) Va chercher Patricia.

— Elle ne se sent pas très bien, dis-je.

Bunty lève un sourcil.

— C'est son âme, dois-je expliquer.

— N'essaie pas de faire la maline, Ruby. Va la chercher immédiatement.

Le reste de la soirée se passe calmement. George est sorti, comme d'habitude. Patricia reste dans sa chambre — également comme d'habitude. Elle en est au troisième volume d'*À la*

*recherche du temps perdu*, récemment emprunté à la bibliothèque.

Je suis moi aussi dans ma chambre, jouant au scrabble avec
moi-même sous l'œil de Teddy, dorénavant trop vieux pour
participer. Grand-mère Nell est dans son lit, où elle passe de
plus en plus de temps. Bunty est dans la cuisine, avec ses Tonnes
de Repassage pour compagnie.

Après trois parties de scrabble où je n'ai que très peu triché,
j'estime qu'il doit être l'heure d'aller au lit. Depuis la mort de
Gillian, tout le protocole d'avant coucher a disparu. Plus
personne ne vérifie que je me suis brossé les dents et lavé la
figure et les mains. Plus personne, en fait, ne vérifie que je me
couche. Mais, fidèle aux habitudes anciennes, je me conforme à
tout le cérémonial. Puis, je dis mes prières, agenouillée sur un
oreiller à côté de mon lit. Je prie avec ferveur pour que Gillian
soit heureuse au Ciel et se console d'être morte. J'allume ce qui
reste des petites bougies rouges.

Pendant ce temps, dans la cuisine, la pauvre Bunty interrompt
subitement son repassage en découvrant au milieu du linge ce
qui lui paraît être une blouse rose de Gillian (ce n'est en fait
qu'une des vastes culottes de Nell). Elle monte l'escalier au
grand galop, en se tenant le front à deux mains, avale une
double dose de somnifères et s'effondre sur son lit. Beaucoup
plus tard, j'entends George rentrer en se heurtant aux meubles.
Il y a un bruit de chasse d'eau, toutes les lumières s'éteignent et
je dérive vers le sommeil en fredonnant sous mes draps *Combien
ce petit chien dans la vitrine ?*

*

Je rêve de la fin du monde — rêve habituel chez moi et qui
peut prendre les formes les plus diverses. Cette nuit, je vois dans
le ciel d'énormes nuages qui se transforment en lapins. Ces
grands nuages en forme de lapins planent dans les cieux comme
des zeppelins (voir Annexe VII), et quelqu'un, derrière moi, me
dit : « C'est la fin du monde, tu sais... »

En un sens, ça l'est. En bas, dans la cuisine, le fer abandonné
par Bunty commence à s'attaquer à la planche à repasser. Bien
sûr, Bunty ne peut savoir que le thermostat marche mal et que,
pendant qu'elle dort, écrasée par les somnifères, le fer devient de

plus en plus chaud, noircissant le tissu qui recouvre la planche à repasser et finissant par mettre le feu au rembourrage. Les flammes gagnent ensuite le bois, qu'elles mettent un certain temps à dévorer, et, finalement, des flammèches tombent sur le linoléum, qui s'embrase entièrement, communiquant le feu aux rideaux de guingan.

Mais les choses n'en restent pas là, et, bientôt, le feu sort de la cuisine pour gagner la Boutique, où, de la paraffine à la sciure, il ne tarde pas à trouver des aliments de choix.

★

— Ruby ! Ruby !

J'ouvre aussitôt les yeux, mais je ne suis pas encore vraiment réveillée. L'air est opaque et Patricia ressemble à une petite vieille, tout enveloppée de fumée. Il y a une odeur rappelant celle des saucisses brûlées. Nous avons été avalées par un grand nuage en forme de lapin. Et je murmure à Patricia :

— C'est la fin du monde.

— Lève-toi, Ruby ! me crie-t-elle. Sors de ton lit !

Elle arrache les couvertures et commence à me tirer hors de mon lit. Je ne comprends rien à ce qui se passe jusqu'au moment où elle se plie en deux et, en toussant violemment, réussit à dire :

— Le feu, Ruby, le feu !

D'un pas incertain, nous gagnons la porte de la chambre et Patricia murmure :

— Je ne suis pas sûre qu'on puisse passer par là.

En fait, elle ne murmure pas : c'est la fumée qui l'a prise à la gorge, comme je le découvre en essayant de parler. Nous ouvrons la porte avec d'infinies précautions, comme si faisaient rage derrière elle toutes les flammes de l'Enfer. Il n'y a que de la fumée, pas même assez épaisse pour cacher à notre vue la porte de la chambre de Nell, mais quand nous tentons de quitter ma chambre, nous nous mettons à étouffer, et nous devons battre en retraite, toussant et crachant, en nous accrochant l'une à l'autre. Nous sommes de véritables cheminées humaines, et cela ne peut qu'empirer, car le Cavalier Rouge de l'Apocalypse galope déjà vers le haut de l'escalier.

Patricia commence à prendre les draps et les couvertures de

mon lit pour calfeutrer la porte. Puis elle vide frénétiquement ma commode pour trouver deux corsages dont nous nous entourons le visage façon Vengeur Masqué. En d'autres circonstances, cela pourrait être amusant.

— Aide-moi, croasse-t-elle derrière son masque en tentant de lever le panneau de la fenêtre à guillotine.

Celui-ci est irrémédiablement bloqué, et la panique commence à me saisir. Je me jette à genoux sans prendre garde à la douleur et me mets à prier frénétiquement Jésus de nous sauver de l'incinération. Patricia, plus pratique, saisit la lampe de chevet et en frappe la vitre jusqu'au moment où elle a réduit tout le verre en miettes. Puis elle prend la descente de lit et la place sur le rebord de la fenêtre, au-dessus des éclats de verre (Dieu merci, elle a été une Guide particulièrement attentive) et nous pouvons ainsi nous pencher au-dehors pour respirer à pleins poumons l'air froid de la nuit. C'est à ce moment seulement que je me rends compte que nous sommes terriblement haut au-dessus de l'Arrière-Cour.

Patricia se tourne vers moi et me dit :

— Tout va bien. Les pompiers seront bientôt là.

Nous n'y croyons ni l'une ni l'autre un seul instant. Pour commencer, qui aurait appelé les pompiers ? Il n'y a pas un bruit dans la rue, pas une sirène au loin, et, à l'heure qu'il est, le reste de notre famille ne doit plus être qu'un tas de cendres. Le visage de Patricia se convulse brusquement. Elle abaisse son masque et dit :

— Les animaux ! Il faut que quelqu'un s'occupe des animaux !

Nous savons toutes deux qui est ce quelqu'un (essayer de sauver notre famille ne semble pas nous venir à l'esprit).

Patricia passe par la fenêtre, et, dans un style très Robin des Bois, réussit à aller s'accrocher à un gros tuyau descendant jusqu'à terre. Elle s'arrête juste assez longtemps pour me lancer :

— Reste là ! Ne bouge surtout pas !

Puis, héroïque dans son petit pyjama baby-doll à broderie anglaise et avec deux gros rouleaux roses dans les cheveux, elle commence à descendre le long du tuyau. Je lui fais signe de la main et elle me crie de nouveau :

— Reste là, Ruby ! Les secours vont arriver. Je vais prévenir les pompiers.

Je la crois ; on peut faire confiance à Patricia. Si c'était

Gillian qui était descendue le long de ce tuyau, elle aurait tout oublié dès qu'elle aurait eu pris pied sur terre. Arrivée sur le ciment de l'Arrière-Cour, Patricia me fait un grand signe, auquel je réponds en levant les pouces avec un optimisme un peu forcé.

En quelques minutes, l'Arrière-Cour est passée de l'état de désert de mort à celui de champ d'activités fébriles. Les pompiers sont partout, intelligents comme des fourmis, déroulant des tuyaux, installant des échelles, criant des encouragements. Bientôt, un pompier costaud et jovial apparaît à ma fenêtre, en haut de son échelle et me dit :

— Bonjour, ma chérie ! Il est peut-être temps de s'en aller, non ?

Un instant plus tard, je me retrouve la tête en bas en travers de son épaule, descendant l'échelle. Je dois tellement faire attention à ne pas laisser tomber Teddy et Panda que je n'ai même pas le temps de prier pour remercier de notre délivrance. De mon observatoire privilégié, je puis voir Patricia criant des encouragements, Bunty hurlant quelque chose d'incompréhensible, sa bouche formant un cercle presque parfait, et George qui, debout à côté d'elle, lui crie également quelque chose (sans doute de « la fermer »).

La plus étrange de tous est Nell, qui erre dans la cour avec un chapeau de paille sur la tête et un filet à provisions à la main, comme si elle s'apprêtait à aller faire son marché.

Je comprends, avec un petit frisson d'excitation, que s'ils sont tous là, en bas, je me suis trouvée seule dans la maison en feu. Quelle histoire à raconter à mes petits-enfants ! Mais, comme nous continuons à descendre, l'excitation fait place à une crainte : serait-ce moi qui, par inadvertance, aurais provoqué l'incendie ? Je me rappelle soudain les restes de bougies rouges, puis je me demande si je n'aurais pas pu mettre le feu dans une crise de somnambulisme. C'est avec appréhension qu'arrivée à terre, je vois Bunty venir à moi. Mais elle ne dit rien, m'attire à elle, m'enveloppant dans les vastes pans de sa robe de chambre. Pour une fois, le cordon ombilical qui nous unit se tend et nous précipite l'une contre l'autre. Pendant ce temps, un pompier a enveloppé dans une couverture grise Patricia, qui, du coup, ressemble à un Indien près d'un (très grand) feu de camp. Elle sanglote de façon incontrôlable, presque hystérique : elle vient de voir les restes calcinés de la Boutique et sentir l'odeur atroce de la fourrure et des plumes brûlées — une odeur que nous n'oublierons jamais ni l'une ni l'autre.

Et puis un miracle se produit : un petit chien tout noir se précipite dans la cour en aboyant comme un fou, et Patricia rejette la couverture pour courir vers lui.

— Rags ! sanglote-t-elle. Oh, Rags !

Et elle serre le petit corps tout noirci par la fumée contre la broderie anglaise de son baby-doll.

★

Tout comme le Grand Incendie avait contribué à purger Londres de la Grande Peste, le Grand Feu de la Boutique contribua à nous purger de la mort de Gillian. Le feu était une purification, une épreuve qui nous permettait un changement et un renouvellement. Pour une raison ou pour une autre, Gillian ne pesait plus aussi lourdement sur nos consciences (« Si elle avait été encore vivante, raisonnait Patricia avec une tortueuse logique, elle aurait peut-être péri dans l'incendie, et elle serait donc morte de toute façon. Pas vrai ? »).

Notre séjour *Au-Dessus de la Boutique* est terminé, même si le rez-de-chaussée de la maison est seul à avoir été détruit et si le reste est simplement graisseux de suie. George a fait l'objet d'un ultimatum en règle, et, dès le lendemain, il est à la société immobilière de Leeds et Holbeck, en train de négocier une hypothèque pour le « gentil petit pavillon ». Dans quelques semaines, nous pourrons inspecter les nouvelles installations, toutes fraîches et pimpantes, de la Boutique.

Walter interroge George sur ses nouvelles activités commerciales.

— Matériel médical et chirurgical ? demande-t-il.

George est plein d'enthousiasme et d'esprit d'entreprise :

— Trousses médicales, fauteuils roulants, appareils acoustiques, bandages herniaires, cannes anglaises... Toutes les possibilités, Walter ! Il y aura les clients qui viendront avec des ordonnances médicales, ceux qui seront envoyés par les cliniques, ceux qui viendront simplement acheter du sparadrap ou des préservatifs...

— Des préservatifs, hein ? fait Walter, immédiatement intéressé. Il doit y avoir du pognon à se faire, là-dedans ! Tu feras des prix pour les amis ?

Tous deux partent d'un grand rire bien viril, et je demande à voix basse à Patricia :

— Qu'est-ce que c'est qu'un préservatif ?

— Je te dirai cela plus tard, murmure-t-elle.

Ce qu'elle ne fera jamais.

★

Mais, en attendant, Patricia et moi couchons tête-bêche dans le lit un rien défoncé de la chambre d'ami de Tante Gladys. (On dirait que nous sommes vouées à dormir ensemble après chaque drame.) Entre nous, les corps endormis d'un ours, d'un panda et d'un chien. De façon tout à fait inattendue, George et Bunty nous ont permis de garder Rags, non comme un chien à vendre, mais comme notre propre chien.

À l'aube, le sang de tous nos animaux morts dans l'incendie vient rayer le ciel de rouge. Des volées entières de perruches se transforment en anges et s'élancent à travers les cieux avec des ailes en technicolor. Dans le Monde des Esprits, le Paradis — quel que soit le nom de l'endroit où tous sont allés —, le Perroquet trouvera peut-être l'affection et le don des langues. Je prie en tout cas l'Agneau de rendre tout ce petit monde très heureux là où il est.

## ANNEXE VII

## ZEPPELIN !

Debout à la porte, Nell et Lillian faisaient au revoir de la main à Tom. Rachel, elle, n'aurait pas bougé de sa chaise pour dire au revoir à Jésus-Christ en personne. Tom était heureux de ne plus avoir à vivre avec elle, d'avoir maintenant une femme et un foyer à lui. Il avait de la chance d'avoir Mabel, tranquille et dévouée, un peu comme Nelly. Lillian n'appréciait que peu Mabel, et c'était pourquoi il allait seul voir ses sœurs la plupart du temps. Au bout de Lowther Street, il se retourna et les vit qui continuaient à lui faire signe. Il leur répondit en agitant les deux bras en demi-cercle, comme s'il avait eu des drapeaux de signalisation dans les mains.

Les deux sœurs s'inquiétaient des zeppelins, mais Tom estimait que personne n'oserait attaquer York. Il les avait rassurées avec de grands discours héroïques sur la lâcheté des Boches et le fait que la guerre serait bientôt finie. Il les avait aidées à installer leurs rideaux de camouflage, car elles avaient peur que la lumière ne filtre à leurs fenêtres. La pauvre petite Minnie Havis s'était retrouvée devant le tribunal pour avoir laissé voir de la lumière, et elle en était si honteuse qu'elle osait à peine se montrer depuis. Cela semblait d'autant plus pitoyable que son jeune époux était au front.

Nell et Lillian lui avaient servi du thé, du foie de veau et de la purée de pommes de terre, et elles lui avaient montré une carte d'Albert — une vieille carte postale en sépia montrant Ypres avant la guerre.

— Il dit, avait précisé Lillian, qu'ils ont un temps superbe.

203

Tom se mit à rire : c'était bien dans le style de son jeune frère. Parfois, il surprenait Nelly le regardant comme si elle le trouvait lâche comparé à Albert. Mais tous deux avaient toujours adoré celui-ci. Albert était le favori de tout le monde (sauf de Rachel, bien sûr), et il arrivait à Tom de se sentir un peu jaloux. Mais cela ne durait pas ; on ne pouvait avoir de mauvais sentiments envers Albert, même en essayant très fort. Il était beaucoup plus mitigé sur Jack Keech, qu'il trouvait un peu trop malin pour son propre bien. Ce n'était pas l'homme qu'il fallait à Nell — trop sûr de lui. En fait, il aurait mieux convenu à Lillian.

Mais Tom était lui-même un lâche, et cela, il le savait fort bien. La veille, une femme s'était approchée de lui dans la rue et l'avait traité d'« embusqué ». Il était devenu tout rouge. Alors, une autre femme était survenue, complètement ivre, et lui avait dit :

— T'as raison, mon garçon. Ne va pas dans cette putain d'armée !

Il était devenu encore plus rouge.

Tom savait que la première de ces deux femmes avait raison : il était bel et bien un embusqué. Il était embusqué car il était pétrifié de terreur à l'idée d'aller au front. Quand il pensait à la guerre, il avait l'impression que tout se liquéfiait à l'intérieur de lui. Et il ne voulait pas abandonner la pauvre petite Mabel ; il ne savait pas ce qu'elle ferait sans lui. Le patron de Tom était franc-maçon et, en intervenant auprès du conseil de révision, il avait réussi à lui obtenir une exemption en déclarant que tous ses autres employés avaient été mobilisés. Le conseil avait accordé une exemption de six mois, mais Tom savait qu'il y avait peu de chances de la voir renouveler. Il aurait peut-être pu se dire objecteur de conscience, mais il n'en avait pas le courage non plus ; tout le monde savait ce qui était arrivé à Andrew Brittan, l'instituteur de Park Grove, qui était dans ce cas.

Tom prit son temps pour rentrer chez lui, car la soirée était délicieuse. Mai était son mois favori, évoquant pour lui l'aubépine en fleurs dans la campagne. Il allait souvent s'y promener à bicyclette avec Mabel, et il parlait à sa jeune épouse de son enfance campagnarde et de sa mère. Il lui disait tout le chagrin qu'il avait ressenti quand celle-ci était morte — chose dont il ne parlait jamais à nul autre. Tom avait une photo de sa mère, qui avait été prise juste avant sa mort par un photographe ambulant, un Français. Il avait trouvé cette photo, avec toutes les autres, le matin où leur père leur avait annoncé que leur mère était morte. Les photos traînaient tout simplement sur la table de la cuisine. Son père était dans un tel état qu'il ne les avait même pas remarquées. Celle d'Alice était dans un joli cadre d'argent avec un fond de velours rouge. Tom l'avait prise et cachée sous son matelas car il voulait ce cadeau d'adieu pour lui seul. Plus tard, lorsqu'ils se retrouvèrent tous unis contre leur effrayante belle-mère, il montra la photo à Lawrence et à Ada, mais, malgré toutes leurs supplications, il se refusa à la leur donner. Elle se dressait fièrement sur le buffet de chêne de son salon et Mabel l'époussetait chaque jour. De temps à autre, elle murmurait : « La pauvre femme ! » Lorsque Tom surprenait le propos, il en avait soudain la gorge serrée.

Le ciel au-dessus de St. Saviourgate était d'un indigo sombre et, marchant les yeux levés, Tom crut y distinguer un point plus foncé qui y bougeait. Il regarda, intrigué, et se rendit compte qu'autour de lui, des gens s'arrêtaient pour faire de même. Puis quelqu'un dit, d'une voix où perçait la terreur :

— C'est un zeppelin !

Une autre voix se mit à jurer, deux ou trois femmes s'enfuirent en criant, mais plusieurs personnes restèrent sur place, fascinées. Ce zeppelin constituait un spectacle si insolite que personne ne semblait penser aux bombes qu'il pouvait lâcher. Mais il y eut soudain une sourde explosion et Tom sentit tout son corps vibrer, tandis qu'une lumière aveuglante envahissait la rue. Il pensa en un éclair à Nell et à Lillian, et à leurs rideaux de camouflage...

Pendant une seconde tout resta silencieux et immobile alentour, pendant qu'un nuage de fumée montait en tourbillonnant dans le ciel. Puis des gens se mirent à hurler et à gémir, et Tom vit un homme qui avait la moitié de la tête emportée, et un pied gisant, détaché, dans le caniveau. Une jeune fille était recroquevillée sur les marches de la chapelle méthodiste, gémissant comme un animal blessé. Tom alla vers elle pour tenter de la réconforter, mais comme il se penchait sur elle, elle regarda sa main et se rejeta en hurlant de toutes ses forces. Quand Tom regarda à son tour sa propre main, il comprit pourquoi : en fait, il n'y avait *plus* de main, mais seulement un os gris-bleu, avec quelques morceaux de chair autour. Un soldat en uniforme se précipita vers fui et l'installa à l'arrière d'une charrette pour l'emmener à l'hôpital.

Le soldat produisit une gourde de poche et fit boire à Tom une gorgée d'alcool. Puis il le considéra avec inquiétude ; il avait vu bien des blessés, mais il n'en avait encore rencontré aucun qui riait à perdre haleine.

La douleur était incroyable. Tom avait l'impression que sa main était prise dans une chape de plomb en fusion, mais peu lui importait. Il savait que, maintenant, il ne serait jamais envoyé sur le front. Il allait pouvoir rester avec sa gentille petite femme, et brandir son moignon au visage de quiconque oserait le traiter d'embusqué.

★

À l'hôpital de Haxby Road, Nell et Lillian étaient assises de part et d'autre de son lit, lui souriant tendrement. Elles le traitaient comme s'il avait vraiment été un soldat blessé. Lillian se pencha sur lui pour l'embrasser en disant :

— Pauvre Tom !

Et Nell renchérit :

— Notre frère si brave ! Attends que j'écrive tout cela à Albert...

# CHAPITRE VIII

## 1963

## LES ANNEAUX DE SATURNE

Les femmes survivantes de la famille Lennox se trouvent en période de transition et d'incertitude. Pour moi, le fait est symbolisé par l'examen de fin d'études primaires que je m'apprête à passer, et qui décidera à jamais de mon sort. Pour Nell, c'est le passage de la vie à la mort. Bunty peut succomber ou non aux charmes de l'infidélité. Quant à Patricia... Patricia entre dans ma chambre un après-midi de janvier et me déclare fièrement qu'elle est sur le point de « perdre sa virginité ».

— Tu veux que je t'aide à la retrouver ? fais-je distraitement, car je n'ai pas tout à fait saisi ce qu'elle disait.

— Ne fais pas la maline ! lance-t-elle, avant de sortir en claquant la porte.

Comme j'ai, le jour même, lamentablement raté l'épreuve d'arithmétique de mon examen blanc, la remarque me frappe cruellement, et je considère un moment la porte que Patricia vient de claquer en m'interrogeant sur l'avenir. Suivrai-je mes sœurs — morte ou vivante — au lycée de filles Queen Anne ou serai-je condamnée au dépotoir du collège moderne de Beckfield Lane ? Sur la porte que je contemple est accroché le calendrier « Vieille Angleterre » que m'a donné à Noël Tante Gladys. Cette Vieille Angleterre-là est un pays que nous connaissons peu dans ma famille : page après page et mois après mois, ce n'est que cottages à toit de chaume, clochers au lointain, meules de foin et jolies vachères. Le calendrier est aussi une mine de précieuses informations. Sans lui, comment saurais-je quand tombe l'anniversaire de Nelson ? Ou celui de la bataille d'Hastings ? Si seulement tout cela pouvait m'être utile pour mon examen...

Je feuillette distraitement le numéro de lundi de *Regarder et apprendre* sans trouver la moindre chose que je souhaite regarder ou désire apprendre. Bien que le Gentil Pavillon soit équipé du chauffage central, Bunty se refuse à ouvrir les radiateurs dans les chambres, car elle pense que c'est malsain. Patricia s'évertue à souligner que l'hypothermie est également malsaine, mais quand Bunty a une idée dans le crâne, elle ne l'a pas au bout du gros orteil. Il fait si froid dans ma propre chambre que je peux voir mes doigts devenir d'abord roses, puis bleus. Je pense que si je les regarde encore un peu, ils vont devenir noirs et tomber. Je n'ai pas l'occasion d'observer cet intéressant phénomène, car Patricia revient dans la chambre et me dit :

— Puis-je te parler ou as-tu l'intention de continuer à faire l'imbécile ?

Pauvre Patricia ! Elle a tellement besoin d'une confidente qu'elle est forcée de se rabattre sur moi. Depuis quelques semaines, elle est courtisée par Howard, un fluet binoclard à la mine sérieuse, élève à St. Peter, une école privée assez chère dont les terrains de sport donnent sur le terrain de hockey de Queen Anne. Ayant longuement épié Patricia — qui joue ailière droite —, il a fini par la persuader, juste avant Noël, de sortir avec lui.

— J'ai décidé de faire cela avec lui, dit-elle.

Avec elle, « cela » sonne comme l'extraction d'une dent de sagesse. Du bas de notre escalier veuf de tout fantôme, Bunty commence à appeler à grands cris Patricia, mais celle-ci l'ignore. Bunty continue à hurler, et Patricia continue à l'ignorer. Qui se lassera la première ?

Bunty.

— Les parents d'Howard s'en vont le week-end prochain, poursuit Patricia. Nous en profiterons pour le faire.

Elle a l'air particulièrement détendu, et je me hasarde à lui demander si elle est amoureuse d'Howard. Elle a un reniflement de mépris.

— Allons donc, Ruby ! fait-elle. L'amour romantique est une convention bourgeoise dépassée ! (Tiens donc ! On ne nous dit pas cela dans *Regarder et apprendre* !)

« Mais, ajoute-t-elle avec réticence, c'est bien agréable d'avoir quelqu'un qui vous *désire*, tu sais...

Je hoche la tête d'un air approbateur. Ce doit être bien agréable. Nous célébrons ce rare moment d'intimité entre nous en faisant jouer mon tout dernier disque, acheté avec un bon de Noël, *Chubby Cheeker Dancin' Party*, et nous pratiquons solennellement le twist, danse où nous n'excellons guère — Patricia est trop raide et empruntée, et moi, je perds l'équilibre jusqu'au moment où nous nous effondrons côte à côte sur le lit, épuisées. Patricia tourne la tête vers moi et me dit :

— Je suppose que tu veux que je t'emmène au cinéma demain ?

Elle me pose cette question comme si elle me faisait une immense faveur, alors que je sais très bien qu'elle a aussi envie que moi de voir *Kid Galahad*, car l'une des rares choses que nous avons en commun est notre adoration pour Elvis Presley. Et qui plus est, demain, 8 janvier, est l'anniversaire d'Elvis, que j'ai marqué sur mon calendrier « Vieille Angleterre » par une série de petits cœurs dessinés en rouge. C'est moi que Patricia invite à l'Odéon plutôt que Howard, car elle sait que celui-ci passerait la séance à se gausser de notre idole chaussée de daim bleu.

Elle vient me chercher à la sortie de l'école, alors que je viens de rater un deuxième examen blanc, et me console avec des pâtés de chez Richardson et l'assurance que certains des plus grands — Gandhi, Schweitzer, Keats, Bouddha, Elvis — n'ont jamais eu leur certificat d'études. Sur quoi je fais remarquer d'un air sombre qu'ils n'ont jamais essayé de le passer. Patricia elle-même passe son premier bac cette année, mais, compte tenu du temps qu'elle consacre à sa préparation, on ne le dirait pas.

*Kid Galahad* me réconforte quelque peu. Les pâtés et la boîte géante de pop-corn que nous nous partageons dans le noir contribuent à compenser l'absence de dîner à la maison. Bunty faiblit ces temps-ci ; de plus en plus souvent, elle va se coucher sans raison apparente, disant seulement qu'elle « ne se sent pas bien ». Elle fait aussi d'étranges déclarations, qui feraient certainement frémir Tante Babs. Je l'ai, par exemple, surprise dans la salle de bains en train de récurer la cuvette des toilettes avec une vigueur démesurée, et en me voyant, elle a retiré ses gants de caoutchouc et dit :

— Je ne vois pas pourquoi un ménage a besoin d'une ménagère.

Sans commentaire.

Le dimanche, les actions de Patricia ne sont pas au sommet de la cote chez les parents, car elle est arrivée au petit matin avec le laitier. Elle a sans doute fait « cela » avec Howard la nuit précédente. Bunty mène un interrogatoire en règle, mais, à mes yeux au moins, Patricia semble exactement la même que la veille.

— Si je pensais une minute, dit Bunty en tournant frénétiquement une sauce, que tu t'étais...

— Amusée ? demande Patricia avec une expression qui appelle les gifles.

Mais aucune gifle ne vient. Au contraire, à notre surprise teintée d'inquiétude, Bunty commence à trembler comme une gelée mal prise. Elle continue à tourner sa sauce comme si rien ne se passait, mais elle tremble maintenant des pieds à la tête. Décontenancée, Patricia laisse tomber sa garde :

— Il y a quelque chose qui ne va pas, Maman ? (Le « Maman » est significatif.)

Cette marque de compassion fait déborder la colère de Bunty.

— Quelque chose qui ne va pas ? hurle-t-elle. Toi ! Tu es la seule chose qui ne va pas !

Furieuse, les lèvres blanches, Patricia lui lance, avant de s'enfuir de la cuisine :

— Tu n'es qu'une vieille vache !

Bunty continue à s'occuper de sa sauce, et, sans même me regarder, me dit :

— Secoue-toi un peu, Ruby. Passe les assiettes.

\*

— Comment cela s'est-il passé ? demande Patricia en me recueillant à la porte de l'école de Fishergate, où je viens de passer mon examen.

Je suis trop déprimée pour parler. Nous marchons le long de l'Ouse. Il a fait si froid que la rivière est restée gelée pendant une semaine, et que, maintenant encore, des blocs de glace y dérivent.

— C'est l'hiver le plus froid qu'on ait vu depuis 1947, fait Patricia d'un ton rêveur. Je n'avais encore jamais vu la rivière comme cela. Elle gelait presque tous les hivers, dans les jours anciens, tu savais cela ?

210

Bien sûr, je ne le savais pas — je ne sais *rien*.

Décidée à faire un pas en avant dans le domaine de la connaissance, je demande :

— Pourquoi « les jours anciens » ? Pourquoi pas « les anciens jours » ?

— Sais pas, fait Patricia avec un léger haussement d'épaules.

Puis, comme nous restons là, à observer la rivière et à penser aux « jours anciens », une curieuse impression commence à m'envahir, l'impression de quelque chose longtemps oublié. Ce sentiment a quelque chose à voir avec le froid et la glace, et aussi quelque chose à voir avec l'eau. Je tente de me concentrer sur lui pour le faire vraiment venir à la surface, mais, dès que je le fais, il s'évapore de mon cerveau. C'est l'impression que j'ai parfois en m'éveillant d'une crise de somnambulisme ; je sais qu'il existe quelque chose d'incroyablement important que j'ai perdu — une chose qui m'a été arrachée, laissant un vide en moi — et que cette chose est encore là, tout près, à portée de la main. Puis je suis complètement éveillée, et je n'ai plus la moindre idée de ce que je cherchais.

— Tu vas bien, Ruby ? me demande Patricia avec une nuance d'inquiétude dans la voix.

Mais le spectacle de deux cygnes approchant de la rive sur leur petit iceberg personnel vient faire diversion. Et, au bout d'un moment, je demande à Patricia :

— Qu'est-ce que tu fais ici, de toute façon ?

— L'école buissonnière. Est-ce que tu penses que ces cygnes sont en sécurité ?

— Je suis prête à changer de place avec eux dès qu'on voudra. Eux, au moins, le reste de leur vie ne dépend pas de leurs capacités en calcul mental.

— Et ils peuvent s'envoler s'ils le veulent, approuve mélancoliquement Patricia.

— Et chacun d'eux a l'autre, dis-je enfin, comme les cygnes nous dépassent sur leur morceau de glace.

Un grand frisson me parcourt tout entière.

— L'eau paraît si *froide*...

— Elle l'est, dit Patricia.

Puis elle me lance un curieux regard de côté et commence :

— Ruby ?

— Mmm ?

— Te souviens-tu...

Puis elle secoue la tête et me dit :

— Non, rien. Aucune importance. Je vais attendre le bus avec toi, si tu veux.

Et elle relève le col de son manteau.

*

Mon anniversaire est marqué par une petite sauterie, organisée à contrecœur par Bunty pour me faire oublier mes échecs en arithmétique. Tout ne se déroule pas à la perfection : une fille nommée Vanessa est violemment malade après avoir mangé trop de sandwiches à la sardine et quelqu'un trouve moyen de fracasser une lampe en dansant le twist. Mais le gâteau d'anniversaire remporte un grand succès. Fait sans précédent, il vient de chez le pâtissier ; auparavant, Bunty avait *toujours* confectionné nos gâteaux d'anniversaire, colmatant les brèches par trop voyantes avec de la crème au beurre et les piquant de bougies qui les faisaient ressembler à des hérissons en colère. Mais, cette année, elle a déclaré forfait, et, à la différence des siens, le gâteau de chez Terry est exquis dans tous les sens du terme. Cela valait-il, toutefois, que George doive se précipiter, un samedi à la dernière minute, pour l'acheter, en utilisant un langage qui fait sursauter même Patricia ? Et cela valait-il aussi que Bunty, ne se sentant une nouvelle fois « pas bien », se mette à hurler à Patricia :

— Tu n'es pas ma fille !

— Dieu merci ! répond Patricia, avant de s'en aller en claquant la porte au moment précis où elle devait commencer à organiser des jeux pour mes invités.

Je l'entends rentrer beaucoup plus tard ce soir-là, montant l'escalier à grand fracas, faisant aboyer Rags et crier Nell dans son sommeil. Contrairement aux instructions les plus formelles de Bunty, je lui ai laissé une part du gâteau sur son oreiller.

Je pense que si on nous laissait seules à Bunty, aucune de nous ne mangerait plus.

— J'en ai soupé, de la cuisine ! proclame assez cocassement Bunty, en ouvrant une boîte de bœuf et de rognons en conserve.

Il lui arrive de s'effondrer sur le canapé de la salle de séjour en clamant qu'elle « en a assez », mais sans préciser de quoi exactement. De George, peut-être. Ces tendances dépressives sont compensées par une anormale exubérance de Patricia, exubérance due, selon elle, à sa découverte avec Howard des joies de l'amour libre. Cette nouvelle activité la conduit à oublier de préparer son bac blanc, auquel elle échoue lamentablement.

Bunty revient un peu à la vie à l'occasion du Mardi Gras. Jusqu'au moment où elle envoie la cinquième crêpe se plaquer directement sur le mur de la cuisine au lieu de retomber dans le poêle. Elle reste collée au mur quelques secondes avant de retomber au sol. Il semble assez symbolique que ce soit la crêpe destinée à George.

Le début du carême marque aussi celui du déclin de Nell, qui ne peut même pas se lever pour Pâques. Vers le milieu de cette période, à l'occasion de la Fête des Mères, Bunty montre toute l'étendue et la puissance de ses sentiments maternels en verrouillant la porte au nez de Patricia, qui se trouve ainsi incapable de rentrer subrepticement à trois heures du matin comme elle a coutume de le faire le dimanche. Patricia, pour ne pas être en reste, se plante devant la maison en hurlant :

— Cochons de bourgeois ! Vivement la révolution ! Tu seras la première collée au mur, Bunty Lennox !

Ce qui, clamé en pleine nuit, cause quelque sensation dans notre paisible faubourg. Patricia a l'air de bien s'amuser, et elle semble presque déçue lorsque je lui lance ma clé par la fenêtre.

De mon côté, j'ai, la veille du Vendredi Saint, une séance pénible chez Mr. Jeffrey, le dentiste. J'y perds trois dents de lait auxquelles je tenais beaucoup. Peut-être peut-on voir là un refus d'abandonner l'enfance (mais ce n'est pas tout à fait sûr). Patricia, très gentiment, me donne trois pièces de six pence à la place de mes dents et m'emmène retrouver Howard au café de l'Acropolis. On a peine à croire que ce personnage emprunté et couvert d'acné puisse être à l'origine des bacchanales que me rapporte Patricia le dimanche matin.

Pendant le week-end de Pâques, nous voyons débarquer un flot de membres de la famille venus faire leurs adieux à Nell, qui « n'en a plus pour longtemps ». Cette veillée funèbre collective et prématurée s'accompagne d'innombrables œufs de Pâques apportés en offrande. Tante Gladys, Oncle Clifford et Adrian sont là, ainsi que Tante Babs (seule, Dieu merci) et Oncle Ted. Adrian est tout à fait adulte, maintenant (vingt ans), mais il vit

toujours chez ses parents. Il vient de commencer un apprentissage de coiffeur et fait figure de petite perle dans la maison,
dressant la table et se proposant pour servir le thé à la place
d'une Bunty perplexe. Debout derrière Adrian, Oncle Ted fait
un clin d'œil à George et se pose délicatement une main sur la
hanche en se dandinant. George éclate d'un gros rire, mais
devient subitement muet quand Oncle Clifford lui demande ce
qu'il y a de drôle. Adrian a amené son chien, un petit terrier
blanc tout timide, que Rags tente de mettre en pièces.

Oncle Ted annonce à l'assemblée qu'il s'est finalement fiancé
à sa petite amie de longue date, Sandra.

— Tu l'as fichue enceinte ? demande George.

Il est aussitôt réprimandé par l'élément féminin de l'assistance. Bunty demande qui seront les demoiselles d'honneur, et
Tante Babs prend son air le plus suffisant, les jumelles étant
très demandées pour ce rôle. Je suis moi-même contrainte
d'admettre que Daisy et Rose sont un peu plus décoratives, pour
un mariage, que Patricia et moi. Pour l'heure, elles sont trop
occupées à réviser leur premier bac pour venir dire adieu à leur
grand-mère. Elles ont quinze-ans-allant-sur-seize, et je ne les ai
pas vues depuis longtemps. Patricia a seize-ans-allant-sur-dix-
sept, et ses rares intérêts dans la vie sont Howard, la Campagne
pour le Désarmement Nucléaire et les Beatles, qui ont rapidement remplacé Elvis dans nos versatiles affections. En l'espace
de quinze minutes, Patricia réussit à se montrer odieuse envers
tout le monde — deux tantes, deux oncles, un cousin et un
chien —, ce qui me vaut trois œufs de Pâques supplémentaires,
qui lui étaient primitivement destinés, mais qu'on se refuse à lui
donner. Mais gagner trois œufs vaut-il de perdre une sœur ?

George, Oncle Ted et Oncle Clifford se réunissent autour de
la table de la cuisine avec une bouteille de whisky apportée par
Ted et engagent une discussion animée sur a) le point de savoir
si George doit faire construire une terrasse couverte à l'arrière
de la maison, b) le spectacle de notre nouvelle voisine,
Mrs. Roper, donnant le sein à son bébé dans la serre à côté et
c) le meilleur itinéraire pour aller à Scotch Corner.

Je monte à l'étage pour échapper à ces propos par trop
adultes, mais, dans la chambre de Nell, une scène encore pire
m'attend. Devant Bunty, Tante Gladys et Nell, prisonnière de
son lit, Tante Babs se livre à un assez morbide numéro de strip-

tease. Tournant sur elle-même devant son public féminin, elle ôte son cardigan bleu marine puis son corsage blanc pour révéler d'un côté un sein abondant et passablement affaissé, et de l'autre — rien, juste une étendue de peau en cours de cicatrisation. Je quitte rapidement la pièce. Je n'ai même pas encore appris comment les seins poussaient, et je ne tiens pas à savoir comment ils disparaissent. Je me bourre un moment de petits chocolats trouvés dans mes œufs de Pâques, puis, une certaine lassitude venant, je pars à la recherche de Patricia pour lui restituer en secret les œufs qui lui reviennent de droit.

★

Nos nouveaux voisins sont Mr. Roper, Mrs. Roper et leurs enfants, Christine, Kenneth et David, le bébé. Mr. Roper — Clive — est un ancien commandant d'aviation qui occupe maintenant un emploi administratif aux Chemins de Fer Britanniques — exactement le genre d'homme dont rêve ma mère. De fait, pendant les semaines qui suivirent l'arrivée des Roper, au Nouvel An, Bunty ne cessa de répéter à George :

— Tu ne pourrais pas être un peu plus comme Clive Roper ?

Ces propos cessent vers la Pentecôte ; elle n'a plus besoin de pousser George à ressembler à Clive Roper, car elle fait joujou avec l'original.

Mon amitié avec Christine Roper se fonde uniquement sur la proximité : je n'ai aucun moyen de lui échapper. Elle a un an de plus que moi, et c'est une fille particulièrement autoritaire ; à certains égards, elle est plus comme Gillian que Gillian elle-même, à part qu'elle est très quelconque physiquement, alors que Gillian était jolie (comme elle est morte, je peux le dire). Kenneth, mon cadet de deux ans, est le prototype même du petit garçon ressemblant à tous les petits garçons, avec chaussettes qui tombent et sucette à moitié sucée dans la poche. Il est agaçant mais inoffensif. On ne peut pas en dire autant de Bébé-David, qui déborde par tous les orifices et a toujours le visage écarlate à force de hurler ou de peiner à faire sa « grosse affaire », pour reprendre l'inélégante terminologie de Mrs. Roper. Mrs. Roper (Harriet) n'a que fort peu en commun avec ma mère. Elle ressemble plus à un commandant d'aviation que son mari. C'est une femme grande et osseuse, avec un grand air de certitude — elle très péremptoire, très anglaise. On la verrait mieux avec une cravache ou une crosse de hockey qu'allaitant son insignifiant rejeton en dénudant un sein gonflé et tout veiné de bleu.

Je trouve ce spectacle répugnant et fascinant tout à la fois. Avant Mrs. Roper, je n'avais jamais vu personne donner le sein (ce n'est pas le genre de la famille). On peut aussi voir là un malheureux contraste avec Tante Babs, dont la poitrine est entièrement mutilée, maintenant. Elle gît, plus pâle que ses draps, dans un lit à l'hôpital St. James de Leeds, où Bunty et moi, usant d'un aller et retour à prix réduit, sommes allées la voir un samedi. Patricia était restée à la maison ; elle jeûnait pour protester contre la famine en Inde.

Ce fut peu après que je vis pour la première fois Bunty et Mr. Roper ensemble. Nous nous trouvions, Bunty et moi, dans la boutique ambulante de la Co-op, hésitant, au rayon des gâteaux en conserve, entre le riz et la semoule, lorsque Mr. Roper monta à bord du fourgon, à la recherche de lessive en poudre.

— Salu-ut, dit-il à ma mère.

Il était fort élégamment vêtu, en veston de tweed, pantalon de serge et cravate. Bunty me confia son sac afin que je paie à sa place pendant qu'elle allait retrouver Mr. Roper à l'arrière du fourgon. En réglant nos achats au chauffeur, je pus voir, reflété dans le pare-brise, Mr. Roper offrant cérémonieusement à Bunty la tulipe en matière plastique rouge accompagnant chaque paquet de Daz.

Et, en la personne qui acceptait en minaudant cette tulipe en plastique, je ne reconnaissais plus ma mère ; je voyais une sorte d'espiègle sosie de Debbie Reynolds avant le départ précipité d'Eddie Fisher.

J'ai peur pour ma mère. Elle pénètre en ce moment dans des espaces interstellaires encore inexplorés, où les chutes de météorites sont soudaines et fréquentes et où les Anneaux de Saturne dégagent un rayonnement mortel.

Un moment plus tard, à la fin du mois de juin, un miracle se produit ; George et Bunty reçoivent une lettre informant que je suis admise au lycée Queen Anne. Ouf ! En revanche, les résultats de Patricia au premier bac sont catastrophiques — en bonne partie parce qu'elle est partie avant la fin lors de la plupart des épreuves. (Quand Bunty, furieuse, lui demande pourquoi, elle hausse les épaules et répond : « Sais pas. »)

★

Nell expire peu après. Les derniers mots qu'elle m'adresse sont : « Attention à tes bottines, Lily ! » (Voir Annexe VIII.) Ses paroles tout à fait ultimes (rapportées par Patricia qui se trouvait, par hasard, seule avec elle au moment de la fin) sont aussi peu claires : « Dois-je préparer le thé de Percy maintenant, Mrs. Sievewright ? » Nous allons lui rendre visite chez l'entrepreneur de pompes funèbres, où son corps est exposé. L'endroit n'est pas ce que j'attendais. J'avais espéré quelque chose de plus impressionnant, de plus mystique, comme St. Wilfred avec des recoins, des ombres, de l'encens, de la musique d'orgue. Je ne m'attendais pas à cette salle bien éclairée, aux murs citron, aux rideaux marron et aux jardinières emplies de fleurs en matière plastique qui auraient pu être distribuées avec des paquets de Daz. Kathleen, qui nous a accompagnés, considère tout cela d'un air de suspicion.

— Pas de cierges ? murmure-t-elle, stupéfaite.

Qui éclairera la pauvre Nell dans son voyage au royaume des ombres ?

Patricia a les yeux rouges, mais elle a aussi un mauvais rhume et je ne pense pas que ce soit sur Nell qu'elle pleure. Morte, notre grand-mère est très semblable à ce qu'elle était durant les dernières semaines de sa vie. Sa peau est peut-être un peu plus jaune, et elle ressemble étrangement à la tortue de Christine Roper. Je suis désolée pour elle, et je me sens coupable de ne pas éprouver le chagrin qui m'a envahie lors de la mort des animaux de la Boutique.

En quittant la salle, Bunty se retourne et dit :

— C'était ma mère.

Je sens mes cheveux se dresser sur ma nuque, car je sais, avec la certitude née du pressentiment, qu'un jour, je dirai exactement la même chose.

★

217

L'été se déroule mollement, jour vide après jour vide. Mrs. Roper nous demande constamment de garder le Bébé-David, et nous passons un temps considérable à essayer de le perdre. L'une de nos distractions favorites consiste à jouer à cache-cache avec lui : nous le cachons quelque part — sous la haie, dans l'abri de jardin des Roper ou ailleurs — et nous allons nous occuper d'autre chose. En une occasion mémorable, nous avions complètement oublié où nous l'avions mis. Sans Rags, il y serait peut-être encore.

Par une chaude et accablante journée du milieu d'août, je m'aventure dans le garage à la recherche de je ne sais quoi — la balle du chien ou le Bébé-David — et je trouve de nouveau Bunty et Mr. Roper ensemble. Mais, cette fois, le spectacle est hautement instructif. Ne serait-ce que quant à la variété des sous-vêtements que Bunty dissimule habituellement sous sa robe. Et je vois aussi, dans la pénombre du garage, une chose étrange et menaçante pointer hors du pantalon de serge de Mr. Roper. Celui-ci s'agite beaucoup, et Bunty a une très curieuse expression sur le visage. Puis Mr. Roper — maintenant en pleine action — m'aperçoit du coin de l'œil, et son air passe de l'égarement à l'incrédulité.

— Salu-ut ! finit-il par haleter.

Je m'éclipse silencieusement des lieux du crime.

George se rend peut-être vaguement compte qu'il est en train de perdre sa femme, car il fait l'effort de lui proposer une sortie exotique — un dîner au restaurant chinois de Goodramgate. C'est là sa première erreur, car Bunty n'aime pas les nourritures étrangères. Elle n'en a jamais goûté aucune, mais elle sait qu'elle ne les aime pas. Sa deuxième erreur a été de nous inviter, Patricia et moi.

— Eh bien, dit Bunty en s'asseyant à table et contemplant la nappe rouge. C'est différent...

Des lanternes en papier rouge avec des franges dorées pendent du plafond, là où on pourrait s'attendre à voir des lampes normales. J'indique les lanternes à Patricia, qui me gratifie d'un sourire indulgent. Une petite musique piaillante se fait entendre en sourdine.

— Cet endroit est décoré comme un bordel, fait remarquer Bunty en grignotant, avec des mines prudentes, une galette soufflée à la crevette.

Elle pêche une petite fleur dans sa coupe de thé au jasmin et l'examine d'un œil critique à la faible lumière rouge de notre lanterne. George commande d'autorité le « dîner-de-trois-plats-pour-quatre » : salade de langoustines, chop-suey de bœuf, porc à la sauce aigre-douce, chow-mein de poulet, avec, pour suivre, des lychees en boîte et du café.

— Tu es déjà venu ici ! dit Bunty d'un ton accusateur.

— Ne sois pas bête ! fait George avec un rire forcé.

Mais il est évident qu'il est déjà venu, car le serveur lui fait un imperceptible signe de reconnaissance. En attendant, il épuise sur Bunty toutes les ressources de la conversation habituellement réservée aux clients de la boutique (« beau temps pour la saison, hein ?... Espérons qu'on ne le paiera pas cet hiver... »). Mais Bunty ne se laisse pas attendrir.

— Est-ce que cela va prendre encore longtemps ? demande-t-elle, dix secondes après que la commande a été passée.

La salade de langoustines arrive. À vrai dire, il est assez difficile de repérer les langoustines au milieu de la salade.

— J'en ai trouvé une ! fais-je triomphalement. J'ai trouvé une langoustine !

— Ne fais pas la maline, Ruby, dit George.

Patricia aligne ses langoustines sur le rebord de son assiette, où elles gisent comme de grosses virgules roses.

— Ce sont des crevettes, pas des langoustines, proclame-t-elle en les triturant du bout d'un cure-dent.

— Pour l'amour du Ciel ! fait George. Crevettes, langoustines, cela n'a pas d'importance !

— Sauf si tu es une crevette, rétorque Patricia.

Le plat suivant arrive, et, tout excitée, je m'exclame :

— Des baguettes !

— Tu ne comptes quand même pas que je me serve de ça ! déclare Bunty à George.

— Pourquoi pas ? Des millions de Chinois le font, répond George en tentant avec les siennes quelques mouvements de ciseaux parfaitement vains.

Bunty extrait de son assiette une pâle et flasque pousse de soja et demande :

— Qu'est-ce que c'est que *cela* ?

— Si nous mangions, tout simplement ? s'énerve Patricia.

Mais elle n'a pas l'air à l'aise. Elle s'agite sur sa chaise, et la couleur de sa peau se met à changer à vue d'œil, passant d'abord au rose-crevette, puis au rouge vif et enfin au blanc plâtreux. C'est à ce moment qu'elle tombe de son siège.

— Eh bien, lui dis-je lorsque je vais la voir à l'hôpital, on saura au moins que tu es allergique aux langoustines.

— Aux crevettes, rectifie-t-elle en m'offrant un chewing-gum aux fruits.

★

Intervient peu après une semaine d'achats frénétiques, Bunty venant de s'aviser qu'il me faut être équipée scolairement de pied en cap avant le début du trimestre. La liste fournie par Queen Anne est passablement effrayante, tant par la quantité d'articles qu'elle comporte que par le ton impératif sur lequel elle est rédigée. Des mots en capitales et des termes soulignés viennent mobiliser l'attention des parents enclins à la négligence ou au laisser-aller.

Exemple : « Jupe <u>bleu marine</u>, ample ou plissée, EN AUCUN CAS DROITE, avec poches. » Rien ne vient expliquer le caractère formel et même féroce de la condamnation portée contre les jupes droites. De même, les souliers seront « de préférence à talons plats et à semelle de caoutchouc (les souliers à brides et à bout découvert sont PROSCRITS) ». Curieusement, ce que porte habituellement Patricia n'a qu'un lointain rapport avec les effets mentionnés sur la liste — ce qui tendrait à confirmer la réputation de profonde dépravation dont elle a tenu à s'entourer — mais, pour moi, il n'est pas question d'échapper aux normes imposées, et des courses sans fin s'ensuivent.

Je ne sais pourquoi — mais probablement à cause des nouvelles distractions amoureuses de Bunty — ce sont là quelques-uns des moments les plus agréables que nous ayons jamais passés ensemble. Entre deux acquisitions de fragments d'uniforme scolaire, mous faisons halte dans des salons de thé, Bunty envoie promener ses chaussures sous la table, dévore d'énormes meringues à la fraise et paraît presque heureuse.

J'entre dans le secondaire comme un canard dans l'eau ; les cours de cinquante minutes, la discipline du réfectoire, les nouvelles amitiés et les menues brouilles, tout cela me paraît extrêmement reposant après le psychodrame permanent joué à la maison. La seule chose qui m'énerve est que, chaque fois qu'un professeur lit mon nom dans un registre, il lève la tête et demande d'un ton vaguement surpris :

— La sœur de Patricia ?

Comme si on n'avait jamais imaginé Patricia ayant une famille. Heureusement, nul ne semble se rappeler Gillian.

Quand je rencontre Patricia dans les couloirs, elle m'ignore complètement, ce qui est d'autant plus vexant que les autres « grandes » ayant des jeunes sœurs arrivant à l'école en font grand cas et les montrent à leurs amies comme des animaux familiers.

Le temps trotte, puis galope vers la fin du trimestre, et je m'emploie avec ardeur à tracer des cartes, faire des croquis du système de chauffage central des Romains et rédiger des phrases en français — une langue nouvelle, pensez donc ! Mon professeur de français dit que j'ai un don naturel des langues et je pratique ce ravissant langage qu'est le français à la moindre occasion : « *Je m'appelle Ruby. Je suis une pierre précieuse* »*. J'arrive à persuader Patricia de me donner la réplique, mais cela a le don de déclencher la paranoïa de Bunty, qui pense que nous parlons d'elle.

— *Notre mère*, dit suavement Patricia, *est une vieille vache, n'est-ce pas* * ?

★

Quand la radio annonce que Kennedy a été assassiné, je me trouve être la seule personne assise à la table de la salle à manger. Patricia, Bunty et George (dans l'ordre de disparition) ont tous quitté la pièce au fil d'une controverse ayant pris des proportions telles que tout ce qui a pu se passer à Dallas semble minime en comparaison. Le feu a été mis aux poudres par un paquet de cigarettes émergeant de la poche de poitrine du blazer de Patricia, derrière le blason de l'école et son encourageante devise *Quod potui perfeci*.

★

---

* En français dans le texte.

Je passe un temps appréciable à perfectionner mon twist en vue de la soirée de fin de trimestre que, traditionnellement, les élèves de première organisent pour les élèves de sixième. Patricia, qui n'a jamais été portée sur les soirées dansantes, s'abstient d'assister à celle-là, mais j'ai l'honneur d'être choisie par la chef de classe pour mener avec elle la gigue écossaise. Après les sandwiches à la confiture, nous dansons, mais malheureusement pas le twist : des danses languissantes et incertaines, où l'on traîne les pieds sans trop de cadence.

Mais tout cela n'a que peu d'importance ; j'ai un bulletin trimestriel superbe : « Ruby travaille très bien et c'est un plaisir de l'avoir dans la classe. » Je le mets sous le nez de Bunty, puis de George, puis de Patricia, mais aucun d'eux ne manifeste le moindre intérêt, même lorsque je finis par le coller au scotch sur la porte de ma chambre.

Peu avant le Nouvel An, nous passons dans la Cinquième Dimension avec l'arrivée de Daisy et de Rose, qui viennent de perdre leur mère. Elles dorment dans le lit, maintenant vide, de Nell et on ne les voit à aucun moment pleurer. Tante Babs leur a sûrement envoyé un message du Monde des Esprits, mais elles ne le divulgueront certainement pas. Bunty passe son temps à nous faire remarquer combien les jumelles sont bien élevées, mais je crois que ce qu'elle apprécie chez elles, c'est qu'elles ne disent jamais un mot.

Le soir du Nouvel An, je suis au lit et endormie bien avant les cloches, mais, peu avant l'heure fatidique, je suis réveillée par Patricia, ivre et avide de raconter sa vie. Elle a avec elle une bouteille de sherry doux aux trois quarts vide dont elle avale de temps à autre une gorgée. Elle m'en propose, mais je refuse. Elle avait projeté d'aller voir arriver la nouvelle année dans les collines, à l'arrière de la moto d'Howard, mais ils s'étaient disputés.

— Il a décidé de devenir comptable, explique-t-elle.

L'alcool la fait légèrement bredouiller. Elle allume tant bien que mal une cigarette, une expression de profond dégoût sur le visage. Je lui demande prudemment :

— Et qu'est-ce que tu vas être, toi, Patricia ?

Elle souffle sa fumée d'un air pensif et répand de la cendre un peu partout.

— Sais pas, dit-elle finalement.

Puis, au bout d'un moment :

— Je pense que j'aimerais simplement être heureuse.

De toutes les ambitions de Patricia, celle-ci semble la plus extravagante.

— Eh bien, lui dis-je, alors que la première cloche se met à sonner pour annoncer 1964, si j'avais pour un jour la lampe d'Aladin, Patricia, tu le serais !

Mais, la regardant de plus près, je m'aperçois qu'elle s'est endormie. Je lui retire sa cigarette d'entre les doigts, et je l'écrase sur la dernière page de mon calendrier « Vieille Angleterre », où figure un ravissant cottage à toit de chaume, avec des rosiers grimpants autour de la porte et de la fumée s'échappant de la cheminée.

## LES BOTTINES NEUVES

La fin de la guerre des Boers ! Toute la journée, les rues avaient été pleines de gens célébrant l'événement. Par une heureuse coïncidence, une grande foire avait lieu à St. George's Field, et Lillian et Nell comptaient bien s'y rendre. Albert était parti à la pêche avec son ami Frank, et Tom avait déjà quitté la maison pour un meublé de Monkgate. Lillian avait maintenant quinze ans, Nell quatorze, et toutes deux travaillaient. Lillian était employée au service d'emballage de Rowntree. Lorsqu'elle avait quitté l'école, Rachel l'avait d'abord placée comme servante, mais, un beau matin, elle s'était rebellée, et avait proclamé, les bras croisés et le menton levé, qu'elle ne cirerait les bottes de personne. Nell, ensuite, avait prié de toutes ses forces pour que sa sœur trouve un nouveau travail, car elles avaient désespérément besoin de bottines neuves, et Rachel disait qu'elles n'en auraient que lorsque Lillian rapporterait un salaire à la maison. Leurs vieilles bottines étaient si usées qu'elles pouvaient sentir les pavés sous leurs pieds.

Nell ne gagnait presque rien ; elle était en apprentissage chez une modiste de Coney Street, et, de toute manière, les deux filles devaient remettre chaque sou de leurs gages à Rachel, qui leur rétrocédait ensuite, à contrecœur, quelques petites pièces. Elles eurent toutefois leurs bottines neuves avant que Lillian eût retrouvé du travail, car celle-ci était un jour, à titre de protestation, sortie pieds nus dans la rue. Rachel, rouge de fureur, leur avait alors, pour ne pas perdre la face, donné l'argent nécessaire.

— Pouvons-nous aller à la foire après dîner ?

C'était bien sûr Lillian qui avait posé la question. Nell était si timide qu'elle laissait sa sœur servir d'interprète. Rachel ignora complètement Lillian.

— Dis « s'il te plaît », lui murmura Nell à l'oreille.

Lillian fit un effort :

— Pouvons-nous aller à la foire après dîner, s'il te plaît ?

— Non.

— Et pourquoi non ?

— Parce que j'ai dit non, rétorqua Rachel, en les dévisageant tour à tour comme si elle avait eu à faire à de complètes idiotes.

Puis elle ramassa sur la table une pile de linge et sortit de la cuisine. Lillian ramassa une cuillère en bois et la lança sur elle. Pour se venger, Rachel attendit que les deux filles aient gagné leur chambre pour les y enfermer.

★

Assises sur le plancher, Lillian et Nell laçaient leurs bottines neuves. Faites de cuir noir très souple, c'étaient les plus belles qu'elles aient jamais eues.

— Elle va s'en apercevoir, dit Nell.

— Je m'en fiche, répondit Lillian en soulevant le panneau de la fenêtre à guillotine.

La famille habitait encore un appartement au premier étage d'une minable maison de Walmgate, et la chambre des deux filles ouvrait sur une cour humide, où la mousse recouvrait les pavés et d'où montait une tenace odeur d'égout. Mais, curieusement, au milieu de cette cour, avait poussé dans une fissure un grand lilas au tronc rugueux, aux branches puissantes et aux fleurs riches et parfumées. C'était sur lui que comptait Lillian pour s'évader de la chambre.

— Les branches vont sûrement se casser, fit Nell, comme sa sœur commençait à enjamber la fenêtre.

— Ne dis pas de bêtises, Nelly ! répondit à voix basse Lillian, qui, après s'être un instant balancée au bout d'une branche, avait déjà saisi le tronc du lilas.

— Attention à tes bottines, Lily ! souffla Nell alors que Lillian se laissait glisser le long du tronc rugueux.

— Allez, viens, Nelly ! C'est facile ! dit Lillian lorsqu'elle fut arrivée en bas.

Assise sur le rebord de la fenêtre, Nell se pencha, mais elle eut aussitôt un mouvement de recul. Elle avait toujours été sujette au vertige, mais elle savait très bien que c'était moins la peur du vide que la crainte de Rachel qui la paralysait à ce moment. Elle secoua la tête misérablement et dit :

— Je n'y vais pas, Lily.

Lillian tenta de la convaincre, mais en vain. À la fin, excédée, elle lança :

— Que tu peux être trouillarde, ma pauvre Nelly ! Eh bien, moi, j'y vais quand même !

Elle partit sans se retourner, et Nell resta un long moment perchée à la fenêtre. La douce brise de cette soirée de mai lui apportait les bruits de la foule célébrant, dans les rues, la fin de la guerre. Les larmes de Nell avaient fini par sécher et les étoiles paraissaient déjà dans le ciel bleu sombre lorsque Lillian revint, la coiffure en désordre et ses bottines neuves toutes éraflées, mais un sourire triomphant aux lèvres.

Nell lui ouvrit la fenêtre et l'aida à regagner la chambre.

— C'était vraiment merveilleux, Nelly ! fit-elle, les yeux brillants.

Dans la nuit, le vent se leva et il commença à pleuvoir. Nell fut réveillée par le bruit d'une branche de lilas frappant contre la vitre. Elle resta longtemps sans se rendormir, allongée, les yeux ouverts, dans le noir, écoutant la respiration tranquille de sa sœur dormant à côté d'elle.

Nell aurait bien aimé ressembler un peu plus à Lillian.

CHAPITRE IX

1964

## VACANCES ÉCOSSAISES

Cette fois, nous sommes partis ! Partis en vacances.

— Nous sommes partis ! dis-je d'un ton enthousiaste à Patricia.

— Tais-toi, Ruby ! répond-elle aussitôt.

Taitoiruby, taitoiruby, cela semble être le refrain du monde patricien ces temps-ci. Patricia est très occupée à tracer des croquis obscènes dans la buée recouvrant les vitres de la voiture. Il fait froid et humide à l'intérieur comme à l'extérieur, ça ne semble pas d'excellent augure pour les vacances qui commencent. Mais les années de villégiature strictement régionale (Bridlington, Whitby) sont révolues et les destinations lointaines (comme le Pays de Galles) nous sont promises, en commençant par la plus exotique de toutes : l'Écosse.

Qui plus est, nous voyageons en convoi — ou au moins en tandem. À la tête de notre caravane à deux chameaux, il y a la Ford Consul Classic de nos voisins et amis, les Roper. Bunty aurait pu faire une formidable joueuse de poker à en juger par le visage impassible qu'elle réussit à conserver quand George propose l'idée de vacances communes après « avoir taillé une bavette » avec Mr. Roper par-dessus la haie. Bunty et moi sommes occupées à faire griller toasts et crumpets pour le thé lorsque George entre dans la cuisine, venant du jardin et mettant de la boue un peu partout.

— Je viens de tailler une bavette avec Clive, annonce-t-il. Que dirais-tu d'aller en vacances avec les Roper cet été ?

Bunty affiche son sourire le plus faux et répète :

229

— Les Roper ?

À ce moment, un déclic se fait entendre et un toast jaillit de façon spectaculaire du grille-pain.

— Les Roper ? fais je d'un ton horrifié tout en attrapant au vol le toast.

— Eh bien, pourquoi pas ? reprend Bunty, en s'emparant du toast, le beurrant et le proposant à George.

Il refuse et va se laver les mains dans l'évier. Bunty est, de toute évidence, en proie à quelque émotion violente, car elle ne fait même pas remarquer à son époux qu'il a laissé des traces boueuses sur son beau carrelage de vinyle rouge et blanc. Un mari un peu plus lucide aurait pu immédiatement comprendre qu'il était cocu.

★

De temps à autre, Kenneth apparaît derrière la vitre arrière de la voiture des Roper pour nous gratifier de toute une série de grimaces diverses, mais la partie féminine du clan Lennox l'ignore stoïquement. Bunty se contente visiblement de se convaincre de la chance qu'elle a eue de ne pas avoir de garçons, mais George, lui, finit par exprimer le fond de sa pensée :

— Sale petit con ! maugrée-t-il.

George, il est vrai, a besoin de tous ses pouvoirs de concentration pour rester dans la roue des Roper. Nous sommes terrifiés à l'idée de perdre notre chef d'escadrille, car il est le seul qui sache comment arriver en Écosse. De temps à autre, Bunty pique une crise de panique et crie à George :

— Il double quelqu'un ! Vite, vite, mets ton clignotant !

Pourtant, suivre aveuglément et servilement les Roper est encore infiniment préférable à se fier à la navigation erratique de Bunty :

— B 125, B 126, quelle différence ?... Pourquoi saurais-je ce qu'il y a sur le panneau ? C'est toi qui conduis, après tout...

Il faut toutefois reconnaître qu'en ce moment, Mr. Roper ne semble pas faire beaucoup mieux ; apparemment, il nous fait tourner en rond à l'infini dans les faubourgs de Carlisle.

— Mais qu'est-ce qu'il fout ? marmonne George en reprenant pour la troisième fois le même rond-point.

— Je reconnais cette poissonnerie, dit Bunty.

— Et ce garage, fait George en secouant la tête. À quoi il joue ? Je savais bien qu'on aurait dû prendre par Newcastle...

— Eh bien, gros malin, si tu le savais, pourquoi ne l'as-tu pas dit ? rétorque Bunty avec irritation.

Je ne trouve pas très habile, de la part de notre mère, de défendre son amant avec cette véhémence. Je lance un regard de côté à Patricia pour voir ce qu'elle en pense, mais elle est très occupée à traduire le Kama Soutra dans la buée de la vitre. Je trouve ce comportement un brin puéril. Mais moins, sans doute, que celui de Bunty quelques secondes plus tard ; elle demande à George d'arrêter la voiture et de la laisser descendre. C'est fou ce qu'une querelle peut prendre comme proportions dès qu'on tourne un instant le dos !

— Et qu'est-ce que tu vas faire ? demande George. Rentrer à pied ?

Il n'a droit à aucune réponse, car, à ce moment précis, le clignotant de Mr. Roper entre en action.

— Il ralentit ! crie Bunty d'une voix aiguë. Il s'arrête !

George freine si brutalement que nous sommes presque éjectées de nos sièges.

George et Mr. Roper ont un conciliabule animé sur le trottoir, tournant en tous sens une carte routière jusqu'au moment où ils semblent tomber à peu près d'accord. Bunty s'agite sur son siège, pestant équitablement contre la stupidité de son mari et celle de son amant. Christine passe la tête à une portière et agite la main. La perspective de passer deux semaines — sans remise de peine — avec Christine Roper n'est pas des plus réjouissantes. Elle me traite comme une esclave, et si nous étions dans l'ancienne Égypte, je me retrouverais en train de lui bâtir une pyramide de mes propres mains. Je lui rends docilement son salut. On ne voit pas trace du Bébé-David ; peut-être l'ont-ils mis dans le coffre ?

Nous repartons et, au bout de quelques instants, je demande d'un ton plaintif :

— Quand allons-nous manger ?

— Manger ? dit Bunty avec une expression de totale incompréhension.

— Oui, manger, intervient Patricia d'un ton sarcastique. Tu sais : manger, se nourrir, s'alimenter. Tu as entendu parler de cela ?

— Ne parle pas à ta mère sur ce ton ! rugit George.

Patricia s'enfonce de nouveau dans son siège en répétant à plusieurs reprises : « Ne parle pas à ta mère sur ce ton. » Elle se coiffe maintenant en deux lourds bandeaux, équitablement répartis sur son front, conséquence de sa découverte de Joan Baez. Dans le même esprit, elle parle beaucoup d'« injustice » et de « discrimination raciale » (en Amérique, tout au moins, car, à York, nous ne regorgeons pas de gens de couleur, et, au lycée, ce qui s'en rapproche le plus est une Allemande très brillante, Susannah Hesse, qui est là pour un an à la suite d'un échange scolaire. Patricia ne cesse de lui courir après pour lui demander si elle se sent persécutée racialement, mais ses réponses ne sont guère encourageantes). Naturellement, Patricia a tout mon appui dans sa campagne contre l'injustice, mais George estime qu'elle ferait mieux de préparer son bac. Elle a récemment « éjecté » Howard, ce qui explique peut-être son air morose et ses propos amers.

Quelque part au sud de Glasgow, nous quittons la route principale pour aller déjeuner dans un hôtel. La chose est exceptionnelle : habituellement, nous emportons des sandwiches, que nous mangeons en continuant à rouler. Bunty se refait une beauté avant de descendre de la voiture ; après tout, elle s'apprête à aller déjeuner dans un hôtel avec son amant, ce qui constitue une situation assez excitante, malgré la présence intempestive d'un époux, d'une épouse et de cinq enfants. Mais justement, une petite seconde : il y a quelque chose qui manque à l'inventaire. Je me tourne vers Patricia et lui demande :

— Où est Rags ?

— Rags ?

Nous tournons toutes deux nos regards vers la nuque de notre mère, qui est en train de se repoudrer, de sorte qu'en plus de la nuque, nous pouvons entrevoir un morceau de visage dans la glace du poudrier.

— Qu'as-tu fait de Rags ? demandons-nous en chœur.

— Le chien ? dit-elle de ce ton détaché qui n'augure jamais de rien de bon. Ne vous inquiétez pas : on en a pris soin.

Patricia est prompte sur la balle :

— Qu'est-ce que tu veux dire par « on en a pris soin » ? Comme Hitler a pris soin des Juifs ?

— Ne sois pas stupide, dit Bunty d'un air hautain, en achevant de se peindre un éblouissant sourire sur les lèvres.

Sur quoi George intervient en frappant à la vitre et criant qu'on « n'a pas toute la journée ».

— Oh, mais si ! fait Patricia. Nous avons toute la journée aujourd'hui, toute la journée demain, et toute la journée le jour d'après, crois-moi !

— Oh, pour d'amour du Ciel, Patricia ! s'exclame Bunty en refermant son poudrier avec un bruit sec. Allons déjeuner...

★

Je tirerai un voile pudique sur ce fameux déjeuner. Il me suffira de dire que le « potage à la tomate maison » fleurait bon la boîte de conserve et que Bunty et Mr. Roper passaient leur temps à échanger des regards énamourés, apparemment à l'insu de tout le monde sauf de moi. Bunty n'a jamais fait allusion au fait que je l'ai prise *in flagrante delicto* dans le garage avec Mr. Roper — ce qui est compréhensible : que pourrait-elle dire ? Je n'en ai pas non plus parlé à Patricia (on ne peut plus parler de rien à Patricia ces temps-ci), de sorte que je ne sais pas si elle est au courant du comportement adultérin de notre mère.

Nous remontons dans notre vieille Wolseley et nous repartons. Pour nous arrêter presque immédiatement (« Il a mis son clignotant ! Arrête ! Arrête ! ») afin que Kenneth puisse vomir sur le bas-côté de la route.

Les problèmes reprennent aux abords de Glasgow, ville dont nous semblons nous approcher en cercles concentriques.

— Je croyais qu'il avait été pilote dans la RAF, fulmine George abandonnant toute retenue et toute complaisance. Je me demande comment il a fait pour trouver Dresde. Il n'est pas foutu de reconnaître sa droite de sa gauche...

— Toi non plus, fait Bunty, la bouche mauvaise.

Mais le vrai drame éclate quand les deux voitures se trouvent séparées par un feu rouge en haut de Sauchiehall Street.

Bunty pousse un beuglement de désespoir :

— On les a perdus ! On les a perdus !

À ce point, je juge préférable de faire la morte. Patricia simule déjà le coma dépassé.

Les choses s'arrangent un peu de l'autre côté de Dumbarton ; une autoroute nous garantit une relative tranquillité. Patricia nous lit à haute voix des passages de *Tristram Shandy*, ce qui a pour effet d'endormir à moitié Bunty.

Nous traversons Crianlarich sous une pluie battante, et ce n'est que quelques kilomètres plus loin que nous nous apercevons que nous sommes allés à droite au moment nous aurions dû aller à gauche. (« Qu'est-ce qu'il fait ? Il tourne ! Il tourne ! »)

Où est l'Écosse ? Qu'est-ce, l'Écosse ? Est-ce de la pluie solidifiée en maisons et en collines ? Est-ce de la brume découpée en cafés et en auberges routières ? Nous nous rendons à un endroit qui sonne comme « Och-na-cock-a-leekie ». Les Roper et nos parents ont été aguichés par une brochure intitulée *Vacances à la ferme en Écosse*, et se sont mis à rêver de scones tout chauds ruisselants de beurre jaune et salé et de porridge noyé de crème fraîche.

Je viens de m'endormir sur l'épaule osseuse de Patricia lorsque la voiture s'arrête de nouveau avec un terrible gémissement de freins martyrisés. (« Pourquoi diable s'arrête-t-il ? ») Sur la route, Mr. Roper fait de grands gestes d'excuse tandis que sa femme sort le Bébé-David de la voiture et le tient au-dessus de l'herbe du fossé. Une matière jaune et suspecte s'échappe de ses régions inférieures.

— Pourquoi a-t-elle besoin de faire des choses pareilles en public ? demande Bunty avec des accents de profond dégoût. Elle a peut-être été dans une école privée, mais, malgré son accent snobinard, cette femme n'est qu'un souillon !

Souillon ! Quel mot nouveau et merveilleux !

— Oui, un souillon ! répète fermement Bunty. C'est tout ce qu'elle est !

— Pas une traînée comme toi ? demande tout tranquillement Patricia.

Tout le monde entend, mais cela paraît tellement énorme que personne n'y croit — et que rien ne se passe. Il y a un long silence, puis Patricia et moi commençons à chanter en chœur de longues et tristes mélopées qui finissent par faire craquer pour de bon les nerfs déjà à vif de Bunty.

— Taisez-vous, toutes les deux ! hurle-t-elle.

Et elle nous donne des chips aux oignons pour nous occuper la bouche.

La route se fait de plus en plus étroite. Le temps se fait de plus en plus humide. Et, autour de nous, tout se fait de plus en plus sombre — sans qu'on puisse vraiment savoir si c'est dû à la tombée de la nuit ou à la pluie. Nous connaissons encore un arrêt brutal (« Ce n'est pas croyable ! ») et voyons Kenneth trottiner vers des buissons en déboutonnant la braguette de sa culotte de flanelle grise.

— Pourquoi n'a-t-il pas fait cela la dernière fois qu'ils se sont arrêtés ? s'exclame Bunty. Cette femme ne pense donc à rien ?

Sur quoi Christine sort de la voiture et va rejoindre son frère derrière les buissons, tandis que Mrs. Roper brandit de nouveau le Bébé-David au-dessus du fossé.

— Ils y sont pourtant tous allés à l'hôtel, remarque Bunty sur un ton voisin de l'incrédulité.

— Ce n'est pas la destination qui est importante, fait rêveusement Patricia, c'est le voyage.

(Elle lit *Jack Kerouac* en même temps que *Tristram Shandy*, ce qui explique son choix de formules.)

— Est-ce que cette route a un numéro ? demande George, penché sur son volant pour essayer de mieux y voir. J'aimerais qu'il se décide à allumer ses putains de phares !

Lui-même fait clignoter désespérément ses lumières. Peu après, un élément aussi nouveau qu'inquiétant apparaît sur la route sans nom ni numéro : les moutons.

— Ils sont partout, ces cons-là ! s'exclame George sur le ton de l'horreur.

Bunty doit se mettre en alerte constante (« En voilà un ! Attention au petit qui court ! Celui-là va traverser ! Un autre à gauche ! »).

Puis la catastrophe survient, occasionnée non par un mouton, mais par un pneu crevé du côté de la Consul Classic.

— Tu vois bien ! triomphe George, à qui Bunty n'a cessé de faire remarquer combien la voiture des Roper était plus moderne et élégante que la nôtre.

— Un pneu crevé, cela peut arriver à tout le monde ! réplique-t-elle d'un ton acide.

— C'est la route de la vie, proclame Patricia avec le sourire de Bouddha.

Avec beaucoup de réticence, George descend de la voiture et va aider Mr. Roper à changer sa roue. Plus exactement, Mr. Roper change la roue et George lui passe les outils, telle une infirmière assistant un grand chirurgien. Bunty est également descendue et se livre à des comparaisons partisanes entre la maladresse de George et la confondante maîtrise de Mr. Roper. Pendant tout ce temps, Kenneth tourne en rond, les bras étendus à l'horizontale, en émettant un bourdonnement régulier. Il fait mine d'être un avion, un insecte à ailes fixes ou les deux à la fois.

— Dieu merci, je n'ai que des filles ! fait Bunty en remontant en voiture.

C'est bien la première fois que notre existence semble lui inspirer quelque satisfaction.

Nous arrivons sans aucun doute à notre but ; nous traversons plusieurs villages en « Och-na-cockna » avant d'atteindre le bon. Là, nous prenons à gauche, nous faisons demi-tour, nous prenons à droite, nous refaisons demi-tour et nous reprenons à gauche.

— Quel con ! fait George, à la grande désapprobation de Bunty.

Mais, à la fin, nous y sommes ; au bout d'un chemin boueux, nous arrivons dans une cour également boueuse, semant la panique au sein d'une troupe de poulets particulièrement criards. Sur un côté s'étend un long bâtiment bas, sur un autre se dresse une grange en fort piteux état et, au fond, une grande maison de pierres grises — notre maison pour les infernales vacances qui s'annoncent.

*

Les fermiers, nos hôtes pour les deux semaines à venir, s'appellent von Leibnitz, ce qui ne me paraît pas très écossais. Pourquoi n'avoir pas plutôt choisi, dans la brochure, une ferme exploitée par un McAllister, un Macbeth, un McCormack, un McDade, un McEwan, un McFadde — voire même un MacLeibnitz ?

Nous apprenons plus tard que Mr. von Leibnitz (Heinrich) était un prisonnier de guerre allemand, qui, envoyé pour travailler dans cette ferme, avait fini par épouser la veuve du fermier, Aileen Mcdonald (actuelle Mrs. von Leibnitz) après que celui-ci eut été tué en Afrique du Nord. La chose, jointe au fait que Mrs. von Leibnitz venait à l'origine d'Aberdeen, avait contribué à les faire considérer comme de parfaits étrangers à Och-na-cock-a-leekie, ce qui expliquait peut-être leur côté rébarbatif et austère. Même Bunty pourrait passer pour pleine d'humour à côté de nos hôtes, qui semblent unir la mélancolie prussienne à la sévérité presbytérienne.

Une grande agitation entoure l'attribution des chambres à coucher. Comment se répartir ? Les garçons avec les garçons, et les filles avec les filles ? Les Roper avec les Roper, et les Lennox avec les Lennox ? Et pour les adultes ? Le mari avec la femme — ou non ? Finalement, Mrs. Roper expédie le problème avec une souveraine efficacité, tandis que Bunty échange avec Mr. Roper des regards lourds de sous-entendus.

Mrs. Roper met toutes les filles ensemble, dans une mansarde qui sent le moisi. Patricia se précipite aussitôt sur le petit lit, me laissant partager le grand avec Christine, qui passe la moitié de la nuit à me dire de me pousser alors que je suis déjà à l'extrême bord, et l'autre moitié à grincer des dents et à marmonner dans son sommeil.

Pour notre premier petit déjeuner, on nous sert, à une longue table de chêne sombre dans une salle à manger glaciale, des assiettées de porridge tiède, sans lait ni sucre, puis une tranche de bacon chacun avec un petit tas de haricots en conserve froids. Cela ressemble plus à un menu de prison qu'à un menu de vacances.

— Des haricots *froids* ? s'étonne Bunty.

— C'est peut-être comme cela que les Écossais les mangent, dit Mr. Roper. Ou les Allemands...

C'est à ce moment que Patricia se lève de table en informant l'assemblée qu'elle va être malade, et, de fait, elle vomit avant même d'avoir gagné la porte. Et pourtant, elle n'avait encore rien mangé ! Nous sommes en vacances depuis moins de vingt-quatre heures, et trois personnes déjà ont restitué le contenu de leur estomac. Combien va-t-il y en avoir encore ? (Beaucoup.)

*

Il n'y a vraiment pas grand-chose à faire dans cette ferme. On peut contempler les cinq vaches, dont le lait va directement à la coopérative et non dans notre porridge, persécuter les quatre poules, et promener un regard distrait sur quelques champs d'orge aplatis par la pluie. Rien d'autre à voir, en dehors des moutons, éparpillés au loin sur l'herbe des collines.

Il semble que ce soit encore plus loin, au-delà des collines, au-delà, en tout cas, des limites de la propriété des von Leibnitz, que se situe la véritable Écosse (j'ai lu *Rob Roy*, *Waverley* et *La Jolie Fille de Perth* pour me préparer à ce voyage). On voit se lever à l'horizon une masse pourpre et lilas qui vient se dissoudre dans le ciel, avec, sur un côté, une masse d'arbres vert sombre.

— Oui, dit Mr. von Leibnitz, d'humeur plus communicative qu'à l'habitude, z'est une bartie de l'anzienne Vorêt Kalétonienne...

Nous découvrons avec surprise que nous ne sommes pas du tout près de la mer, contrairement à des prévisions un peu trop optimistes. Dans la recherche des responsabilités pour ce fâcheux état de choses, les talents géographiques de Mr. Roper sont de nouveau mis en cause par George (sous les protestations de Bunty). Plusieurs excursions sont prévues, non seulement vers la mer, mais vers des endroits « d'intérêt historique ou architectural » — Mrs. Roper s'est munie d'un guide. Notre première expédition doit nous mener à Fort William en passant par le fameux site de Glencoe.

— Pourquoi « fameux » ? demandé-je à Mrs. Roper, qui tient son guide d'une main et une couche sale du Bébé-David de l'autre.

— Un massacre, répond-elle sans plus de détails.

— Un massacre, dis-je à Patricia.

— Oh ! Excellent ! fait-elle d'un air gourmand.

Si bien que je me hâte de préciser :

— Non, non ! Un massacre historique...

Mais, à l'expression de Patricia, on voit qu'elle ne pense nullement aux Campbell et aux McDonald\*, mais bien aux Roper et aux Lennox. Ou peut-être seulement aux Lennox.

À notre arrivée à Glencoe, entre les collines sombres et menaçantes, un nuage noir s'installe au-dessus de nos têtes, tant au sens réel qu'au sens métaphorique. Nous arrivons à Fort William sous la pluie, mais sains et saufs et sans massacre derrière nous. Nous allons nous abriter des intempéries dans une « auberge »,

---

\* En 1692, à Glencoe, les hommes du clan Campbell surprirent et massacrèrent ceux du clan McDonald, acquérant ainsi une réputation discutable dans l'histoire des Highlands. (*N.d.T.*)

pleine de voitures d'enfant, d'imperméables humides et de parapluies dégoulinants. Les adultes, comme ils persistent comiquement à s'intituler, prennent du café dans des tasses en pyrex.

— Du sucre, Clive ? propose Bunty avec un sourire aguicheur en tendant à Mr. Roper la coupelle d'acier inoxydable comme si elle contenait les pommes d'or d'Aphrodite et non du simple cristallisé brun.

Comme fascinés, nous regardons tous Mr. Roper tourner inlassablement sa petite cuillère dans la tasse — jusqu'au moment où Mrs. Roper s'exclame :

— Mais, Clive, tu ne prends jamais de sucre !

Nous nous réveillons tous en sursaut.

Patricia boit à petites gorgées un verre d'eau, je prends une tasse de thé, Christine du lait, Kenneth un Fanta, et on octroie au Bébé-David un milk-shake à la banane que Mrs. Roper lui verse dans son gobelet. Le milk-shake à la banane a une couleur jaune des moins catholiques et je ne m'étonne nullement de voir le Bébé-David en régurgiter la majeure partie au bout de quelques minutes. Patricia se retire alors précipitamment derrière une porte marquée « Lassies » *, mais je suis heureuse et fière de dire que personne d'autre ne bouge.

Nous nous apercevons que nous avons laissé le guide à Ochna-cock-a-leekie et errons dans les rues à la vaine recherche d'un lieu d'intérêt historique ou architectural. Nous échouons finalement à la Wee Highland Gift Shop, où nous faisons emplette de nombreux objets totalement inutiles mais tous ornés de chardons et de bruyère. Mais je suis personnellement très satisfaite de mon *Guide de poche illustré des tartans écossais*, même si la moitié des tartans en question n'y sont reproduits que dans un noir et blanc assez flou. Très inconsidérément, nous achetons des sucreries en grandes quantités : caramel au whisky, rocs d'Édimbourg et le reste. Une averse de grêle précipite notre retour au bercail.

Sur le chemin du retour, nous substituons au déjeuner la consommation de nos emplettes, et il ne nous faut pas longtemps pour voir la voiture des Roper s'arrêter et le Bébé-David en être propulsé pour achever de se vider l'estomac. Deux

---

* « Filles » en écossais.

minutes plus tard, Patricia nous contraint à faire halte à notre tour. Même l'inébranlable Mrs. Roper doit aller « respirer un peu d'air frais » sous le ciel menaçant de Glencoe. Puis Patricia se remet à gémir, et nous devons nous arrêter de nouveau. Je tente de compatir mais n'obtiens qu'une réponse :

— Taitoiruby !

\*

Chose peu surprenante, il se passe plusieurs jours avant que nous n'entreprenions une autre excursion. Entre-temps, nos passe-temps sont simples : nous regardons traire les vaches et Patricia devient très amie avec l'une des poules. Pour le soir, il y a un piano droit, très désaccordé, sur lequel Christine nous gratifie de ses interprétations très personnelles de *My bonnie lies over the ocean* et *Home, sweet home\**, chanson dont Patricia et moi n'avons jamais très bien compris la popularité. Pour la lecture, nous avons le choix entre des condensés de romans du *Reader's Digest* et une énorme Bible reliée de cuir noir, assez lourde pour couler un croiseur-cuirassé. Nous jouons, bien sûr, aux jeux habituels, et, en supplément, Mrs. Roper nous enseigne à tous le piquet. Un précédent vacancier a laissé un Cluedo, que nous utilisons abondamment, mais, au lieu d'apaiser nos instincts meurtriers, ce jeu semble bien les renforcer. Il n'y a, bien sûr, pas de télévision chez les von Leibnitz, ce qui nous permet d'apprécier plus pleinement encore les délices de la vie au sein d'un foyer bicéphale.

Nous passons quelques journées de tranquillité relative au Loch Sans-Fond.

— Vraiment sans fond ? demande Mr. Roper.

— Oui, sans fond, confirme Mr. von Leibnitz.

Le « loch » ressemble plutôt à un étang aux eaux particulièrement sombres. Mr. von Leibnitz prête à ses pensionnaires quelques cannes à pêche, et Mrs. Roper, Mr. Roper et George passent de longs moments à les plonger et les replonger dans l'eau, mais sans rien prendre. Je suppose qu'avec cette absence de fond, tous les poissons ont été aspirés vers l'Australie.

---

\* « Foyer, doux foyer ».

Pendant ce temps, le Bébé-David circule à quatre pattes comme un gros scarabée, et Patricia, qui lit *Humphrey Clinker* allongée dans l'herbe, le foudroie du regard chaque fois qu'il s'approche d'elle.

Bunty tourne autour du loch avec des regards qui en disent long. La présence de Mrs. Roper contrarie sérieusement ses amours mais ses pérégrinations l'amènent très souvent à entrer en collision avec l'objet de sa flamme. Le nombre de fois dans une journée où leurs doigts se rencontrent comme par hasard, où leurs corps s'effleurent, est effarant.

Christine tente de m'entraîner dans toute une série de jeux de son invention, toujours fondés sur l'idée que nous sommes des chevaux. Il est difficile de l'éviter, et je tente le plus souvent de m'en tirer en galopant plus vite qu'elle vers la colline la plus proche. Parfois, je suis aidée par les circonstances, d'autres affaires venant détourner l'attention de Christine (« Mon Dieu, où est le bébé ? » — « Kenneth, veux-tu bien sortir de l'eau immédiatement ! »).

Je préfère rester aussi loin que possible du loch. Il crée chez moi un sentiment de malaise, et si je m'approche trop du bord, j'ai l'impression que je vais être aspirée par ses eaux noires et sans fin. Cela me rappelle quelque chose, mais quoi ?

*

Patricia continue à être nauséeuse presque tout le temps, mais tous les autres semblent avoir retrouvé leur équilibre. En conséquence, une autre excursion est prévue pour lundi, à Oban, cette fois. Après tout, comme le souligne en riant Mr. Roper, cela ne peut pas être pire que le déplacement à Fort William.

Les problèmes habituels se présentent en route ; nous devons slalomer entre les moutons et suivre au pas pendant près d'un kilomètre et demi un animal particulièrement insouciant (« Écrase-le donc, cet imbécile ! »). Patricia vomit dans la bruyère.

— Qu'est-ce qui ne va pas, Patricia ? demande Bunty d'un ton peu amène.

— C'est ton âme, Patricia ? interviens-je avec compassion.

— Taitoiruby.

En descendant vers Oban, nous pouvons apercevoir la mer,

241

qui semble l'extrémité du monde, et le ciel translucide au-dessus. Solitaire au bord de la route, un joueur de cornemuse en grand costume (je reconnais le kilt des Andersen) nous salue au passage d'une lugubre et tremblotante complainte. Je trouverais finalement ces vacances agréables si on voulait bien me laisser tranquille. Mais non, il est déjà question d'un « petit tour en bateau après le déjeuner ». Mr. Roper se frotte très accidentellement contre Bunty au moment où nous entrons dans un restaurant d'hôtel avec moquette en tartan (aux couleurs des McGregor). Nous mangeons tous du poisson et des frites, à l'exception de Patricia qui, après une frite, devient aussi verte que les eaux du port.

Le Ferry de Mull s'éloigne majestueusement tandis que nous nous entassons à bord de notre propre embarcation, le *Bonny Bluebell,* qui a l'air d'une toute petite barque de pêche. Au-dessus de son point d'amarrage, une pancarte annonce : « Promenades dans la baie — Mr. A. Stewart, propriétaire. »

En m'asseyant tout près de Patricia sur un banc humide, je me dis et me répète que rien de bien grave ne peut arriver ; le temps est beau et la baie relativement petite. Le moteur se met à tousser et nous partons. Bunty n'aurait certainement jamais mis le pied sur ce bateau si elle n'avait pas été aveuglée par l'amour, et à peine sommes-nous sortis du port qu'elle comprend son erreur. Elle devient toute blanche et murmure :

— Oh, non !

— Qu'est-ce qu'il y a, Bunty ?

La voix de Mr. Roper est si pleine de tendre compassion que Mrs. Roper et George lèvent brusquement la tête. L'attention de Mrs. Roper est immédiatement détournée par le Bébé-David, pris d'une de ses envies habituelles, mais George, lui, est dorénavant sur ses gardes, et observe les amoureux d'un œil d'oiseau de proie.

Dès la sortie du port, les eaux jusque-là tranquilles s'enflent soudain de vagues de plus en plus amples. La houle s'accentue et des rafales de vent viennent bousculer le petit bateau et ses joyeux occupants.

— Pauvre Bunty ! fait Mr. Roper, tandis que l'objet de sa commisération rend à la nature le poisson et les frites précédemment absorbés.

Je peux comprendre et compatir, car mon propre estomac

danse la gigue écossaise. Patricia se recroqueville sur son siège, et je me serre contre elle. Quand je lui saisis la main, elle presse très fort la mienne ; nous communions dans la terreur.

— C'est juste un petit grain, crie Mr. Stewart, ce qui ne réconforte vraiment personne, et surtout pas Mr. Roper.

— Petit ou pas, mon vieux, répond celui-ci, je ne crois pas que ce bateau soit de taille !

Je ne sais pas si c'est l'anglo-impérialisme perçant dans le ton de Mr. Roper qui le heurte ou si des écailles lui ont poussé aux oreilles, mais notre capitaine reste sourd à cet argument et fonce de plus belle vers le large. Mrs. Roper est totalement mobilisée par le Bébé-David, humide et hurlant, Christine, qui gémit en se tenant l'estomac, et Kenneth, qui menace à tout moment de passer par-dessus bord. Mr. Roper ne lui est d'aucun secours, car il est passé de l'autre côté du bateau, auprès de Bunty, et nous donnons maintenant dangereusement de la bande, entre le Scylla de la jalousie de George et le Charybde de la baie d'Oban.

Et puis, subitement, je me mets à hurler, à hurler effroyablement, prise d'un désespoir qui monte d'un loch sans fond à l'intérieur de moi-même, d'un endroit que je ne saurais situer ni nommer. Accrochée au cou de Patricia, je sanglote :

— L'eau ! L'eau !

Elle fait de son mieux pour me calmer.

— Je sais, Ruby... crie-t-elle.

Mais le vent emporte le reste de ses paroles.

À défaut d'autre chose, mes cris semblent avoir quelque effet sur Stewart, qui, finalement et avec de grandes difficultés, fait virer de bord le bateau et reprend en direction du port.

\*

Mais le temps n'en reste pas moins à l'orage. Ce soir-là, Mrs. Roper reste à l'étage avec Christine, qui, seule de son espèce, semble toujours en proie au mal de mer. Mr. Roper met le Bébé-David au lit, puis nous rejoint en bas pour une partie de Cluedo, tirant sa chaise très près de celle de Bunty. Effleurements fortuits et rires étouffés se succèdent, jusqu'au moment où George explose. Miss Scarlett (Bunty) et le Révérend Green (Clive) s'étant heurtés une fois de trop, George plante tout et sort de la pièce en claquant la porte.

— Je vous demande un peu ! fait Bunty.

Puis les événements se succèdent au rythme d'un lugubre vaudeville après le départ spectaculaire de George, Miss Scarlett et le Révérend Green abandonnent à leur tour le jeu. On les retrouvera dans la salle à manger, où, incapables de se retenir plus longtemps, ils copulent sur la longue table de chêne sombre.

— Espèce de putain ! hurle George en surprenant la scène.

Ce cri du cœur n'alerte pas que les familiers ; il attire sur les lieux du crime Mr. et Mrs. von Leibnitz. À ce moment, le couple scandaleux a repris la station verticale et remis un peu d'ordre dans sa toilette, mais il est difficile de se méprendre sur la nature de l'événement. George agite faiblement les poings en direction de Mr. Roper, tandis que Bunty essaie de faire comme si elle n'était pas là.

— Ya un problème ? demande Mr. von Leibnitz en faisant un pas en avant pour séparer les hypothétiques combattants.

— Vous, espèce de nazi, mêlez-vous de vos affaires ! grogne Mr. Roper.

Ce qui ne cause qu'un plaisir très mitigé au couple von Leibnitz. Je me tourne vers Patricia pour voir si elle va s'élever contre cette injustice, et je m'étonne de la voir tranquillement appuyée contre la rampe de l'escalier avec un curieux sourire en biais.

Cherchant, comme à son habitude, un perroquet émissaire, Bunty lui lance :

— Tiens-toi droite, Patricia !

Comme si c'était là la question ! Mais Patricia la prend complètement à contre-pied en lui disant calmement :

— En fait, Maman, j'étais descendue pour te dire que j'étais enceinte...

Rideau, après ce final en fanfare ? Que non car Mrs. Roper se précipite alors en hurlant :

— Au secours ! Au secours ! Appelez une ambulance !

★

En fin de compte, ce n'est qu'une appendicite, ce qui n'est pas si grave que cela, bien que ma grand-mère ait toujours raconté que son premier fiancé en était mort. En tout cas, mourante ou pas, Christine est transportée par l'ambulance à

244

Oban, où l'organe en cause est promptement éliminé. Le lendemain, nous nous répartissons en de nouveaux groupes : Mrs. Roper, George et Kenneth à Oban, au chevet de Christine, tandis que ma mère, Mr. Roper et le Bébé-David écument les collines à la recherche de Patricia. Ils la découvrent finalement au bord du Loch Sans-Fond, méditant d'un air lugubre entre les roseaux. Je reste en compagnie de Mrs. von Leibnitz, et nous confectionnons ensemble des scones à la farine et à la pomme de terre, que nous mangeons tout chauds dans la cuisine en discutant de littérature écossaise.

— Tu as de la famille dans les parages ? me demande-t-elle.

Je lui réponds que j'ai présentement quelques parents errant dans les collines voisines, mais elle me précise que ce n'est pas ce qu'elle a voulu dire. Y a-t-il d'autres Lennox dans la région, car Lennox, me dit-elle, est un nom écossais. Je lui réponds en plissant le nez que je ne le pense pas, car (bien qu'il y ait effectivement le tartan d'un clan Lennox dans mon *Guide de poche illustré des tartans écossais*) George et Bunty ne cessent de répéter qu'ils sont du Yorkshire depuis des générations et des générations.

Le mercredi, abrégeant nos vacances, nous prenons le chemin du retour en laissant les Roper prendre seuls les dispositions qu'ils entendent. Le voyage de retour est à peu près sans histoire. Bunty se concentre du mieux qu'elle peut sur la carte routière et les panneaux indicateurs afin d'amadouer George ; elle a fait le bilan de ses erreurs. Je soupçonne aussi qu'après une journée passée en sa compagnie, la perspective d'avoir le Bébé-David pour beau-fils a suffi à la détourner encore plus sûrement de l'infidélité que les scrupules de Mr. Roper (« Écoute, Bunty... Cette pauvre Harriet a besoin de moi, tu sais... »).

Patricia et moi dormons pendant presque tout le trajet. Nous nous réveillons toutefois le temps d'un excellent déjeuner dans un restaurant situé sur la route de Glasgow. Personne ne vomit. Dans la voiture règne le lourd silence qui suit les grandes catastrophes. Nous quittons Och-na-cock-a-leekie très tôt le matin, en oubliant le porridge et les haricots froids, car George compte prendre ainsi de vitesse les moutons et la circulation. Lorsque nous quittons la ferme, une brume épaisse nous dissimule le monde extérieur. Comme nous approchons de la route sans nom ni numéro à l'extrémité du chemin de ferme, je jette par la vitre un ultime regard ensommeillé à notre lieu de villégiature et vois soudain, avec stupeur, émerger du brouillard la tête et les épaules d'un animal héraldique. C'est un énorme cerf, avec des bois immenses, qui, à quelques mètres, considère la voiture avec une indifférence royale. La scène est irréelle, et je ne tente même pas de la signaler à Patricia, car je sais que je suis en train de rêver. Quelque part au-delà de la brume doivent se trouver nos vraies vacances écossaises — et peut-être aussi toutes les autres vacances que nous n'avons jamais eues.

Patricia doit cultiver les mêmes pensées que moi, car un peu plus tard, elle se penche vers moi et me murmure :

— Te souviens-tu de Tante Doreen ?

Elle paraît extrêmement soulagée lorsque j'incline la tête et lui dis :

— Bien sûr.

★

Patricia eut droit à des deuxièmes vacances cette année-là, à Clacton, dans un foyer méthodiste pour mères célibataires. Lorsqu'elle en revint, mère célibataire mais sans enfant, elle était, d'une certaine manière, une personne différente. À ce moment, les Roper avaient déménagé et avaient été remplacés par une veuve appelée Mrs. Kettleborough. Bunty et George avaient décidé de rester mariés et se comportaient comme si rien ne s'était passé, exercice où ils se montraient très, très brillants. Patricia ne retourna jamais en classe, ne passa jamais son deuxième bac. Elle était si sombre que, si affreux que cela puisse paraître, ce fut un soulagement lorsqu'un beau matin de mai, elle quitta la maison pour ne plus y revenir.

★

Quant à Rags, Bunty l'avait donné à la SPA de St. George's Field, et il s'y trouvait encore lorsque nous revînmes de vacances, non réclamé et sur le point d'être expédié à la chambre à gaz. Patricia le racheta avec son argent de poche, et la dernière chose qu'elle me dit le matin où elle quitta la maison fut :

— Tu t'occuperas de Rags, n'est-ce pas, Ruby ?

Et c'est ce que j'ai fait, croyez-moi, c'est ce que j'ai fait.

# AU ROYAUME DES AIRS ET DES ANGES

Edmund, le séduisant cousin canadien de Bunty, était officier bombardier sur *C comme Chien*. Une autre de ses tâches consistait à aider le pilote, Jonty Patterson, à faire décoller le gros quadrimoteur Halifax, mais, la chose faite, il gagnait en rampant son nid transparent dans le nez de l'avion et regardait la masse sombre de Flamborough Head céder la place à la mer, qui brillait comme un diamant noir au clair de lune.

Il restait rarement en place très longtemps, préférant aller aider dans sa tâche le navigateur, le sergent Wally Whitton, ou persécuter l'opérateur radio, Len Toft. Mais, ce soir-là, Edmund était d'humeur assez sombre.

Il n'était pas seul. Cette mission inspirait à tout l'équipage de *C comme Chien* un mauvais pressentiment. La veille, l'un des armuriers avait, à la suite d'une erreur stupide, fait exploser un lot de bombes en cours de chargement, creusant un vaste cratère dans la piste d'envol et réduisant en miettes un Halifax et la moitié de son équipage. Et là, tous venaient de s'apercevoir que Taffy Jones, le mécanicien, avait oublié la médaille de Saint-Christophe ternie et tordue qu'il accrochait habituellement devant lui. Ils l'avaient couvert de malédictions lors du décollage. Wally Whitton avait fini par les faire taire en leur disant qu'ils n'étaient qu'un troupeau d'étrangers et de colonisés ; en dehors de Taffy, évidemment gallois, *C comme Chien* avait un Écossais — Mac McKendrick — comme mitrailleur de queue, et un Canadien Edmund — comme bombardier.

Jonty Patterson, qui avait vingt-deux ans, n'en était qu'à sa deuxième mission en tant que pilote de *C comme Chien* — son prédécesseur s'était rompu le cou lors d'un atterrissage sur le ventre — et il se sentait mal à l'aise devant des équipiers faisant déjà figure de vétérans. Certains d'entre eux, comme Taffy Jones, étaient presque au terme de leur deuxième tour de service, et auraient certainement pu piloter l'avion mieux que lui. Il ne savait jamais, lorsqu'ils s'adressaient à lui, s'ils plaisantaient ou non, et il se sentait curieusement honteux de ses études secondaires dans une école huppée et de son accent de la bonne société. Seul son officier bombardier le traitait comme un être normal.

En fait, son équipage se souciait beaucoup plus de ses talents de pilote que de ses origines sociales. Comme le disait de façon lapidaire Wally Whitton, il n'était « sacrément bon à rien dans les nuages ». Ils l'avaient découvert au-dessus de la Hollande, lors de leur première mission avec lui, et Taffy avait dû prendre les commandes alors qu'ils traversaient, avec de multiples secousses et vibrations, un grand cumulo-nimbus. Leur pauvre pilote débutant, qui ne se rasait encore qu'une fois par semaine, en avait été tout rose de honte.

Lorsque Wally Vhitton avait lancé sa plaisanterie sur les étrangers, personne n'avait eu le cœur d'ajouter que ceux-ci étaient encore plus nombreux au sein de l'équipage la semaine précédente, avant que le sergent Ray Smith, le mitrailleur central australien, un garçon tranquille et à l'humour désabusé, se soit fait tuer net par le tir d'un Messerschmitt Bf-109. Son remplaçant, Morris Dighty, un camionneur de Keighley, était si tendu que sa nervosité semblait envahir, de façon presque palpable, l'avion tout entier.

— Je crois bien que, pour nous, la chance a tourné, avait dit d'un ton lugubre Mac McKendrick lorsqu'on avait sorti de la tourelle centrale le corps déchiqueté du sergent Smith.

Mac, Edmund et l'Australien avaient effectué onze missions ensemble, et ç'avait été l'une des raisons pour lesquelles Edmund s'était refusé à quitter l'équipage pour passer dans la Royal Canadian Air Force.

— Comment était-ce avec cette infirmière, Ed ? demanda soudain Taffy par l'interphone, se faisant, de ce fait, promptement invectiver par Wally Whitton.

Edmund se prit à sourire tout seul derrière son cône de

perspex, car « cette infirmière », Doreen O'Doherty, douce comme du sirop d'érable, avec ses grands yeux qui amenaient Edmund à évoquer peu charitablement une vache, ses cheveux bruns ondulés et son accent irlandais, s'était révélée parfaite. La moitié du temps, il ne parvenait pas à comprendre un mot de ce qu'elle disait, nais elle était si gentille et complaisante et savait si joliment murmurer : « Oh, Eddie, tu es merveilleux... »

— Attaquant sur tribord ! hurla une voix — celle de Mac — dans l'interphone.

Le lourd Halifax plongea immédiatement de cent mètres dans l'obscurité, roula, tangua, plongea de nouveau, puis amorça une remontée sur bâbord. De son observatoire, Edmund put voir une rafale de traceuses rouges se diluer dans le néant. Il s'écoula plusieurs secondes avant que quiconque ouvrît la bouche, puis on entendit Mac dire calmement

— Je crois qu'on l'a semé.

Morris Dighty commença à émettre un flot de paroles incohérentes, mais les autres lui ordonnèrent rapidement de « la boucler ».

Ils n'eurent guère le temps de se détendre après leur rencontre avec le Messerschmitt ; ils arrivaient au-dessus de la Hollande et devaient être vigilants comme des chats pour échapper aux défenses côtières. Tout demeurait pour le moment sombre et silencieux autour du quadrimoteur planant comme un gros insecte un peu grotesque dans la nuit. Quelque quatre cents autres appareils participaient à ce raid sur les usines Krupp d'Essen, mais *C comme Chien* semblait le seul avion dans le ciel étoilé. Puis un énorme rayon de projecteur venu de nulle part vint soudain les saisir de sa lumière blanche, aveuglante.

Ébloui, Edmund abandonna son nid, dans le nez de l'avion, et se hissa derrière Taffy et Jonty Patterson. S'il y avait une chose qui vous faisait vous sentir plus vulnérable encore que d'être pris dans le faisceau d'un projecteur, c'était de rester à plat ventre avec la tête dans ce faisceau. D'autres projecteurs vinrent s'ajouter au premier. Dans sa tourelle, Mac les comptait d'une voix étranglée :

— Trente, trente-cinq, trente-neuf... Putain ! Quarante-deux, cinq de plus... Puuutain !

Dans le même temps, Len Toft, habituellement calme et courtois, hurlait au pilote :

— Plonge, Bon Dieu ! Plonge, espèce de con !

On pouvait aussi entendre quelqu'un — Edmund était certain qu'il s'agissait de Morris Dighty — vomir dans son masque à oxygène. Edmund regarda derrière lui et vit les visages de Len Toft et de Wally Whitton figés dans l'impitoyable lumière blanche du projecteur. Brusquement, Jonty Patterson se réveilla et entra en action. Écarquillant les yeux pour combattre la lueur brutale du projecteur, il amorça une manœuvre classique d'évasion — montée à tribord, descente à bâbord, descente, descente, remontée — pour échapper aux obus des batteries antiaériennes qui éclataient tout autour de l'appareil. Puis, soudain, l'avion se retrouva hors du faisceau mortel, sous le couvert de la nuit.

Quand Edmund regarda Jonty Patterson, il put le voir scrutant l'obscurité, les mains contractées sur les commandes, de fines gouttes de sueur perlant sur son visage pâle.

— Bien joué, patron ! fit, dans l'interphone, une voix devenue trop aiguë pour être reconnaissable.

Écartant un rideau, Edmund se glissa à l'arrière, auprès de Wally Whitton :

— Tu as du café, Ed ? demanda Wally.

Edmund versa du café, et, tandis que Wally avalait un comprimé de benzédrine, il mangea un sandwich au corned-beef avant de regagner son poste à l'avant. Il ne voulait penser qu'à une chose : son pays, la ferme dans le Saskatchewan. Après avoir passé sa licence d'anglais à Toronto, il avait pensé y rester, prendre un poste dans l'enseignement ou devenir journaliste, mais la guerre était survenue. Et, depuis, il était prêt à conclure n'importe quel pacte faustien pour simplement rentrer chez lui. Rentrer chez lui et mener une vie tranquille, travailler à la ferme avec son frère Nat, élever des enfants. Si jamais il avait une femme, il aimerait qu'elle ressemble à sa mère, forte, aventureuse et jolie. Mais il n'aurait probablement jamais de femme ; il était à peu près sûr que Mac avait raison, et que leur chance avait tourné. Edmund essaya de s'imaginer ramenant chez lui une fille comme Doreen O'Doherty — ou peut-être l'une de ses cousines anglaises. Quelle figure ferait Bunty s'il l'emmenait au Canada, vers les prairies qui s'étendaient à l'infini, plus vastes que la Mer du Nord ?

Edmund entendit dans ses écouteurs la voix de Wally Whitton :

— Approchons objectif !

Il commença à ajuster son viseur. Partout autour d'eux, les traceuses de la DCA sillonnaient le ciel en longues traînées rouges, jaunes et oranges. Les faisceaux des projecteurs fouillaient l'obscurité, et Edmund vit soudain ce qui ressemblait à un bombardier Stirling saisi par l'un d'eux. Le Stirling ne put échapper à son persécuteur, et, quelques secondes plus tard, il explosait en une grosse boule de feu aux teintes rosâtres.

— Il faudrait prendre un peu d'altitude, patron, dit Taffy Jones au pilote.

Mais rien n'allait leur permettre d'échapper aux batteries lourdes lorsque celles-ci allaient ouvrir le feu à leur tour. Edmund pouvait voir au-dessous de lui les lueurs des fusées éclairantes, mais l'objectif lui-même était noyé dans la fumée.

— À droite, à droite... Là... Un peu à droite... À gauche, à gauche... Là !

Mais ils allaient devoir faire un deuxième passage.

— Merde ! fit doucement quelqu'un dans l'interphone.

C'est à ce moment que les batteries lourdes se déchaînèrent. Un obus explosa tout près d'eux, et l'avion se déporta brutalement sur la gauche, comme sous l'effet d'un gigantesque coup de poing. Edmund pressa le déclencheur, et largua les bombes alors même qu'ils avaient complètement perdu l'objectif. Il n'avait jamais fait cela auparavant.

— C'est raté pour la photo ! fit alors Wally Whitton d'un ton sarcastique.

Un choc terrible secoua alors le gros Halifax.

— Qu'est-ce que c'est que ça ? hurla Len Toft.

Un obus avait pénétré par le nez de l'appareil, manquant Edmund de quelques centimètres et projetant partout ses éclats. Le plus gros de ceux-ci vint frapper Taffy Jones, le mécanicien.

Un autre obus explosa tout près de *C comme Chien*, faisant tressauter l'avion. Edmund se trouva projeté en avant dans son poste, où l'air glacial pénétrait maintenant à grands flots. Il eut soudain l'effrayante vision du sol au-dessous de lui par le trou béant laissé par le premier obus, et réussit de justesse à reculer dans le cockpit. L'avion, secoué comme un jouet, empestait la cordite. Puis il vit Taffy Jones, le regard fixe, tremblant avec l'avion, tandis que des bulles rouges se formaient dans son masque à oxygène. L'appareil se mit soudain à piquer de façon vertigineuse, et Edmund entendit une voix disant :

— Aide-moi !

Il crut un moment que c'était Taffy Jones, mais il s'aperçut que c'était en fait Jonty Patterson. Il avait eu la moitié du visage déchirée par les éclats, et il parlait du coin de la bouche, comme un mauvais ventriloque de foire.

— Je vais te chercher de la morphine, dit Edmund.

Mais Jonty Patterson marmonna :

— Non. Aide-moi à redresser le zinc !

Il fallut leurs poids combinés sur le manche à balai pour arrêter le piqué, mais tout le corps de l'avion s'était mis à vibrer de façon insupportable.

Edmund entendit Morris Dighty crier dans l'interphone :

— Je m'éjecte !

Presque au même moment retentissait la voix de Len Toft disant :

— Le sergent Whitton est mort, et il y a un sacré trou là où il se trouvait.

L'un des moteurs s'était mis à miauler lamentablement, et, parlant toujours d'un seul côté de la bouche, Jonty Patterson commanda :

— Coupez-le !

Edmund tenta d'alerter Mac, à la queue de l'appareil, mais il n'y eut pas de réponse. Len Toft apparut.

— Putain ! dit-il en voyant le visage de Jonty Patterson.

« Putain ! répéta-t-il, en apercevant Taffy Jones.

— Je crois qu'il est mort, fit Edmund. Aide-moi à le sortir de là.

— Il n'y a plus qu'à sauter, maintenant, dit Len Toft.

Et Edmund put constater qu'il avait déjà enfilé son parachute. Un autre moteur commençait à émettre des bruits inquiétants et l'avion tout entier semblait sur le point de tomber en pièces. La voix de Mac se fit soudain entendre par l'interphone :

— Qu'est-ce qu'il se passe, Bon Dieu ?

— Où étais-tu passé ? demanda Edmund.

— Sautez tous ! commanda Jonty Patterson.

Il était agrippé au manche et regardait droit devant lui. Il avait l'air d'un fantôme. Du sang coulait également de ses jambes, et Edmund se rendit soudain compte que le jeune pilote était mourant. Il étendit la main vers lui, mais Patterson se borna à lui dire :

— Saute !

La voix de Mac retentit dans l'interphone, fantomatiquement calme :

— Peux pas sauter. Mon parachute est en morceaux.

— Viens à l'avant, Mac ! lui cria Edmund, alors que l'avion recommençait à piquer presque à la verticale.

Patterson se battait avec les commandes, mais, quand Edmund se retourna, il constata qu'un immense trou avait également été creusé dans le flanc de l'avion.

— J'y vais, dit Len Toft en se dirigeant vers la trappe de secours.

— L'un des moteurs est en feu et il y a un trou où on pourrait faire passer un éléphant, annonça Mac, en gagnant tant bien que mal l'avant de l'appareil.

Puis, voyant le visage du pilote, il s'exclama :

— Bon Dieu, patron, qu'est-ce qui vous est arrivé ?

— Sautez ! dit encore une fois Jonty Patterson.

— Et toi, patron ? demanda Edmund en bouclant son parachute.

— Je ne peux plus bouger les jambes  Saute et ne discute pas, Bon Dieu !

Pour la première fois de sa courte vie, Jonty Patterson semblait très adulte.

— On ne te laisse pas ! répondit Edmund, en hurlant pour couvrir le rugissement des moteurs en folie.

— Viens, lui dit Mac en l'entraînant vers la trappe en secours. On peut essayer de sauter à deux avec un parachute. Cela s'est déjà fait.

Tandis que des flammes jaunes commençaient à dévorer l'intérieur de l'avion, ils durent lutter contre la force centrifuge qui s'employait à les coller à l'appareil et contre le vent qui leur coupait la respiration. Ils avaient le torse en dehors de la trappe, mais Edmund se disait qu'ils n'arriveraient jamais à aller plus loin, et que même s'ils y arrivaient, ils ne pourraient pas se dégager de la superstructure de l'avion. Heureusement pour lui, il ne pouvait voir, à l'arrière de l'appareil, Len Toft — ou plutôt ce qui restait de lui — accroché à son parachute, qui s'était enroulé autour de la queue de *C comme Chien*. Mais, soudain, l'un des moteurs en flammes se décrocha et fit basculer l'avion frappé à mort, qui éjecta du même coup Edmund et Mac McKendrick.

Ils se mirent à tomber, accrochés l'un à l'autre comme des frères siamois, et, comme ils glissaient le long de l'aile gauche, Edmund se déchira un bras sur une pièce de métal à moitié arrachée. La terre venait à leur rencontre à une vitesse incroyable. La pleine lune illuminait les champs couverts de neige. Pris de panique, Edmund tira sur la poignée du parachute de son bras valide, ce qui l'amena à lâcher Mac. Et le choc dû à l'ouverture du parachute fit que les bras de Mac, passés autour du cou d'Edmund, se détachèrent subitement. Mac plongea silencieusement vers la terre, bras et jambes écartés, en étoile de mer.

Edmund, lui, se trouva soudain flotter dans les airs, la tête vague, presque euphorique, se récitant mentalement un poème. La lune teignait de bleu les champs enneigés, au-dessous de lui. Il eut juste le temps de s'extasier sur la beauté de ce spectacle avant d'aller heurter le sommet d'un bouquet de pins et de glisser au fond d'un monticule de neige épaisse et glaciale.

*

Il avait l'impression d'être resté des heures endormi sous son édredon blanc, mais, en fait, il n'avait perdu conscience que pendant quelques secondes. Quand il ouvrit les yeux, il vit deux jeunes garçons et un vieil homme debout, autour de lui. Le vieil homme tenait un fusil de chasse pointé sur sa tête, et les deux jeunes garçons avaient des bâtons. Edmund ferma les yeux en attendant le coup de fusil, mais il sentit qu'on le soulevait et qu'on l'emportait, enveloppé dans le cocon de soie du parachute. Le vieil homme ne cessait de parler en allemand, et Edmund aurait bien voulu comprendre ce qu'il disait. Il n'avait pas mal ; sa blessure au bras l'avait vidé de presque tout son sang, et il ne ressentait plus qu'une immense impression de paix. Il s'étonnait simplement de ne pas entendre le bruit de l'avion en flammes passant au-dessus de sa tête, comme un énorme oiseau de feu. *C comme Chien* s'écrasa deux champs plus loin, avec un sourd fracas, mais Edmund ne l'entendit toujours pas ; il contemplait le ciel nocturne, déployé au-dessus de lui comme la carte d'un astronome. Puis une vague d'obscurité se mit à balayer lentement le ciel, comme si quelqu'un avait doucement replié la carte.

★

Doreen O'Doherty n'apprit la mort d'Eddie Donner que six semaines plus tard, lorsqu'elle tenta de lui faire parvenir un message par l'intermédiaire du commandant de sa base. Cette nuit-là, elle pleura longuement avant de succomber au sommeil. Le commandant de la base s'était montré très gentil envers elle au téléphone en lui apprenant la perte de l'équipage de *C comme Chien* (en fait, Morris Dighty avait été recueilli par les Allemands et devait passer le reste de la guerre dans un camp de prisonniers), et elle avait été tentée un moment de se confier à lui, mais il n'aurait pas pu faire grand-chose pour elle. Doreen n'était sortie que deux fois avec Edmund, et elle n'arrivait pas à se rappeler vraiment à quoi il ressemblait, en dehors de ce dont tout le monde se souvenait : les boucles blondes et les yeux bleus. Elle pouvait encore sentir, toutefois, l'impression de force qui se dégageait de lui quand il la serrait contre son corps, le curieux parfum d'herbe et de tabac de sa peau si douce. Il lui semblait terrible que quelqu'un qui avait été si vivant soit maintenant mort, et plus terrible encore qu'elle doive porter son enfant. C'était plus encore sur elle-même qu'elle pleurait. Quand le bébé fut né, Doreen O'Doherty le fit adopter et alla s'installer à Leeds, où elle épousa un employé municipal nommé Reg Collier. Elle découvrit alors qu'elle ne pouvait plus avoir d'enfants.

Quand la femme de l'agence d'adoption vint à la maternité d'York pour chercher l'enfant de Doreen, celle-ci se consola en se disant que c'était la meilleure solution pour sa petite fille et qu'elle-même aurait un jour d'autres bébés pour compenser le terrible sentiment de perte qu'elle éprouvait. La femme de l'agence sourit en prenant le bébé des bras de Doreen et dit : « Quel petit ange ! »

# CHAPITRE X

## 1966

## UN BEAU MARIAGE

— Boutique !

Bunty semble s'être transformée en bagagiste. Elle transporte tant d'élégants sacs en papier qu'elle n'arrive plus à voir où elle va et manque tomber en passant la porte de la Boutique, renversant toute une batterie d'appareils auditifs avant de s'effondrer avec un grand soupir dans le plus proche fauteuil roulant en envoyant promener ses souliers.

— C'est de la vraie folie, là-bas, proclame-t-elle à la cantonade.

Ce va être de la folie ici aussi, quand George va découvrir combien elle vient de dépenser.

— Qu'est-ce que tu as bien pu acheter ? demande-t-il.

Elle pêche un chapeau dans un carton et se l'enfonce sur la tête. Il est en satin couleur petit pois et ressemble à s'y méprendre à un tambour. George le regarde, la bouche ouverte.

— Pourquoi as-tu acheté ce truc ?

— Tu ne l'aimes pas ? dit-elle en inclinant la tête comme le Perroquet avait coutume de le faire.

Le seul ton de sa voix indique clairement qu'elle se contre-fiche de savoir si George aime ou non. D'un geste de prestidigitateur, elle fait jaillir de nulle part une paire de chaussures.

— Ravissantes, hein ?

Elles sont terriblement étroites, avec de longs talons aiguilles, dans la même teinte de vert que le chapeau. Il suffit de les regarder un instant pour savoir qu'elles ne seront portées qu'une seule fois. Bunty essaie d'introduire un pied dans l'une d'elles avec une horrible expression de détermination sur le visage.

257

— Tu pourrais te faire couper quelques orteils, suggéré-je aimablement.

Le nombre de sacs encore inexplorés entourant Bunty tend à indiquer qu'elle a aussi acheté de quoi se vêtir entre le chapeau et les souliers. Elle se bat un instant avec un immense sac de chez Leak et Thorp et finit par en extraire une robe et une veste assorties en soie artificielle d'un vert pois cassés — un peu plus sombre que celui du chapeau.

— Pourquoi ? demande George, le visage légèrement convulsé.

— Pour le mariage, bien sûr.

Bunty plaque la robe contre elle sans quitter la position assise et se tourne vers moi :

— Qu'en penses-tu ?

Je soupire et secoue la tête d'un air envieux et gourmand.

— C'est ravissant, dis-je.

(Extrait du bulletin scolaire de Ruby Lennox, troisième trimestre 1966 : « Ruby a de réels dons de comédienne... Elle a été la grande vedette de la représentation théâtrale de fin d'année. »)

— Le mariage ? fait George, visiblement perdu. Quel mariage ?

— Celui de Ted, bien sûr. De Ted et de Sandra.

— Ted ?

— Oui, Ted. Mon frère.

Le regard de George restant aussi vide, elle continue charitablement :

— Ted et Sandra. Ils se marient samedi. Ne me dis pas que tu avais oublié ?

— *Ce* samedi ? Mais...

George semble frappé du haut mal. Il bredouille un moment, puis s'exclame :

— Ils ne peuvent pas se marier samedi ! C'est la finale de la Coupe du Monde...

— Et alors ? demande Bunty, en réussissant à charger ces trois petites syllabes d'un mélange subtil de dédain, d'indifférence et d'incompréhension volontaire, sans parler de vingt années d'hostilité conjugale.

George est abasourdi.

— Et alors ? répète-t-il, regardant Bunty comme s'il venait de lui pousser une deuxième tête. Et alors...

258

Cela pourrait continuer longtemps. J'émets une petite toux polie.

— Tu tousses ? me demande Bunty d'un ton accusateur.

— Non, c'est qu'il faut que je retourne à l'école...

Nous sommes lundi, et Janice Potter m'a persuadée de signer avec elle pour une sortie à l'heure du déjeuner (on ne peut quitter l'école qu'à deux et nous sommes censées rester constamment ensemble pour éviter d'être violées, dévalisées ou de nous perdre) afin qu'elle puisse aller dans les Jardins du Musée fumer et flirter avec son petit ami. Abandonnée aux portes des Jardins, j'ai fini par échouer à la Boutique.

Bunty laisse brusquement tomber ses paquets, se dresse dans son fauteuil roulant comme une miraculée de Lourdes et me dit :

— Garde la Boutique !

Puis elle entraîne avec elle un George toujours désemparé pour aller « choisir avec elle » (c'est-à-dire payer) un cadeau de mariage pour Ted et Sandra.

Je reste donc abandonnée, prisonnière de la Boutique, comme dirait Bunty. Parfois, il m'arrive de réagir comme elle — pensée des plus déprimantes. Vais-je devenir comme ma mère ? Vais-je être jolie ? Vais-je être riche ? J'ai quatorze ans, et déjà j'en « ai assez ». Bunty avait près du double de mon âge quand elle a commencé à dire cela. Je suis maintenant enfant unique, avec tous les avantages que cela suppose (argent, vêtements, disques) et tous les inconvénients (solitude, isolement, angoisse). Je suis tout ce qui leur reste, un rubis monté en solitaire, une sorte de réduction chimique de tous leurs enfants. Bunty en est encore à énumérer tous nos noms avant d'arriver au mien : « Patricia, Gillian, P..., Ruby... Quel est ton nom, déjà ? » Par bonheur, je sais maintenant que toutes les mères ayant plus d'un enfant sur les bras font cela. Mrs. Gorman, la mère de Kathleen, doit réciter une incroyable litanie « Billy-Michael-Doreen-Patrick-Frances-Joe », avant d'arriver à « quel est ton nom déjà... Kathleen ».

Le lundi, les affaires sont molles, et j'occupe mes loisirs en me substituant à Bunty dans l'une de ses six fonctions premières : envelopper les boîtes de préservatifs. Je me plante à côté du gros rouleau de papier brun accroché au mur derrière le comptoir et, patiemment, je tire et j'arrache, je tire et j'arrache, jusqu'au moment où j'ai devant moi une bonne réserve de morceaux de papier d'emballage. Puis je prends une paire de « Ciseaux Infirmiers en Acier — Première Qualité » attachée par une chaînette au comptoir et je commence à découper les grands carrés de papier en de plus petits carrés, comme dans une émission de télévision enfantine particulièrement simplette. Ensuite, j'emballe bien soigneusement les petits paquets de Durex, en repliant les coins et collant le papier brun avec de l'adhésif transparent, les préservatifs doivent être remis comme des cadeaux tout emballés, rapidement et discrètement, à nos clients les mieux considérés. Pas par moi, bien sûr. Je n'ai pas encore réussi à en vendre un seul paquet quand on me laisse la responsabilité de la Boutique. Nul ne semble très soucieux d'acheter ses petits caoutchoucs à une gamine de quatorze ans. Quand certains clients foncent dans la Boutique, ils s'arrêtent net en me voyant et leur regard se porte soudain sur le premier article à portée. Ils ressortent, déconfits et déçus, avec un paquet de pansements adhésifs ou une paire de ciseaux à ongles. Je suis probablement, de cette façon, responsable de bien des grossesses non désirées.

J'ai déjà empaqueté le contenu d'une boîte de cent, et George et Bunty ne sont toujours pas revenus. Combien faut-il de temps pour choisir un cadeau ? Peut-être ont-ils fait une fugue ? Je m'effondre avec désenchantement dans un fauteuil roulant électrique et mets la manette de commande sur « En avant - Lentement ». Je circule ensuite dans la Boutique en prétendant être un Martien (« Je suis un Martien ! Je suis un Martien ! »). J'utilise comme fusil atomique une jambe en matière plastique servant la présentation d'un bas à varices élastique, et j'extermine toute l'étagère d'urinaux pour hommes et deux torses en bakélite, l'un mâle et l'autre femelle, qui se font face en arborant fièrement des corsets orthopédiques.

C'est dans ces moments que je mesure à quel point je regrette les animaux dont nous faisions auparavant commerce. Pour commencer, ils représentaient des produits un peu moins gênants à mentionner que ceux que nous avons présentement en stock. Car il n'y a pas que les contraceptifs — les Durex, les mystérieuses gelées et les diaphragmes. Presque tout ce que nous vendons a un caractère quelque peu révoltant : suspensoirs, sacs pour incontinents, seins artificiels et couches en caoutchouc. George et Bunty auraient pu penser à l'effet que cela risque d'avoir sur ma vie mondaine (« Et que vendent au juste tes parents, Ruby ? »).

Même le Perroquet me manque. On a peine à croire qu'il s'agit de la même Boutique qu'avant l'incendie. Je vais souvent en haut, dans ces pièces maintenant vides où nous avons vécu naguère, et je tente de faire revivre le passé. Mais tout s'est dégradé en ces lieux où rien n'a été fait depuis l'incendie. De grosses cloques se forment dans la peinture au plafond de la chambre qu'occupait Patricia, et une curieuse odeur de décomposition règne dans celle que je partageais avec Gillian. Pourtant, si je reste en haut de l'escalier les yeux fermés, je puis quelquefois entendre les voix des vieux fantômes familiers, transportées par quelque courant d'air. Est-ce que nous leur manquons ? Je me le demande.

Parfois, je crois entendre le Perroquet défunt. Je crois même, d'autres fois, l'entendre au téléphone dans notre nouvelle maison. Nous n'y recevons pas seulement des appels téléphoniques de perroquets fantômes ; nous avons aussi des coups de fil de personne — d'un téléphoneur hypothétique qui reste muet lorsque nous décrochons. Quand c'est George qui répond à ces appels silencieux, il contemple quelques secondes le combiné, comme si celui-ci était directement responsable, puis il raccroche avec violence et s'éloigne d'un air dégoûté. Bunty se montre un peu plus patiente, tentant de susciter quand même une réponse en répétant sa formule favorite : « Ici la maison Lennox. Bunty Lennox à l'appareil. Que puis-je pour vous ? » Il y a, déjà en temps normal, de quoi amener le téléphoneur le plus résolu à raccrocher précipitamment, et il semble que notre pauvre fantôme soit tout sauf résolu.

— C'était encore M. Personne, dit ensuite Bunty, comme s'il s'agissait d'un vieil ami.

Mais moi, quand c'est moi qui réponds, j'attends beaucoup plus longtemps, espérant de tout mon cœur quelque message. Je suis sûre que c'est Patricia qui est au bout du fil ; il y a plus d'un an que nous n'avons pas eu de ses nouvelles, et elle ne va certainement pas tarder à se manifester.

Je murmure de façon pressante son nom à l'appareil, mais si c'est elle, elle ne répond pas. Bunty doit toujours s'attendre à la voir revenir, car elle a laissé sa chambre comme elle était, jonchée de linge sale et de miettes de pain.

Peut-être n'est-ce pas du tout Patricia, mais notre Gillian, errant dans les limbes et tentant de téléphoner à la maison. Mais les esprits peuvent-ils donner des coups de fil ? Y a-t-il des cabines téléphoniques dans l'au-delà ? Faut-il un jeton ou peut-on appeler en PCV ? Ou est-ce encore quelqu'un d'autre ? Peut-être qu'en prenant dans un coin Daisy et Rose au mariage, je pourrai leur extorquer une réponse satisfaisante à ces questions.

— Boutique ! dit par principe George en entrant.

— Là ! fait Bunty, très contente d'elle, en tirant d'une boîte une figurine en porcelaine. Cela s'appelle « La dame à la crinoline ».

La figurine, que Bunty retourne pour l'examiner encore de tous côtés, représente effectivement une dame avec une crinoline.

— On dirait un support de papier toilette, remarque George, méprisant.

— C'est exactement le genre d'ânerie que j'attendais de toi, rétorque Bunty en remettant dans sa boîte la figurine offensée. À propos, il te faut une cravate neuve pour le mariage. Tu n'as qu'à venir la choisir avec moi maintenant...

— Non ! fais-je précipitamment en enfilant mon blazer. Il faut que je retourne à l'école.

La cloche a déjà dû sonner (« Encore en retard, Ruby ? »). George me regarde.

— Tu vas à ce mariage ? me demande-t-il soudain.

— Oh ! Pour l'amour du Ciel ! dit Bunty avec un air de totale exaspération. Elle est *demoiselle d'honneur !*

— *Toi ?* s'exclame George incrédule.

— Moi, oui.

Je ne me sens pas le moins du monde insultée par cette manifestation de surprise ; en fait, je suis encore plus sidérée que lui.

★

Je ne suis pas seulement demoiselle d'honneur, mais principale demoiselle d'honneur, régnant sur une troupe peu disciplinée de demoiselles en miniature. Elles viennent toutes du côté de Sandra, et le protocole exigeait au moins un élément de la famille de Ted. Mais là, un problème se posait : à mon exception près, les demoiselles d'honneur présomptives de ce côté étaient soit mortes, soit en fuite, soit spiritualistes. Et, à la place de Sandra, je n'aurais pas non plus aimé avoir Daisy et Rose dans mon dos pendant la cérémonie. J'ai donc été désignée par défaut. Mais Sandra aurait dû chercher un peu plus loin dans la famille, parmi les parents par alliance. Lucy-Vida, par exemple, aurait pu faire une superbe demoiselle d'honneur. L'affreux petit canard qu'était notre cousine s'est en effet transformée en un véritable cygne en minijupe, maquillée à la Twiggy et coiffée à la Sandie Shaw. Ses bas blancs recouvrent des jambes magnifiques, trop longues pour tenir à l'aise dans l'étroit banc de l'église méthodiste, ce qui la force à les étendre, les replier, les croiser et les décroiser constamment. À chaque fois, le desservant, le regard fixe, s'emmêle soudain dans son propos.

L'église méthodiste de St. Saviourgate, immense et caverneuse, évoque un croisement entre un temple maçonnique et une piscine municipale. Apparemment, tout le monde est méthodiste du côté de Sandra, et, de « notre » côté (nous sommes déjà presque sur le pied de guerre), circule une inquiétante rumeur selon laquelle la réception de mariage serait sans alcool. La cérémonie, elle, semble durer une éternité et, n'étaient le froid de catacombe qui règne dans l'église et le comportement pour le moins turbulent de mon juvénile troupeau, je risquerais de m'endormir sur pied — d'autant que j'ai avalé, en guise de petit déjeuner, deux des pilules tranquillisantes de Bunty avant d'aller au massacre. Les petites demoiselles d'honneur raclent leurs semelles, ricanent, se chamaillent, laissent tomber leurs bouquets, bâillent et soupirent bruyamment, mais, chaque fois que je me retourne pour les foudroyer du regard, elles se figent sur place, avec toutes les apparences de l'exemplaire sagesse. J'attends d'en prendre une sur le fait pour l'assommer avec le gros bouquet de la mariée, qu'on m'a confié pour la durée du service religieux.

Vus de l'arrière au moins, le marié et la mariée présentent une ressemblance frappante avec les figurines qu'on place sur les gâteaux de mariage. La mariée est en blanc, et elle est réputée, de source digne de foi (Ted), vierge. En fait, c'est un état de frustration sexuelle suraiguë qui a conduit mon oncle jusqu'au fond de cette impasse nuptiale. Il a retardé la chose aussi longtemps qu'il a pu ; de son premier rendez-vous avec Sandra au cinéma de l'Odéon jusqu'à la marche à l'autel, huit années se sont écoulées. Finalement amené à fixer une date précise par un très romantique ultimatum de Sandra (« Si tu ne dis pas le jour, on va retrouver les morceaux de ta cervelle dans le ruisseau de Coney Street »), Ted l'a située le plus loin dans l'avenir qu'il a décemment pu. Comment aurait-il pu savoir que non seulement le 30 juillet 1966 allait se révéler le jour de la finale de la Coupe du Monde de football, mais encore que l'Angleterre allait jouer cette finale — et, qui plus est, contre l'ennemi juré de notre famille : le Boche !

Les demoiselles d'honneur sont en polyester pêche pâle, et nos robes, comme celle de la mariée — larges et bouffantes, avec des manches également larges et bouffantes —, nous font toutes ressembler à des Dames à la Crinoline. Nos souliers de satin sont assortis à nos robes, tout comme nos petits bouquets d'œillets, et nous portons sur la tête des bandeaux trop serrés avec des boutons de rose artificiels également couleur de pêche.

J'étouffe un bâillement après l'autre, mais je ne puis malheureusement empêcher mon estomac de gronder sourdement et régulièrement, déclenchant les gloussements et les ricanements de la petite classe.

Le pasteur demande si quelqu'un a une bonne raison pour empêcher ce mariage de se conclure, et tout le monde se tourne vers Ted, car il est manifestement le mieux placé pour cela. Mais il se domine de façon très virile, et le service se poursuit, avec juste une petite défaillance de la part du pasteur au moment où Lucy-Vida tire son embryon de jupe sur son entrejambes.

Mon premier mariage s'avère plutôt décevant. Quand je me marierai, moi, ce ne sera pas en polyester pêche. Je choisirai une très vieille église — il y en a, bien sûr, à foison à York — peut-être All Saints on Pavement, avec son joli clocher en forme de lanterne, ou St. Helen, la paroisse des commerçants. Mon église aura l'odeur des vieilles poutres, des ciselures comme de la dentelle de Bruges et des vitraux aux couleurs précieuses. Elle sera illuminée par des rangées entières de grands cierges blancs, et tous les bancs et les chapelles annexes seront décorés de gardénias, de lierre et de lys ressemblant aux trompettes des anges du Jugement Dernier. Ma robe de dentelle ancienne tombera en vagues neigeuses vers le sol et sera couverte de petits boutons de rose, comme si les oiseaux qui ont aidé Cendrillon à s'habiller pour le bal avaient voleté et virevolté autour de **moi**.

Les cloches sonneront constamment, et je serai éclairée par un unique faisceau lumineux. L'assistance se noiera dans les pétales de rose, et tous les hommes seront en jaquette (Ted n'a même pas daigné s'acheter un complet neuf pour l'occasion). Et il n'y aura *pas* de demoiselles d'honneur.

L'une des petites polyesters érafle consciencieusement, de son pied satin, l'arrière de ma propre chaussure, tandis qu'une autre se récure le nez avec son doigt et en tartine le contenu sur le devant de sa robe. J'essaie de faire cesser leurs petits jeux respectifs, mais elles se bornent à me faire des grimaces. Cela ne finira donc jamais ?

Nous voyons enfin le jeune couple disparaître dans la sacristie, et quelqu'un joue très mal du Bach sur un orgue poussif, tandis que les deux factions de l'assistance se murmurent frénétiquement leurs opinions intimes sur le déroulement des opérations. Finalement, la *Marche nuptiale* retentit triomphalement et nous descendons en cortège l'allée centrale, entre deux rangées de sourires idiots. D'une façon générale, le soulagement l'emporte sur l'attendrissement.

— Je crois que ma vessie va éclater, dit Tante Eliza à la cantonade, au moment où je passe devant elle.

Dans leur banc, les jumelles extraterrestres pivotent sur elles-mêmes en un mouvement de pure robotique pour suivre des yeux la mariée qui les a rejetées. Et on peut entendre Tante Gladys soupirer :

— Eh bien, au moins, personne n'a tourné de l'œil...

Les photographes, sur les marches de l'église, semblent mettre encore plus de temps à officier que le pasteur, et c'est seulement lorsque le mariage suivant arrive et qu'il y a danger de voir les deux publics se mêler inextricablement qu'on se décide à faire mouvement. Les demoiselles d'honneur, épuisées, peuvent enfin se laisser tomber sur les coussins de l'Austin Princess noire, gréée de rubans blancs. J'ai l'impression d'être Gulliver au milieu des Lilliputiens. Je viens juste de m'assoupir lorsque nous arrivons à l'hôtel où doit se dérouler la réception. Celle-ci n'est pas, contrairement à certaines craintes, sans alcool, et le bar de l'hôtel de Fulford s'emplit rapidement. On pourrait croire que c'est le Sahara que nous venons de traverser, et non le centre d'York.

Mon petit troupeau s'éparpille aux quatre vents, et ses

diverses composantes sont longuement embrassées et félicitées par leurs parents pour avoir été si charmantes, si sages, si mignonnes, si tout le reste. J'aperçois George, de l'autre côté de la salle, en train de parler à une femme corpulente, vêtue d'un ensemble bleu-roi et coiffée d'un vaste sombrero de paille rouge et blanc. À plus ample examen, la dame opulente se révèle être Tante Eliza, un verre taché de rouge à lèvres dans une main et un cadeau encore enveloppé dans l'autre. Elle m'attire sur son vaste sein et me couvre les joues de baisers un peu gluants en me disant combien ravissante je suis. Je suis sur le point de la féliciter pour les couleurs hautement patriotiques qu'elle arbore en un jour où les intérêts nationaux sont en jeu lorsqu'elle me remet le cadeau en m'enjoignant d'aller « le poser sur la pile » et de lui remplir « pendant que j'y suis » une assiette au buffet.

Ce buffet, qui se compose de deux tréteaux recouverts de nappes, n'est apparemment pas conforme à la tradition de la famille de Sandra, où l'on pratiquait habituellement le repas assis. Il m'est difficile de l'ignorer, car les invitées de la partie adverse — généralement vêtues de textiles artificiels dans les tons pastel — commentent abondamment l'événement et son caractère révolutionnaire, la bouche pincée et le sac à main plaqué sur la poitrine.

— Cela ne vaudra jamais un bon déjeuner assis, dit l'une d'elles, en suscitant des murmures d'approbation qui ne sont pas sans évoquer le bruissement d'un champ de blé balayé par le vent.

— Vous vous souvenez du mariage de notre Linda, renchérit une autre. Un beau rosbif avec toutes les garnitures...

— Et un potage à la queue de bœuf, rappelle une tierce personne.

Puis, se promenant le long des tréteaux, on passe à la critique en règle du buffet, du jambon (« Ils auraient pu au moins prendre un vrai jambon d'York ») jusqu'aux œufs durs (« Il y a plus de mayonnaise que d'œufs »), tout en considérant d'un œil soupçonneux les deux serveuses.

Je remplis une assiette pour Tante Eliza ; c'est la personne la moins maniaque que je connaisse, particulièrement en ce qui concerne la nourriture. J'entasse donc tout ce qui me tombe sous la main, à l'exception du flan aux fruits, qui reste jusqu'ici aussi vierge et intact que la mariée elle-même.

Quand je retrouve Tante Eliza et mon père, ils ont déjà pris au moins trois doubles gins d'avance, et il n'y a toujours pas trace de leurs conjoints respectifs — Oncle Bill et Bunty. Voyant Tante Eliza déjà encombrée d'un verre, d'une cigarette et de mon père, je décide de lui tenir son assiette tandis qu'elle attaque les vivres qui y sont entassés avec un bel appétit.

— Drôle de cheptel, cette famille de Sandra ! remarque-t-elle, la bouche pleine. Ils ont tous l'air d'avoir un manche à balai dans le cul...

Contrairement à George, elle n'a pas vu se dresser, à portée de voix, la mère de la mariée, une formidable femme nommée Beatrice, à la carrure de lutteur de sumo.

George, qui commence à se sentir gagné par la panique, est tiré de sa regrettable situation par Ted, qui, debout près de la porte, lui fait un grand signe. Mon estomac continuant à faire des bruits alarmants, je me dirige de nouveau vers le buffet. Je me demande simplement où sont passés **tous** les membres mâles de l'assistance : il n'y a pratiquement plus un seul homme, et l'on n'a quand même pas profité de ce que j'avais le dos tourné pour déclencher une nouvelle guerre mondiale. Mais, à ce moment, je me heurte à Lucy-Vida en pleurs. Une part considérable de son rimmel qui est descendue sur les joues, elle renifle bruyamment et elle s'essuie le visage avec le boa pourpre noué autour de son cou.

— Je crois que tu ferais mieux de prendre un kleenex, lui dis-je en l'emmenant vers une rangée de chaises au fond de la salle.

— Je me suis simplement fait foutre en cloque, chérie, finit-elle par me dire avec ce beau naturel qui la caractérise.

« Et il était marié, ce con-là ! ajoute-t-elle après un silence.

Elle est toute pâle, et ses lèvres sont incolores comme celles d'un vampire à jeun. Peut-être doit-elle bien son prénom à Lucy Harker, après tout. À moins que sa pâleur soit seulement due à son maquillage. Ou à son état. Elle considère un moment son ventre et secoue la tête d'un air de totale incrédulité.

— Et maintenant, dit-elle, j'ai un foutu polichinelle dans le tiroir !

Un nouveau silence, puis :

— Mon père va me tuer !

J'essaie de la réconforter :

— Ne t'en fais pas. Il pourrait y avoir pire...

Mais, en réfléchissant de toutes nos forces, nous n'arrivons pas à trouver ce qu'il pourrait y avoir de pire.

— Tu ne vas pas à Clacton, n'est-ce pas ? fais-je, en me souvenant de Patricia.

— À Clacton ?

— Dans un foyer, pour faire adopter le bébé, comme Patricia ?

Elle pose deux mains protectrices sur son ventre et dit d'un ton âpre :

— Alors, là, pas question !

Je ne puis m'empêcher de me sentir un peu jalouse du futur rejeton de Lucy-Vida. La faim me fait légèrement tourner la tête, et je me lève en proposant à ma cousine d'aller lui chercher quelque chose au buffet. Elle blêmit encore un peu plus à cette seule idée, et j'entreprends la démarche pour mon compte personnel. Mais je suis interceptée en chemin par les jumelles de l'autre monde, l'air froidement interrogateur.

— Alors, Ruby ? fait l'une d'elles.

Je cherche vainement, pendant près d'une minute, une réponse adéquate à cette question pour le moins sibylline, et finis par me résigner à dire simplement :

— Alors ?

Un léger mouvement de tête de l'une révèle un grain de beauté sous le menton, et cette possibilité d'identification me donne confiance. J'emprunte le sourire de Bunty (à propos, où est ma mère ?) et je dis, pleine d'assurance :

— Bonjour, Rose, comment ça va ?

Elle sourit, avec une lueur de triomphe sadique dans l'œil.

— Je suis Daisy, Ruby.

— C'est toi qui as le grain de beauté. Je le vois d'ici.

À ce moment, l'autre jumelle fait un pas en avant et lève le menton pour présenter à ma vue un grain de beauté strictement identique. Horreur ! Je suis tentée de le gratter avec mon ongle pour voir s'il est vrai, mais je n'ai pas le cran de le faire ; je regarde les jumelles l'une après l'autre en état de totale contusion.

— Cela te plaît d'être demoiselle d'honneur, Ruby ? demande l'une des deux — celle de gauche.

Je sens que la question recouvre un piège, mais je ne vois pas lequel.

— Bien sûr, enchaîne l'autre avec une douceur perfide, les gens ont pitié de toi. C'est sans doute pour cela qu'on t'a choisie.

— Pitié de moi ?

— Tu as perdu tant de sœurs, fait la jumelle de droite avec un geste dramatique du bras.

— En perdre une, reprend la première, pourrait être considéré comme de la négligence, mais en perdre trois... cela devient un peu suspect, tu ne crois pas, Ruby ?

— C'est vrai, Ruby, intervient l'autre, qu'est-ce que tu as bien pu en faire ?

Décontenancée, je me défends comme je peux :

— Deux sœurs. Je n'ai que deux sœurs. Et Patricia n'est pas perdue. Elle va revenir.

— N'en sois pas si sûre, font-elles, en un chœur parfait.

Mais j'ai déjà battu en retraite hors de la pièce. Dans le hall, j'entends un poste de télévision à pleine puissance. « Et c'est Bell qui tire le corner, Hurst... et une chance de marquer. » Puis une grande clameur s'élevant à la fois du téléviseur et de l'assistance réunie dans le salon TV. J'ouvre prudemment la porte, et, à travers une épaisse fumée de tabac, je distingue presque tous les invités masculins du mariage exécuter une danse tribale en acclamant le nom de Martin Peters. J'aimerais rester et regarder avec les autres, mais, du coin de l'œil je vois surgir une jumelle. Je me précipite donc vers les toilettes des dames.

Là, à ma grande surprise, je découvre ma mère en fort mauvais état : elle est pieds nus, le chapeau en bataille et étonnamment ivre.

— Tu as bu ! lui dis-je.

Elle me lance un regard vide, entreprend de dire quelque chose, mais se trouve interrompue par une crise de hoquet.

— Respire à fond ! commande une voix venue de l'une des cabines des toilettes.

Il y a ensuite un bruit de chasse d'eau et j'attends avec intérêt de voir qui va sortir de la cabine. C'est Tante Gladys.

— Respire à fond ! répète-t-elle à Bunty, qui obéit, prend une profonde respiration et manque étouffer.

— Cela devrait aller, lui dit Tante Gladys, avec une tape maternelle dans le dos.

Mais cela ne va pas, et le hoquet de Bunty reprend de plus belle. Je m'offre à lui faire peur, mais elle refuse d'un geste las

269

de la main, comme si elle avait déjà eu son compte de frayeurs pour la journée. Le décor des toilettes de l'hôtel est rose et fluorescent, et trois des murs sont constitués par des glaces au reflet impitoyable. Assise sur un petit tabouret rembourré, Bunty semble s'y refléter à l'infini — vision inquiétante entre toutes.

Décidée à montrer un peu d'esprit pratique au milieu de tout ce déploiement d'émotions diverses, je lui demande :

— Où sont tes chaussures ?

Seul un hoquet me répond. Tante Gladys racle le fond de son immense sac à main et en extirpe une petite fiole de sels Mackintosh, qu'elle promène sous le nez de Bunty. Celle-ci est prise d'un haut-le-cœur et oscille dangereusement sur son tabouret.

— Tout va bien, dit Tante Gladys d'un ton rassurant à l'un de mes reflets dans la glace. Elle a simplement un peu trop bu, et elle n'en a pas l'habitude.

Je propose d'aller lui chercher un verre d'eau, et, au moment où je sors des toilettes, j'entends ma mère murmurer quelque chose ressemblant fortement à :

— J'en ai assez.

Quand je lui dis que ma mère ne se sent pas très bien, le barman, qui est très gentil et plutôt joli garçon, met une tranche de citron, deux glaçons et un petit parasol dans le verre d'eau et me donne un Coca-Cola gratuit. Mon chemin de retour vers les toilettes des dames est semé d'embûches. Je rencontre d'abord Adrian, qui m'informe qu'il a un nouveau chien — un Yorkshire terrier — de façon assez appropriée.

— Ce serait drôle, lui dis-je, si seuls les Allemands avaient des bergers allemands, les gens du Labrador des labradors et les Bordelais des dogues de Bordeaux. Mais, à ce moment, qui aurait des caniches ? Et quel genre de chiens auraient les gens des Îles Fidji ?

Et ainsi de suite jusqu'au moment où Adrian m'interrompt :

— Tais-toi un peu, Ruby. Sois gentille.

Puis il soulève une mèche de mes cheveux et fait une grimace navrée :

— Qui a coupé cela ? demande-t-il.

Il secoue la tête avec désespoir, mais ajoute :

— Ce n'est quand même pas aussi affreux que les cheveux de leur Sandra.

Il faut reconnaître que la coiffure de Sandra ressemble à s'y méprendre à la perruque de Louis XIV. On ne serait pas étonné que des oiseaux y aient fait leur nid.

À peine ai-je quitté Adrian que je suis assaillie par une escouade de tantes de Sandra qui me soumettent à un interrogatoire en règle sur les antécédents familiaux de Ted. Il apparaît que mes inquisitrices sont fort peu satisfaites de l'évolution des opérations, et s'étonnent, en particulier, que près de trois heures se soient écoulées sans qu'on ait coupé le gâteau de mariage ni même porté un toast. Je ne me tire qu'à grand peine de leurs griffes, puis je trébuche sur l'une des plus petites demoiselles d'honneur et laisse échapper un juron qui a le don de couper toutes mes respirations méthodistes alentour. Reprenant mon voyage en direction des toilettes, j'entends en passant dans le hall : « Et c'est un coup franc pour l'Allemagne ! Encore une minute à jouer, soixante petites secondes — tous les Anglais se replient, et tous les Allemands se portent à l'avant... » La tension presque palpable qui règne dans le salon de télévision déborde jusque dans le hall. « Jack Charlton s'est effondré, la tête dans les mains. » Il est probable que dans le salon tout le monde a fait comme lui. Je passe mon chemin à toute allure, mais je me heurte alors à une mariée écumant de rage.

— As-tu vu Ted ? me demande-t-elle d'un ton féroce.

— Ted ?

— Oui, Ted — mon foutu bon à rien de mari !

Elle pivote sur elle-même en parcourant du regard les corridors.

— Où sont-ils tous ? demande-t-elle ensuite.

— Qui ça ?

— Les hommes.

Je regarde avec intérêt la prise de conscience s'opérer lentement chez Sandra. Son visage se décompose, elle laisse échapper un petit cri et frappe le parquet de son escarpin de satin blanc pointure 36.

— Saleté de Coupe du Monde ! Je vais le tuer ! Je vais le tuer !

Sur quoi, elle relève sa longue robe blanche et se précipite, harponnant au passage sa majestueuse mère. Je cherche du regard Lucy-Vida, car je viens de trouver pire que d'être enceinte sans être mariée (être Ted) mais il n'y a pas trace de ma

271

cousine, et je reprends ma progression vers les toilettes sans autres incidents.

Deux des trois cabines sont occupées, et je me penche pour chercher les pieds de Bunty, chaussées ou non. Mais je constate avec un frisson d'horreur qu'apparaissent deux paires de pieds identiques. Et deux voix identiques demandent :

— Qui est là ?

— Seulement Ruby ! fais-je, avant de battre en retraite à toute allure.

★

Je vais restituer le verre d'eau au bar, ou plus exactement au gentil barman, mais quand j'arrive, je le trouve en grande conversation avec Adrian. Je me perche comme une perruche sur le tabouret voisin de celui d'Adrian, mais je ne tarde pas à me rendre compte que le barman et lui n'ont d'yeux que l'un pour l'autre. Me sentant de trop, je m'éclipse, en tortillant tristement entre mes doigts le petit parasol de papier.

Il y a un soudain mouvement de foule, et tous les hommes qui avaient disparu sont ramenés *manu militari* dans la salle par Sandra et sa mère, qui reste auprès de la porte, montant la garde.

— Dans le salon de télévision ! explique-t-elle d'une voix tonitruante au reste de l'assistance. Voilà où ils étaient ! En train de regarder le football !

Par la porte ouverte, le commentaire du match nous parvient en même temps : « Voilà Bell, courant de toutes ses forces. Voilà Hurst. Peut-il le faire ? » Figés sur place, les hommes ne peuvent s'empêcher de tourner la tête vers l'origine du son. « Il l'a fait ! Oui... Non... Non, le juge de touche dit que non ! »

— Enculé de juge de touche ! hurle Oncle Bill, faisant s'étouffer une fois de plus la belle-famille méthodiste.

« C'est un but ! C'est un but ! Les Allemands se déchaînent contre l'arbitre ! » Les hommes, eux, se déchaînent contre Sandra, qui les a empêchés de voir marquer le but. Mais elle n'en a cure.

— Cette saleté de Coupe du Monde ! dit-elle en se tournant vers Ted, l'écume aux lèvres. Tu n'as pas honte ? Est-ce que ton mariage n'est pas plus important que la Coupe du Monde ?

Ted ne peut s'en empêcher. Il a jusqu'ici passé l'essentiel de sa vie à mentir comme un arracheur de dents, mais, en cette occasion, cette occasion publique et capitale, nous le voyons avec horreur plonger, comme un parachutiste sans parachute, vers le roc dur et tranchant de la vérité.

— Pour sûr que non, dit-il. C'est la finale !

Avec un bruit terrible, la main de Sandra s'abat sur sa joue.

— Eh, doucement ! fait-il, comme Sandra cherche fébrilement quelque chose à lui lancer à la tête, et met la main sur le lourd bouquet de mariage, posé sur la table, à côté du gâteau.

— Sandra ! gémit Ted.

Mais elle n'est pas disposée à se laisser attendrir.

— Nous n'avons pas eu de discours ! rugit-elle. Nous n'avons pas eu de toasts ! Nous n'avons même pas découpé ce foutu gâteau ! Quel genre de mariage crois-tu que c'est !

« C'est fini, je pense. Mais non !... Voilà que surgit Hunt... »

Couvrant celle du commentateur, la voix de Beatrice retentit :

— Vous n'êtes que de la racaille !

L'épaule en avant et le sac à main prêt à frapper, elle se dirige vers son gendre tout neuf. Inquiet, Ted tente de reculer, mais il se prend les pieds dans une petite demoiselle d'honneur (elles grouillent comme de la vermine), perd l'équilibre et se trouve précipité tête en avant vers la table supportant le gâteau de mariage. Tout se passe sous nos yeux comme dans un film au ralenti ; battant des ailes, Ted tente d'éviter jusqu'au bout l'inévitable, mais rien n'y fait. Les petites figurines au sommet du gâteau tressautent et tremblent comme si un volcan entrait en éruption sous leurs pieds. « Quelques spectateurs sont descendus sur le terrain. Ils pensent que tout est fini... » Avec un curieux gémissement Ted a plongé, visage en avant, dans le gâteau. Une sorte de soupir de soulagement parcourt l'assemblée ; le pire était bel et bien arrivé, chacun peut se détendre un peu.

Mais pas pour longtemps, car l'insulte lancée par Beatrice vient juste d'atteindre son but.

— Racaille ? fait Oncle Clifford. Et qui appelez-vous *Racaille* ?

— Vous, aboie Beatrice. Vous et toute votre famille ! Entendu ?

— Sûrement pas !

273

Oncle Clifford n'a pas le temps de développer sa pensée, car Beatrice lui abat son sac à main sur la tête avec une telle force qu'elle lui fait tomber ses lunettes. En quelques secondes la salle se transforme en un champ de bataille où la confusion la plus totale règne entre les belligérants. Je remarque l'absence, dans la mêlée, de George et de Bunty et, comme je me sens très peu impliquée dans le combat qui se déroule, je tente de m'éclipser sans me faire remarquer. De préférence en direction du buffet, car je meurs de faim. Mais la route est coupée par un violent engagement entre les principaux acteurs de la cérémonie, Ted et son garçon d'honneur tentant de faire front contre l'assaut de Sandra et de toutes les petites demoiselles d'honneur.

— Ruby ! crie Sandra en me voyant. Viens ! Ta place est avec moi !

— Pas question ! lui hurle Ted. C'est ma nièce !

— C'est *ma* principale demoiselle d'honneur ! rétorque Sandra avec fureur.

Un nouveau combat s'engage sur le point de savoir dans quel camp je devrais me ranger, et j'en profite pour me faufiler comme je peux vers la porte du salon de télévision, perdant dans la mêlée mon serre-tête et un soulier. J'aspirais au calme relatif du salon de télévision, et je mets un certain temps à identifier le spectacle qui m'y attend. Une masse noir et blanc assez confuse s'agite sur le tapis comme un pingouin épileptique, et il me faut plusieurs secondes pour m'aviser qu'il s'agit de George en pleine activité sexuelle avec l'une des serveuses du buffet.

— Nora ! Oh, sacrée Nora ! s'exclame mon père, au sommet de l'extase, avant de s'effondrer lourdement sur le corps de sa partenaire.

Celle-ci s'agite sous lui, battant désespérément des bras et des jambes, comme un hanneton renversé sur le dos. Elle m'aperçoit soudain, et une expression d'horreur indescriptible se peint sur son visage. Elle se démène de plus belle pour s'échapper de sous mon père, mais le poids de celui-ci continue à la clouer au sol. Je n'ai encore jamais assisté à aucun orgasme, mais, même dans mon ignorance, il me semble que mon père devrait maintenant se relever, pousser un soupir de satisfaction et allumer la cigarette de rigueur, au lieu de rester là, inerte. Au prix d'un grand effort, la serveuse réussit à se dégager, et George roule sur le dos, la bouche ouverte et toujours sans mouvement. Je suis sur le point de demander à la serveuse si elle s'appelle vraiment Nora, mais je me ravise ; l'instant ne semble pas propice à des présentations en règle. Elle, pendant ce temps, s'efforce de se rajuster, sans détacher son regard du visage de George, comme si elle commençait à comprendre. Nous tombons l'une et l'autre à genoux de part et d'autre de George et nous nous regardons muettes d'horreur. Il nous apparaît maintenant de façon claire que George n'est pas en état de béate euphorie, mais qu'il est tout simplement mort — tout à fait mort. À la télévision, Kenneth Wolstenholme n'en poursuit pas moins son commentaire : « C'est un grand moment de l'histoire du sport : Bobby Moore se lève pour aller chercher la Coupe... »

— Savez-vous qui c'est ? murmure la serveuse.

— C'est mon père, lui dis-je.

Elle laisse échapper un petit jappement d'horreur.

— Je n'ai pas l'habitude de faire ce genre de choses, affirme-t-elle.

Copuler avec la clientèle ou tuer ses partenaires ? Il est, sur le moment, difficile de savoir ce qu'elle veut dire au juste. Elle n'a d'ailleurs pas le temps de s'expliquer plus avant, car Bunty, pieds nus, sans chapeau et encore plus ivre qu'auparavant, apparaît sur le seuil de la pièce. Elle contemple, stupéfaite, le spectacle qui s'offre à elle. Le pauvre George ne brille pas par la dignité, étendu sur le dos, la braguette ouverte — mais la reboutonner est un geste qui paraît discutable en l'occurrence.

— Nous pensons qu'il a eu une crise cardiaque, dis-je à Bunty. Peux-tu appeler une ambulance ?

— C'est trop tard, fait simplement la serveuse.

Bunty pousse un petit cri et se précipite.

— Vous le connaissiez ? demande la serveuse, d'un ton de sincère compassion.

— C'est mon mari, dit Bunty et s'agenouillant à côté de nous.

La serveuse laisse échapper un deuxième jappement et annonce :

— Je vais appeler une ambulance.

Sur quoi, elle quitte la pièce avec une certaine précipitation.

— Il faut faire quelque chose, déclare Bunty, très excitée.

Et, ayant pris sa respiration, elle se penche sur George et

275

entreprend de lui faire du bouche à bouche. Où a-t-elle bien pu apprendre cela ? Dans un feuilleton télévisé, probablement. Il est étrange de la voir donner à son mari mort le baiser de la vie, alors que, de son vivant, elle s'abstenait soigneusement de l'embrasser. Mais cela ne sert à rien. Elle finit par abandonner et, accroupie, regarder d'un œil vide l'écran de télévision sur lequel s'agitent par dizaines les petits drapeaux britanniques de la victoire.

*

Les funérailles, le vendredi suivant, ressemblèrent au mariage en négatif : mêmes invités pour beaucoup, même buffet en bonne partie, mais, heureusement, une église et un hôtel différents. Le pasteur de service au crématorium nous dit quel « membre éminent de la communauté » était George et quel « époux aimant et père attentionné » il s'était montré. Bunty, maintenant libre de réinventer le passé, frissonne d'approbation au rythme de l'oraison funèbre. Mauvaise fille jusqu'au bout, je regarde, l'œil sec et le visage impassible, le cercueil glisser entre les rideaux et George disparaître pour toujours. Puis, soudain, ma gorge devient douloureusement sèche et ma vision s'obscurcit, tandis que mille points lumineux commencent à danser sous mes paupières. Mon cœur bat la chamade, et je mobilise toutes mes forces pour essayer d'endiguer la vague de panique qui menace de m'engloutir : c'est, après tout, le jour de mon père, et je ne veux pas le gâcher avec mon drame personnel. Mais rien n'y fait. La vague de terreur me balaie inexorablement et je perds connaissance avant même d'avoir réussi à gagner le bout de la rangée de chaises.

Les jours suivants, je me surprends à revivre maintes fois la cérémonie. Je suis hantée par la vision du cercueil glissant au-delà des portes, comme un navire lancé vers le néant. Je voudrais courir après lui, le tirer à moi, l'ouvrir et exiger de mon père des réponses à des questions que je ne sais même pas formuler.

*

Le soir des obsèques de George, Bunty et moi veillons assez tard. Elle est dans la cuisine, en train de préparer de l'Ovaltine lorsque le téléphone se met à sonner.

— J'y vais, dis-je.

— Il est plus de minuit, remarque alors Bunty. Je parie que c'est M. Personne.

Mais en décrochant, dans le vestibule, je sens que cela va être George. Je m'installe sur les marches de l'escalier, le combiné posé contre mon épaule et j'attends qu'il me dise tout ce qu'il ne m'a pas dit de son vivant. J'attends très longtemps.

— Qui est-ce ? demande Bunty, en éteignant la lumière dans la cuisine et en me tendant une tasse d'Ovaltine.

Je secoue la tête et raccroche.

— Encore M. Personne, dis-je.

## ANNEXE X

## LILLIAN

Après la guerre, Lillian retrouva sa place chez Rowntree. Pour expliquer l'existence d'Edmund, elle se faisait passer pour une veuve de guerre et disait que son nom de femme mariée était Valentine.

— Valentine ?

Nell fit une mimique désapprobatrice, et Lillian se dit que sa sœur lui faisait parfois penser de façon étrange à Rachel.

— Eh bien, dit-elle, j'ai pensé que si je devais me trouver un nom, autant en choisir un joli.

— Lily Valentine, fit Frank, l'air pincé. On dirait une chanteuse de music-hall.

— Je suis vraiment désolée, Frank, fit Lillian d'un ton sarcastique, que cela ne recueille pas ton approbation.

Frank se dit qu'il allait se fâcher, mais il fut subitement désarmé par le petit Edmund, qui, installé sur la hanche de Lillian, se mit à rire aux anges en lui tendant un doigt. Malgré lui, Frank sourit et saisit le doigt.

— De toute manière, intervint Nell avec une irritation manifeste, je ne vois pas la différence que cela peut faire. Tout le monde, aux Groves, sait que tu n'as jamais été mariée. Que doivent penser les gens ? Je me demande comment tu peux encore circuler dans la rue la tête haute.

— Tu préférerais que je ne sorte plus, hein ? Qu'est-ce que je devrais faire : cacher Edmund comme un secret honteux ?

— Ce n'est pas la faute du petit, dit Frank, tentant tant bien que mal d'arranger les choses.

279

— Si encore on savait qui était le père, fit Nell d'un ton acide.

Frank maugréa intérieurement : ne pouvait-elle laisser tout simplement tomber le sujet ?

— Moi, je sais fort bien qui est son père, rétorqua Lillian en défiant sa sœur du regard.

Quand, finalement, Lillian fut montée dans sa chambre avec Edmund et quand Nell eut quitté la cuisine en maugréant, Frank se prit à soupirer : c'était vrai, ce qu'on disait à propos de deux femmes dans une maison. Avant son mariage avec Nell, il n'avait jamais surpris un mot déplaisant entre les deux sœurs ; depuis, elles étaient en état d'affrontement permanent. Il se sentait pris entre deux feux. Il ne tenait pas, quant à lui, à savoir qui était le père du petit Eddie. Il n'avait jamais cru que ce fût Jack ; il n'y avait aucune ressemblance, et Jack était un de ces hommes de caractère qui doivent avoir un fils à leur image. Et le père d'Edmund « ne lui avait pas laissé grand-chose », comme avait dit Rachel, après qu'elle eut été forcée d'accepter l'idée qu'une femme déchue résidait sous son toit. Elle était même allée jusqu'à montrer aux deux filles une photo qu'elles n'avaient jamais encore vue : Albert assis sur les genoux d'Ada. Lillian et Nell dévorèrent la photo des yeux sous la lampe, s'extasiant sur l'étrange ressemblance du bébé Edmund avec Albert. Mais c'était l'image de leur sœur morte depuis si longtemps qui excitait le plus leur imagination. Elles avaient presque oublié Ada, et c'était pour elles un choc que de la voir ainsi, jolie et endimanchée, faisant la moue au photographe comme si elle avait su que celui-ci s'apprêtait à leur voler leur mère. Lillian, les yeux humides, regarda d'un air accusateur Rachel, qui se balançait dans son rocking-chair dans un coin de la pièce.

— Tu as encore beaucoup d'autres photos cachées ? demanda-t-elle.

— Ne dis pas de bêtises, dit Rachel avec un rire forcé.

Nell et Lillian surent alors qu'il y en avait d'autres, mais elles ne les trouvèrent pas avant la mort de leur belle-mère. Fouillant les affaires de celle-ci pendant que Nell et Frank étaient en voyage de noces, Lillian finit par découvrir les clichés pris par Jean-Paul Armand. Plus tard, juste avant la naissance de Clifford, elle les fit encadrer à grands frais.

Elle avait pleuré près d'une demi-journée en se revoyant elle-même, bébé, dans les bras d'Ada, mais quand elle quitta définitivement la maison de Lowther Street, ce fut la photo d'Albert avec Ada qu'elle emporta.

Parfois, Frank en arrivait à se demander si le père d'Edmund ne pouvait pas être Albert. Il ne se souvenait que trop clairement de la façon dont les deux sœurs se pendaient au cou d'Albert, disant en plaisantant qu'il était « le seul homme de leur vie ». Mais l'idée du frère et de la sœur ensemble lui paraissait tellement révoltante qu'il se reprochait de l'avoir même envisagée un seul instant.

Lillian coucha Edmund dans son petit lit. Ses yeux étaient déjà mi-clos, ses longs cils pâles baissés sur ses joues rondes. Quand elle allait travailler, Lillian le laissait à une certaine Mrs. Hedge, dans Wigginton Road, qui était si séduite par le bébé qu'elle jouait constamment avec lui et ne le laissait pas dormir de toute la journée. C'était une veuve à qui la guerre avait pris ses trois fils, trois superbes garçons, et qui se retrouvait seule dans sa grande maison. Edmund, disait-elle avec sourire triste, lui redonnait une raison de vivre.

Lillian n'avait jamais demandé à Nell de veiller sur son fils. Elle ne voulait lui être redevable de rien. Il lui suffisait déjà amplement de devoir vivre sous le même toit que sa sœur et son mari. On n'eût jamais dit que c'était sa maison autant que celle de Nell. De la minute où elle avait été mariée, celle-ci s'était comportée comme si Frank et elle en avaient été les seuls et légitimes propriétaires. Et quand Nell avait été enceinte, cela avait été pire encore. Son ressentiment contre Lillian semblait grossir à la même cadence que son ventre, et Lillian, de son côté, se butait de plus en plus.

*

— Il est drôlement élégant, notre Frank, remarqua Lillian en décalottant l'œuf à la coque d'Edmund.

Frank était dans l'arrière-cour, gonflant les pneus de sa bicyclette avant d'aller au travail. Il avait un emploi dans un magasin de confection pour hommes, et soignait sa mise en conséquence. Mais les tentatives de plaisanterie de Lillian tombèrent à plat. Nell était en train de promener sur la table du petit déjeuner le ramasse-miettes perfectionné que Minnie Havis lui avait offert en cadeau de mariage.

— Pourquoi ne laisses-tu pas cela, Nelly ? dit Lillian. Je le ferai quand Eddie aura fini.

— Parce que le moment du petit déjeuner est passé, répondit Nell en évitant le regard de sa sœur.

— Mais pas du tout ! fit Lillian, en s'efforçant de garder son calme. Eddie vient juste de commencer, et moi, je vais refaire du thé. Tu en veux ?

— Non, merci, répliqua sèchement Nell. Moi, j'ai pris *mon* petit déjeuner !

— Je ne savais pas qu'il n'y avait qu'un service, comme dans un hôtel de deuxième catégorie, fit Lillian perdant patience.

— Je ne connais rien aux hôtels — de deuxième catégorie ou non.

Nell, en disant cela, ne put réprimer un petit sourire de triomphe, car elle n'avait que rarement l'esprit de repartie.

— N'essaie pas de faire la maline, Nell, lui lança Lillian. Cela ne te va pas au teint.

Furieuse, Nell jeta violemment son ramasse-miettes sur la table, précipitant au sol l'une des tasses ornées de myosotis, qui alla se briser sur le carrelage. Voyant ce qu'elle avait fait, elle se mit à hurler, déclenchant ainsi les cris de Clifford, à l'étage. Nell tenta de se boucher les oreilles, car Clifford était capable de hurler pendant des heures, la rendant littéralement folle. Mais elle entendit quand même Lillian lui dire :

— Voilà ton petit ange qui remet ça ! Il ne s'arrête donc jamais ?

Clifford était un bébé affreux — surtout si on le comparait à Edmund, qui, de plus, était d'un calme angélique. Nell enrageait parfois en voyant Lillian jouer avec son fils.

— Cet enfant est gâté, pourri, disait-elle à Frank. Dieu seul sait ce que cela va donner quand il grandira !

Frank ne répondait rien, car il pensait en fait qu'Edmund était « un gosse épatant ».

★

Lillian quitta, un beau matin de juillet, la maison de Lowther Street pour se rendre à son travail chez Rowntree, déposant en passant Edmund chez Mrs. Hedge. Au moment où elle arriva devant la maison de celle-ci, sa décision était prise. Elle ne pouvait plus supporter l'idée de rester plus longtemps Lowther Street avec Nell et Frank, hypocrites, mesquins et étroits d'esprit, comme ils étaient. Si elle restait avec eux, elle finirait par se ratatiner complètement et Edmund serait asphyxié en grandissant. Il n'en était pas question.

— Et voici mon joli petit garçon ! dit Mrs. Hedge en leur ouvrant la porte.

Edmund lui passa les bras autour du cou, et elle déposa un affectueux baiser sur sa joue rebondie.

— Je vais émigrer, annonça alors Lillian.

Et, durant toute cette matinée, Mrs. Hedge se mit à pleurer chaque fois qu'elle regardait Edmund.

★

Résolue à laisser le sort décider complètement de son avenir, Lillian découpa une feuille de papier en petits carrés bien égaux et y écrivit toutes les possibilités auxquelles elle pouvait penser : Nouvelle-Zélande, Australie, Afrique du Sud, Rhodésie, Canada. Puis elle mit les petits papiers repliés dans son plus beau chapeau — une toque de paille bleu nuit avec un camélia en soie blanche —, ferma les yeux et procéda au tirage. C'est ainsi que, par une fraîche journée d'automne, elle quitta Liverpool à destination de Montréal à bord du paquebot *Minnedosa* du Canadian Pacific Overseas Service. Coiffée de ce même chapeau qui lui avait servi pour le tirage au sort, elle souleva à bout de bras Edmund pour qu'il puisse dire adieu à sa terre natale. Sur le quai, Frank et Nell faisaient de grands gestes des bras. Edmund se tortillait et frétillait, excité par le spectacle des banderoles qui s'agitaient, le son de la fanfare et l'obscur sentiment que quelque chose d'important se passait. Mais le plaisir de Lillian fut gâché par les larmes de Nell. De l'entrepont, Lillian pouvait voir sa sœur sangloter, et cela lui brisait le cœur, malgré la mésentente qui avait pu régner entre elles les derniers temps. Quand le navire commença à s'éloigner du quai, elle enfouit son visage humide dans le cou dodu d'Edmund.

★

Lillian resta deux ans à Montréal, dans le quartier français. Elle avait une chambre au-dessus de la boulangerie où elle travaillait. Le boulanger, un gros homme très gentil nommé Antoine, commença à la demander en mariage dès la première semaine. Lillian aimait le climat de sympathie qui régnait dans le quartier, elle aimait entendre le petit Edmund bavarder en français avec ses camarades de jeu comme si ç'avait été sa langue natale, et elle adorait l'odeur du pain qui, montant du fournil, l'éveillait chaque matin. Mais elle finit par se dire qu'il était dommage d'être allée si loin pour se retrouver dans une unique petite chambre. D'autre part, les propositions du boulanger devenaient lassantes, et elle avait peur de dire un jour oui. Comme elle avait déjà tout quitté une fois, il lui était facile de recommencer, et, un jour, Lillian fit ses maigres bagages et prit un billet de chemin de fer à la Canadian Pacific.

— Jusqu'où, madame ? lui demanda l'employé.

Elle ne savait que répondre, car elle n'y avait pas réfléchi. Elle finit par dire en haussant les épaules :

— Jusqu'au bout, s'il vous plaît.

★

L'Ontario se déroulait à l'infini sous les roues du train : kilomètre sur kilomètre d'eau et d'arbres, d'arbres et d'eau. Tout ce vaste continent ne semblait fait que de cela.

— Je ne savais pas, dit Lillian à Edmund, qu'il y avait tant d'arbres dans le monde.

Mais précisément, à ce moment, les arbres commencèrent à se raréfier et les eaux à se tarir. La prairie commençait, et l'immense océan de champs de blé parut encore plus vaste que les forêts et les lacs de l'Ontario. Comme le train, dans la nuit, passait du Saskatchewan à l'Alberta, Lillian, assise dans la voiture d'observation, vit la lune suspendue comme une grosse lanterne jaune au-dessus de l'immensité de la prairie et pensa à la maison de Lowther Street. Tout le temps qu'elle était restée à Montréal, elle avait eu le sentiment qu'elle finirait par retourner en Angleterre mais à mesure qu'ils s'éloignaient de la côte est, elle se rendait compte qu'elle ne reviendrait jamais sur ses pas, ni à Montréal ni en Angleterre, et surtout pas dans Lowther Street. Elle se sentit si coupable qu'elle résolut d'écrire dès le lendemain matin à Nell, à qui elle n'avait, pendant tout ce temps, donné aucune nouvelle. Mais elle eut beau essayer, elle ne parvint jamais à aller au-delà de « Chère Nell, comment vas-tu ? », et finit par renoncer alors qu'on venait de dépasser Calgary. Ensuite, c'étaient les montagnes qui commençaient.

Ils descendirent du train à Banff, car Lillian ne pouvait plus supporter de regarder les Rocheuses sans pouvoir en respirer l'air. Et sur le quai, à Banff, elle écarta les bras et se mit à tourner sur elle-même, à valser tant et si bien qu'Edmund eut peur qu'elle ne tombe sur la voie.

Ils restèrent une semaine entière à Banff, dans une petite pension de famille à bon marché, et ils parcoururent à pied les escarpements des Sulphur Mountain. Ils se firent conduire en voiture à cheval jusqu'au Lac Louise, admirèrent le glacier et les eaux vertes où il se reflétait. Lillian serait bien restée là à tout jamais, mais, en fin de compte, ils reprirent le train, car, au bout de la ligne, il y avait peut-être mieux encore.

À Vancouver, Lillian décrocha un emploi à la poste. La vue des centaines de lettres qui passaient chaque jour sous ses yeux la fit se sentir de nouveau coupable, et elle commença plusieurs autres missives à l'intention de Nell. Un jour, elle alla même jusqu'à demander si Clifford avait eu des frères et sœurs avant de déchirer sa lettre et de la jeter au feu. Pourquoi gaspiller une lettre alors qu'elle pouvait fort bien être de nouveau saisie par la bougeotte et quitter soudain la ville ? La réponse de Nell se perdrait, et Lillian était devenue une postière trop consciencieuse pour admettre une telle éventualité. En fin de compte, elle envoya un télégramme : «Tout va bien. Ne t'inquiète pas pour moi.» Ce n'était pas brillant, mais c'était encore ce qu'elle pouvait faire de mieux.

La chose faite, elle se rappela soudain le télégramme qui leur avait annoncé la mort d'Albert, et s'inquiéta de la réaction de Nell voyant arriver le télégraphiste. Mais il était trop tard, et Lillian, à ce moment, avait d'autres choses en tête. Elle avait accepté d'épouser un fermier du Saskatchewan, un séduisant veuf qui, s'étant rendu à Vancouver pour le mariage d'un ami, était venu à la poste acheter un timbre pour envoyer une lettre à sa mère.

— Elle ne reçoit jamais de courrier, avait-il expliqué timidement. Personne de sa connaissance ne voyage. Elle n'est jamais allée plus loin que Saskatoon.

— Saskatoon ? avait demandé Lillian.

Ils engagèrent alors une conversation qui se poursuivit jusqu'au moment où le supérieur de Lillian vint lui dire :

— Mrs. Valentine, puis-je vous rappeler que vous n'êtes pas payée pour bavarder ?

Lillian dut faire un grand effort pour ne pas éclater de rire. Le fermier toucha son chapeau en souriant et s'éloigna du guichet, où une queue s'était formée.

Quand Lillian quitta son travail, en début de soirée, les trottoirs luisaient de pluie sous la lumière jaune des réverbères, et elle commença à ressentir cette impression de mélancolie que suscitaient toujours chez elle le temps pluvieux et l'obscurité. Elle venait d'ouvrir son parapluie lorsque le fermier du Saskatchewan émergea de l'ombre, toucha de nouveau son chapeau, très poliment, et lui demanda s'il pouvait la raccompagner chez elle. Elle posa sa petite main sur son bras robuste et leva très haut le parapluie (le fermier était très grand) pour les abriter tous deux. Il la reconduisit ainsi à la pension de famille, dont la propriétaire, Mrs. Raicevic, s'occupait d'Edmund après sa sortie de l'école. Ayant appris en route le nom du fermier, Lillian dit à son fils :

— Edmund, voici Mr. Donner.

Pete Donner s'accroupit devant le petit garçon et fit :

— Bonjour, Edmund. Tu peux m'appeler Pete.

Mais Edmund préféra l'appeler « Papa » dès qu'il eut épousé sa mère.

Pete Donner fut surpris de la rapidité avec laquelle sa nouvelle épouse s'adapta à la vie à la ferme. Même le premier hiver, qui fut rude, ne la découragea pas. L'été, elle était debout dès l'aube, allant nourrir les poulets et traire les vaches, fredonnant tandis qu'elle préparait le petit déjeuner de Pete et de ses valets de ferme, Joseph et Klaus, qui vivaient dans une vaste cabane au bout du potager. La ligne de chemin de fer traversait la propriété des Donner, et, une ou deux fois durant l'été, Pete trouva sa femme près de la voie, contemplant l'un de ces immenses trains de céréales qui traversaient tout le pays. Sans le dire, il craignait qu'elle reparte subitement, un jour ; elle avait un tel air rêveur en regardant les trains. Les soirs de cet été-là, sous la véranda de la vaste maison de bois, Lillian lui parlait de Rachel, de Nell, du père d'Edmund et des raisons pour lesquelles elle avait tenu son identité secrète. Et, bien que rien dans ses propos n'indiquât le moindre désir de retourner en Angleterre, Pete Donner en eut si peur qu'il finit par lui poser la question. Elle éclata de rire et lui dit :

— Ne sois pas bête...

L'hiver suivant, à l'âge de trente-six ans, elle donna naissance à un fils que l'on appela Nathan, comme le père de Pete Donner.

Nathan ne ressemblait pas à son demi-frère. La seule caractéristique qu'ils avaient en commun était une lèvre inférieure un peu boudeuse, comme celle d'une fille, qui leur venait d'Ada, et avant elle de sa mère. Les deux garçons étaient très proches, et, quand Edmund était encore très jeune, ils ne cessaient de parler du jour où ils travailleraient ensemble à la ferme. Mais quand Edmund s'en alla préparer une licence d'anglais à l'université de Toronto, Nathan commença à craindre que son frère ne revienne pas. Et quand il fut porté disparu, Nathan faillit perdre la raison ; il n'arrivait pas à imaginer l'avenir sans Edmund.

Mais l'avenir vint quand même, et, avec le temps, Nathan se maria et eut deux enfants. L'aînée, Alison, fit des études de droit et s'en alla à Ottawa travailler pour le gouvernement. Peu après qu'elle eut quitté l'université, Nathan se tua dans un accident à la ferme. Pete Donner était mort d'un cancer du poumon dans les années cinquante. Alison affirmait toujours en riant qu'elle ne se marierait jamais et ne revivrait sous aucun prétexte dans une ferme, mais son jeune frère, Andy, fit l'un et l'autre ; il reprit la ferme après la mort de son père et épousa une fille de Winnipeg nommée Tina.

C'était en 1965, et, à ce moment, Lillian était allée s'installer dans l'ancienne cabane de Klaus et de Joseph, qu'Andy avait fait réaménager pour elle. Elle se disait prête à mourir, mais cela lui prit dix années encore, au cours desquelles l'arthrite l'avait douloureusement déformée.

★

La femme d'Andy, Tina, venait souvent passer un moment avec Lillian dans la soirée. Elle avait eu trois garçons très vite — Eddie, l'aîné, ainsi nommé en souvenir d'Edmund, et les jumeaux Nat et Sam — et un quatrième était en route. Elle disait en plaisantant qu'elle ne venait voir Lillian que pour

287

échapper à ses enfants, mais l'une et l'autre savaient que la vérité n'était pas là. Lillian aimait Tina plus que toute autre. C'était une grande et belle fille aux yeux clairs et aux cheveux blonds, qu'elle tirait en queue de cheval, faisant ainsi ressortir la forte ossature de son visage. En été, sa peau se semait de taches de rousseur, comme si on l'avait aspergée de peinture dorée, mais en hiver, elle redevenait blanche comme du lait. Elle dégageait une telle énergie qu'il semblait toujours en subsister un peu dans une pièce qu'elle venait de quitter. Il semblait à Lillian que Tina, comme Albert, était illuminée de l'intérieur.

Un matin de printemps, Tina, qui attendait son quatrième enfant et se trouvait dans un état de grossesse avancé, regarda par la fenêtre de la cuisine et vit une fumée s'élever à proximité de la cabane. Elle se précipita et trouva Lillian en train de brûler des papiers, une boîte en carton posée à côté d'elle.

— Je fais un peu de ménage avant de mourir, cria-t-elle joyeusement à Tina.

— J'espère que tu ne comptes pas t'en aller avant la naissance du bébé, fit Tina.

— Ne compte pas trop là dessus, répondit Lillian en attisant le feu. J'ai déjà vécu trop longtemps, et, quand je serai morte, je serai avec mes enfants. C'est le seul endroit où une mère puisse souhaiter être.

Tina se mit à rire et dit :

— Pas toujours !

Quand Lillian eut fini de brûler ses papiers — en particulier des lettres — elles rentrèrent ensemble dans la cabane et Tina leur prépara du chocolat.

— Il y a quelque chose que je voudrais te donner, dit soudain Lillian.

Elle prit la photo qui avait toujours siégé, dans son cadre d'argent, sur sa commode et la remit à Tina. Celle-ci dut refouler ses larmes, pas seulement parce que ce portrait d'enfants morts l'avait toujours émue, mais parce qu'elle comprenait aussi que Lillian ne plaisantait nullement lorsqu'elle disait qu'elle allait mourir.

Avant de partir, Tina se caressa le ventre et dit :

— Je suis sûre que ce sera encore un garçon. Je ne suis pas faite pour avoir des filles. Comment crois-tu qu'on pourrait l'appeler ?

Lillian réfléchit un instant et répondit :

— Pourquoi ne pas lui donner le nom du père d'Edmund ?

★

Aux obsèques, Tina Donner pleura toutes les larmes de son corps. Certains dirent qu'il était réconfortant de voir une jeune femme se sentir aussi proche d'une vieille dame.

— Je l'aimais vraiment, dit-elle à Andy.

Celui-ci entoura de son bras les épaules de sa femme et lui murmura :

— Je le sais, ma chérie.

Il y eut énormément de monde à la réception qui suivit, à la ferme. On disait n'avoir jamais vu cela, même pour un mariage.

La réunion ne fut pas particulièrement triste : après tout, Lillian était très vieille, et, comparée à la plupart des gens, elle avait eu une belle vie. De plus il y avait un nouveau bébé dans la maison Donner, et, après qu'Andy eut levé son verre à la mémoire de sa grand-mère, sa sœur Alison leva le sien à la santé du nouveau-né : Jack.

# CHAPITRE XI

1968

SAGESSE

Mes funérailles sont très émouvantes. Mon cercueil repose dans la nef d'une ravissante vieille église — celle de la Sainte-Trinité, à Goodramgate — entouré d'une assistance recueillie. Des chants d'oiseaux parviennent à l'intérieur de l'église, et l'on peut admirer à perte de vue, par les portes ouvertes, un paysage magique et très anglais de vertes collines et de bois sombres. Des branches de lilas et d'aubépine sont répandues dans le cercueil ouvert, de sorte que je ressemble à la Reine de Mai. Les gens s'approchent sur la pointe des pieds et contemplent respectueusement ma peau d'albâtre et mes cheveux aile de corbeau, des cheveux que, mystérieusement, la mort a rendus plus noirs et plus luxuriants.

— Elle était si belle ! murmure quelqu'un en secouant la tête.

— Et si incomprise ! dit quelqu'un d'autre. Si seulement nous avions su voir combien elle était exceptionnelle !

— Et n'oubliez pas tous les dons qu'elle avait !

L'église est bondée non seulement de parents et d'amis, mais aussi de gens que je n'ai jamais rencontrés : un Leonard Cohen éperdu d'admiration, par exemple, et un Terence Stamp confondu de chagrin. En fond sonore, Maria Callas chante *J'ai perdu mon Eurydice*. Bunty est assise à l'extrémité du premier banc, secouant la tête, pleine de remords.

— Peut-être que, si on ne l'avait pas échangée à sa naissance, ce ne serait pas arrivé, dit-elle à voix basse à Mr. Belling, assis à côté d'elle...

— Ruby ! dit Mr. Belling, me faisant sursauter si violemment que je manque tomber du lit. Ta mère et moi allons faire un tour au Château Howard. Tu ne peux pas venir avec nous, n'est-ce pas ?

Il tapote son petit estomac rebondi, plein du poulet dominical de Bunty, et me considère d'un air inquiet, redoutant que je me montre soudain avide de les accompagner dans leur enrichissante excursion. Je lève une main molle et lui dis :

— Non, non. Allez-y. Je préfère rester ici.

J'ai appris d'expérience qu'en certaines occasions, la foule commence à trois. Au début, quand j'étais une nouvelle venue dans la vie de Mr. Belling, il était disposé à faire quelques efforts envers moi (« Seize ans, la fleur de l'âge ! »). Mais maintenant, il ne me considère plus que comme un sous-produit de Bunty dont il doit malheureusement s'accommoder. La semaine dernière, j'ai commis l'erreur de les accompagner, Bunty et lui, à Knaresborough, et je me suis rapidement sentie de trop. Nous nous sommes arrêtés à un moment dans un pub appelé *La Fin du Monde*, et, devant un demi panaché et un sandwich fromage-oignons, Mr. Belling m'a demandé d'un air morose à quel âge je comptais quitter la maison pour voler de mes propres ailes.

Je reviens à ma méditation funèbre. (C'est fou ce que j'ai pu devenir comme Patricia !) Je m'entraîne pour jouer Ophélie au naturel lorsque la rivière Foss aura retrouvé un niveau acceptable. Pour le moment, ses eaux sont scandaleusement basses ; je les ai essayées, et elles arrivaient à peine à l'ourlet de ma mini-robe. Était-il raisonnable de s'y noyer dans ces conditions ? Toujours optimiste, j'ai tenté de le faire en m'accroupissant dans l'eau brune et boueuse, mais un épagneul trop affectueux est venu contrecarrer tous mes efforts. Il serait beaucoup plus facile, évidemment, de se noyer dans l'Ouse, mais c'est une grande rivière anonyme, qui n'a rien d'aussi romantique que la Foss, avec ses nénuphars, ses roseaux et ses braves petits iris jaunes.

J'entends la Rover de Mr. Belling démarrer en faisant voler le gravier. Il va probablement emmener, ensuite, Bunty prendre le thé, puis il la raccompagnera. Elle arrivera en riant comme une folle et gloussant :

— Allons, allons, Bernard, je suis une respectable veuve !

Sur quoi il lui pincera les fesses en lui disant :

— Pas pour longtemps, Bunty !

Je suppose que je devrais remercier le Ciel qu'elle n'ait pas pour soupirant attitré Walter. Il a tenté sa chance, déposant aux pieds de Bunty foies de veau, côtes d'agneau et même, un jour, un lapin tout écorché, nu et rose brillant, qui ressemblait à une chose sortie d'un magazine pornographique. (J'en ai vu un — et je sais ce que c'est qu'un préservatif. C'est l'âge de l'innocence perdue.) Nous n'avons pas mangé le lapin, et Walter a été vaincu par le Preux Chevalier de Bunty — Bernard Belling, qui a une affaire de fournitures de plomberie du côté de Back Swinegat. Son entrepôt est une sorte de cathédrale dédiée au sanitaire, où s'alignent dans le clair-obscur d'interminables rangées de cuvettes de cabinets et d'éviers sans robinets.

Mr. Belling est presque chauve et porte des pantalons serrés surmontés de chandails à la mode. Il me parle constamment de la vie d'enfer que ma « pauvre mère » a eue. Bunty tient maintenant la Boutique avec l'assistance d'une très jeune vendeuse nommée Elaine.

— Tu te rends compte, me dit Bunty. Elaine a ton âge, mais elle a un petit ami régulier et économise pour son trousseau.

C'est aussi le cas, chose plus alarmante, de Kathleen, qui s'est récemment fiancée à un garçon nommé Colin. Il est élève au lycée d'Holgate et compte entrer dans l'affaire de quincaillerie de son père. Kathleen porte sa bague de fiançailles au cou, au bout d'une chaîne dissimulée sous sa blouse d'uniforme.

Nous faisons ensemble l'inventaire de son trousseau. Elle a quatre torchons en toile d'Irlande, un abat-jour et un jeu de fourchettes à gâteau en acier inoxydable. Peut-on fonder un mariage là-dessus ? Je lui achète une planche à découper pour gonfler ses actifs.

— Elle a tout à fait raison, remarque Bunty.

Sur quoi je lui demande :

— Tu ne veux pas que j'aille à l'université, alors ?

Elle se récrie aussitôt :

— Si, si. Tes études sont très importantes, évidemment.

Mais il est facile de voir qu'elle préférerait me voir mariée et sous la responsabilité de quelqu'un d'autre. J'interroge Kathleen :

— À quoi cela sert de faire un trousseau ?

— À préparer l'avenir, répond-elle promptement.

Que mettrais-je dans mon trousseau si j'en avais un ?

★

Je suis en proie à la léthargie du dimanche après-midi.

Étendue sur mon lit, je me répète comme une incantation magique les batailles de la campagne d'Espagne contre Napoléon : « Vimeiro, La Corogne, Porto, Talavera, Badajoz, Salamanque... » Mais cela ne sert à rien : cinq minutes après je n'en retrouve plus une seule. C'est fort ennuyeux, car mon premier bac commence la semaine prochaine. Je me demande si mes résultats seront aussi mauvais que ceux de Patricia en son temps. Où est Patricia ? Pourquoi ne vient-elle pas m'arracher à cette vie imbécile ?

J'abandonne mes révisions pour descendre à la cuisine et me préparer un toast, que je mange étendue au soleil sur le tapis de la salle de séjour. Puis je m'assoupis et me réveille toute désorientée. J'essaie de me réciter mon texte de français pour l'oral, mais sans arriver à aller au-delà de : « Paris, une ville très belle et intéressante... » Moi qu'on disait douée pour les langues, je n'arrive pas à construire une seule phrase en allemand ou en latin. Même l'anglais, ma langue natale, me joue les pires tours quand je suis interrogée en classe.

Par la porte-fenêtre donnant sur le jardin, j'aperçois un chat du voisinage guettant une grive, qui, inconsciente du danger, triture un ver de terre dans un massif de pétunias. Je rampe jusqu'à la porte-fenêtre et frappe à la vitre pour alerter la grive, qui s'envole avec un demi-ver de terre dans le bec. Se produit alors une chose étrange : je continue à frapper sur la vitre. Très fort, avec le tranchant de la main ; ce que je veux faire, emportée par une impulsion soudaine et irrésistible, c'est casser la vitre et m'ouvrir le poignet sur le verre brisé, me scier les veines jusqu'à ce que tout le sang s'en écoule. C'est une double vitre, qui refuse de se casser, mais je continue à la marteler frénétiquement de la main.

Comment se fait-il que nul ne remarque combien je suis malheureuse ? Comment se fait-il que nul ne s'alarme de mon comportement bizarre ? Il y a mes crises de somnambulisme, qui reviennent de temps en temps, au cours desquelles j'erre dans la maison comme une enfant fantôme à la vaine recherche d'une chose oubliée dans le monde des vivants. Il y a les crises d'inertie, au cours desquelles je reste des heures étendue sur mon lit, inerte, sans bouger ni, apparemment, penser (Bunty estime que c'est un phénomène normal de l'adolescence). Pire, enfin, il y a les crises de panique. Depuis la première, lors des funérailles de George, j'ai perdu le compte des fois où j'ai dû me précipiter, affolée, hors de cinémas, de théâtres, de bibliothèques, d'autobus et de magasins. Les symptômes en sont terrifiants : j'ai l'impression que mon cœur est sur le point d'exploser, ma peau se glace et mon sang semble se vider dans mes souliers — la mort me paraît imminente. Si on me filmait en ces moments et si on passait ce film à la télévision, Bunty, en le voyant, secouerait certainement la tête et dirait :

— Cette enfant a besoin qu'on lui vienne en aide.

Mais parce que je suis là, sous son nez, devant ses yeux, elle semble ne rien remarquer.

Peut-être, après tout, n'est-ce qu'un mauvais passage, un douloureux rite d'initiation à l'âge adulte, un cataclysme hormonal, l'étroit et sombre tunnel de l'adolescence...

— Ruby !

Un air de total effarement s'est peint sur le visage de Mr. Belling quand, arrivé par le jardin, il me découvre en train d'essayer de fracasser la vitre avec ma main.

— Que diable fais-tu là, Ruby ? demande-t-il, en essayant de son mieux de prendre un ton à la fois ferme et paternel.

— J'essaie de m'évader, dis-je, l'air sombre.

— Ne fais pas attention à elle, Bernard, lance Bunty en passant la porte-fenêtre. Elle est un peu trop maline pour son bien. Elle tient de sa sœur.

Sur quoi je demande d'un ton sarcastique :

— Et de laquelle ? Avec toutes celles que tu as perdues...

Je reçois de Bernard une claque retentissante, qui me fait me mordre profondément la lèvre inférieure.

— Merci, Bernard ! dit Bunty. Il était temps que quelqu'un la remette un peu à sa place, cette duchesse !

Puis elle enchaîne avec un grand sourire à son bien-aimé :

— Si l'on ouvrait une boîte de saumon ?

Tous deux se dirigent vers la cuisine, me laissant là, toute blanche et trop suffoquée pour parler. Je me laisse de nouveau glisser sur le tapis, où je me roule en boule, au comble du malheur. Je vois tomber sur le Wilton beige, non une larme, mais une petite goutte de sang venue de ma lèvre. La seule marque de sympathie que je recueille vient de Rags, qui pousse au creux de ma main un nez froid et humide.

Que souhaiterais-je pour mon trousseau ? Rien que des objets tranchants : du verre brisé à la cassure bien nette, des couteaux à découper à l'acier poli, des couteaux à pain aux petites dents avides, des lames de rasoir à l'impitoyable tranchant. Et si Bunty me découvrait, une nuit, errant dans la maison avec un grand couteau ensanglanté à la main ? (Que dirait-elle ? « Veux-tu bien filer te recoucher ! », sans doute.)

★

Au sommet de la tour de la Cathédrale, on est déjà presque au royaume des anges, si haut que la ville, en dessous, prend les allures d'un vaste plan des rues. Un jour comme celui-ci, où le ciel est d'un bleu limpide, avec pour seul nuage une petite traînée blanche dans le lointain, il est facile de se sentir éprise du monde. Que voudrais-je pour mon trousseau ? L'horizon, quelques chants d'oiseaux, les fleurs couleur de neige dans le jardin de la Trésorerie et les blancs arceaux des ruines de St. Mary's Abbey, semblables à de la dentelle pétrifiée.

Quelle impression cela ferait-il de tomber d'ici ? De descendre plus bas, toujours bas, d'être précipitée comme une pierre dans la petite enclave de Dean's Park, de s'écraser sur l'herbe verte comme un oiseau frappé à mort ? Si l'on se penche assez loin sur le parapet, comme une gargouille, on se sent aspiré par la force de gravité qui vous tire, qui vous invite à savourer l'air...

— Ruby !

Le petit visage inquiet de Kathleen apparaît dans un créneau.

— Ruby ! Viens vite ! Nous allons manquer le début des cours.

Nous dévalons à toute allure l'escalier à vis, courons jusqu'à l'école et nous jetons à nos pupitres juste à temps pour l'exercice de latin.

« Theoxena conseille à ses enfants de se suicider plutôt que de se laisser mettre à mort par le Roi... *Mors, inquit, nobis saluti erit. Viae ad mortem hae sunt...* » Par les fenêtres ouvertes nous parviennent le bruit d'un match de cricket sur les terrains de jeux de St. Peter's et l'odeur entêtante du gazon fraîchement tondu. « *Cum iam hostes adessent, liberi alii alia morte cecide-runt.* » Comment se peut-il que la vie soit si douce et si triste *à la fois* ? Comment ? Quelques modestes applaudissements montent du terrain de cricket. Judith Cooper écrase une guêpe avec sa copie. Quelque part, juste hors de ma portée, doit se trouver l'explication, la clé de tout. Et qu'est-ce que cette clé ouvre ? Le placard aux objets trouvés, bien entendu...

La théorie du Placard aux Objets Trouvés représente une étape nouvelle dans ma quête philosophique. Elle est née, sans aucun doute, du fait que, toute cette année, nous avons rempli, Kathleen et moi, les dures fonctions de surveillantes du placard aux objets trouvés, situé dans le nouveau bâtiment de l'école, près des salles d'arts ménagers, de physique, de chimie et de biologie, et que nous ouvrons très ponctuellement tous les jeudis à quatre heures. Le règlement du lycée spécifie que le placard ne doit être ouvert qu'à ce moment, et *à ce moment seulement,* toutes les requêtes formulées à d'autres périodes devant se heurter à une impitoyable fin de non-recevoir. C'est donc le jeudi à quatre heures que les élèves (apparemment, les profes-seurs et autres membres du personnel ne perdent jamais rien) sont admises à explorer l'intérieur du placard pour tenter d'y retrouver les objets divers — stylos, gants dépareillés et chaus-sures de hockey — perdus dans la semaine. Lorsqu'elles trou-vent, elles doivent signer dans la case adéquate une liste que nous leur présentons.

Les élèves ne venant pas réclamer ce qu'elles ont perdu s'exposent à d'effrayantes conséquences. Il est facile d'identifier la légitime propriétaire d'un objet trouvé, car il est obligatoire d'avoir, cousue à l'intérieur de tous ses vêtements, soutien-gorge compris, une étiquette portant son nom. Celui-ci doit être inscrit à l'encre indélébile sur les objets d'utilité courante et à l'intérieur des souliers. Des contrôles constants sont opérés pour voir si nous sommes toutes bien étiquetées. (Je me demande toutefois si quelqu'un a jamais osé regarder à l'intérieur de la blouse de Patricia.) Au moins, si jamais je souffre d'amnésie, on saura par quel nom m'appeler. Les noms des propriétaires d'objets trouvés et non réclamés sont portés sur une autre liste, qui est lue à haute voix par Miss Whittaker, la directrice, à la réunion générale, le dernier vendredi de chaque mois, et les fautives doivent rester debout pendant toute la séance, alors que les autres élèves sont assises. Cette humiliation publique a toutefois peu d'effet, et le placard aux objets trouvés continue à déborder. Parfois il est si plein que lorsque nous en ouvrons la porte, Kathleen et moi, tout nous tombe sur la tête. Nous en arrivons à restituer des objets en secret pour nous débarrasser de ce fatras.

Ma théorie est que, quand nous mourons, nous sommes amenés devant un grand Placard aux Objets Trouvés où tout ce que nous avons perdu dans notre vie a été conservé pour nous — chaque barrette, chaque bouton, chaque crayon, chaque dent, chaque clé, chaque boucle d'oreille, chaque épingle (et Dieu sait combien il doit y en avoir !). Tous les livres de bibliothèque, tous les chats qui ne sont pas revenus à la maison, toutes les pièces de monnaie, toutes les montres. Et peut-être aussi d'autres choses moins tangibles : la patience, la contenance, le sang-froid (la virginité de Patricia, qui sait ?), la foi (Kathleen l'a perdue), l'innocence (la mienne) et puis du temps, beaucoup de temps, énormément de temps. Mr. Belling et Bunty vont en trouver une sacrée quantité dans leur placard. Je revois Mr. Belling assis au volant de sa Dover, regardant sa montre et fulminant :

— Tu sais combien de temps nous avons perdu à t'attendre, Ruby ?

Sur les rayons inférieurs du placard, il y aura les rêves que nous oublions au réveil, nichés tout contre les journées perdues en rêveries mélancoliques (si celles-ci nous gagnaient des dividendes, Patricia serait riche). Et, tout à fait au bas du placard, entre les copeaux de crayon et les cheveux balayés sur le carrelage des salons de coiffure, vous trouverez les souvenirs perdus. « *Deinde ipsa, virum suum complexa, in mare se deiecit.* » Peut-être pourrons-nous signer une liste et les emporter avec nous ?

J'ai eu une scène terrible avec Mr. Belling. Il est venu mardi soir pour emmener Bunty à une représentation de *Showboat* au Théâtre Royal, mais elle était encore en haut, en train de se demander quelle robe mettre. J'ai donc fait entrer Mr. Belling au salon. Il s'est assis et m'a demandé :

— Pourquoi ne m'apporterais-tu pas un petit verre, Ruby ?

— Pourquoi n'allez-vous pas le chercher vous-même ? lui ai-je répondu.

— Quelle petite insolente !

— Et je peux vous dire aussi que je ne vous aime pas, ai-je ajouté.

— Un de ces jours, tu vas avoir ce que tu mérites, Ruby Lennox !

— Ah, oui ? Et quoi donc ? De l'amour et de l'affection ?

À ce moment, il m'a dit :

— Ta pauvre mère t'a tout donné, mais tu n'es qu'une ingrate petite garce !

— Vous ne savez rien du tout ! lui ai-je hurlé.

Alors, il a approché son visage à quelques centimètres du mien et il m'a crié...

— Ruby, Ruby Lennox ! Ou allez-vous ?

C'est la voix aiguë de Miss Raven, qui nous surveille de son bureau pendant l'exercice de latin. On entend en même temps des applaudissements venant du terrain de cricket.

— Ruby, me murmure Kathleen au moment où je passe devant elle, Ruby, il y a quelque chose qui ne va pas ?

— Où allez-vous, Ruby ? me crie Miss Whittaker alors que je traverse le grand hall. Ruby, vous êtes censée être en classe de latin !

Elle tente de m'arrêter, mais je l'esquive et me retrouve dehors, me dirigeant vers Clifton Green. Et peut-être aussi, me dis-je tout en marchant, vers le Placard aux Objets Trouvés, où je découvrirai mon vrai foyer, celui où un feu brille toujours dans l'âtre, où une longue fourchette à toasts en cuivre pend à côté de la cheminée, prête à servir, où une bouilloire chante sur le fourneau et où les vieux fauteuils forment un cercle accueillant, pendant que ma vraie mère, tout en tirant l'aiguille, raconte comme sa véritable enfant, sa pierre précieuse, a été échangée dans son berceau...

— Espèce de petite conne ! Tu ne peux pas regarder où tu vas ?

Le visage rouge et convulsé de haine derrière son volant, un homme d'une rare laideur écrase son avertisseur de la main, tandis que, derrière lui, toute une queue d'automobiles se forme. Je lui fais un geste obscène tout en gagnant le trottoir et je poursuis ma route, passant le nouveau pont qui enjambe la peu romantique Ouse.

La maison est fraîche et tranquille. Avec l'argent de l'assurance de George, Bunty a fait entièrement refaire les peintures et a acheté de nouveaux meubles, de sorte qu'il ne reste aucune trace du passé, d'autres vies. Rien ne rappelle plus Patricia. Bunty a finalement décidé qu'elle ne reviendrait pas, et a fait disparaître toutes ses affaires. La seule chose que j'aie réussi à sauver a été son panda, et il m'arrive d'imaginer, dans mes rêveries diurnes, sa satisfaction au moment où je le lui rendrai, alors qu'elle croyait tout disparu à jamais. Il a été surprenant de voir avec quelle facilité Bunty a pu éliminer toute trace de George. J'imagine que lorsque j'aurai disparu, elle pleurera une bonne fois, puis elle passera l'aspirateur et se fera une tasse de thé.

Sur la cheminée, la pendule de mon arrière-grand-mère sonne comme elle peut trois heures. Elle n'a plus jamais été la même depuis l'incendie, et je m'étonne que Bunty ne l'ait pas mise à la ferraille, mais le fonctionnement des méninges de Bunty est aussi mystérieux que celui de la pendule — ou du temps lui-même.

Je vais à l'étage et me fais un petit nid au bas du placard à linge avec des serviettes propres, sentant bon le savon et l'air frais. Comme un petit animal, je me tourne et me retourne jusqu'au moment où j'ai trouvé la position la plus confortable. Là, j'ouvre la bouteille de comprimés et enfourne ceux-ci dans ma bouche, avidement, précipitamment, de peur de tomber endormie avant d'en avoir avalé assez.

*

Plus bas, plus bas, toujours plus bas. Je culbute à travers l'espace, le temps et la nuit. Parfois, j'accélère, et je sens la force centrifuge plaquer mes organes contre les parois internes de mon corps. Je m'en vais toujours plus bas, vers les étoiles qui brillent tout au bout du monde. Au passage, j'entends une voix dire : « Oui, sans fond ! », mais les mots se noient dans un grand tumulte qui envahit ma tête, comme si tous les océans du monde s'y déversaient à la fois. Et là, par bonheur, je ralentis et commence à flotter, comme si j'étais accrochée à un invisible parachute. Maintenant que ma descente s'est ralentie, je puis distinguer de curieux objets dans l'obscurité, des poupées, des cuillères, des choses pétrifiées. Puis, soudain, je vois quelque chose qui ressemble à un Mobo taillé dans le marbre, et je pousse un soupir d'aise, car j'avais tout à fait oublié le petit cheval mécanique. Une tête de cerf sans corps jaillit de l'ombre, ouvre la bouche pour parler et disparaît de nouveau.

Plus bas encore, flottant comme du duvet de chardon, passent le panda de Patricia, le Sooty de Gillian et la vieille radio Ekco de Grand-Mère Nell. Je comprends avec un petit frisson d'excitation que je dois me trouver dans le Placard aux Objets Trouvés — pas celui de l'école, mais le grand, le placard métaphysique. Bientôt j'atteindrai le fond, je retrouverai mes souvenirs perdus et tout ira pour le mieux.

Quelqu'un me glisse une patte amicale dans la main. Je tourne la tête et je vois Teddy qui me sourit tristement.

— C'est le bout du monde, tu sais, me dit-il.

— Oh, Teddy ! fais-je, transportée de joie. Tu sais parler !

— Dans le Placard aux Objets Trouvés, me répond-il, tous les animaux savent parler.

J'en suis ravie pour lui ; mais je vois son visage et il me dit :

— Attention aux Anneaux de Saturne, Ruby ! N'oublie pas que...

Puis, avant qu'il ait pu finir sa phrase, sa patte glisse hors de ma main et, brusquement, ma chute recommence à s'accélérer. De façon horrible. J'ai l'impression que mon cerveau jaillit hors de mon crâne et d'affreuses douleurs me parcourent les nerfs des bras. De grands soleils multicolores explosent de part et d'autre de moi, et plus vite je tombe vers les étoiles, plus elles s'éloignent. Je commence à avoir peur que ce voyage ne dure éternellement, et je fouille ma mémoire pour savoir ce que j'ai pu faire pour mériter un tel châtiment.

Puis jaillit de l'ombre, comme le train-fantôme à la foire de Scarbarough, le visage furieux de Mr. Belling. Il commence à hurler. Pour commencer, je ne distingue pas un seul mot, puis, brusquement, sa voix résonne terriblement fort à mes oreilles :

— Ta pauvre mère t'a tout donné, mais tu n'es qu'une ingrate petite garce !

J'étends les mains devant moi pour repousser cette vision, mais il continue :

— Tu es mauvaise, mauvaise jusqu'au tréfonds.

J'essaie de crier « Non ! », car je sais ce qu'il va dire ensuite, mais je n'arrive plus à parler, et, soudain, je n'arrive plus à respirer non plus. D'horribles bruits sortent de ma bouche — les bruits d'une personne en train de se noyer. Le fantôme de Mr. Belling dégringole avec moi dans le puits du temps, et je me mets les mains sur les oreilles pour ne pas entendre ce qu'il va dire, mais je n'arrive pas à étouffer sa voix, qui répète encore et toujours :

— Tu as tué ta propre sœur, Ruby ! Tu as tué ta propre sœur !

★

— Je te demande un peu ! hurlait-il, un filet de salive au coin de la bouche. Quelle sorte de fille est capable de cela ?

Du haut de l'escalier arriva la voix de Bunty :

— Es-tu prêt, Bernard ? La pièce commence à sept heures et demie...

— Je sais tout, Ruby, siffla Mr. Belling. Ta mère m'a tout dit.

— Je n'ai pas tué ma sœur ! lui criai-je. Elle s'est fait écraser !

Il eut un horrible rictus.

— Je ne parle pas de celle-là, espèce de petite imbécile ! Je parle de ta sœur jumelle !

Et, sur ce propos extraordinaire, il tourna les talons et quitta la pièce. Un instant plus tard, j'entendis Bunty me crier du vestibule :

— Nous partons pour le théâtre, Ruby ! À tout à l'heure.

Puis il y eut le bruit de la porte qui se refermait et celui de la Rover qui démarrait.

Ma jumelle ? Ma propre jumelle ? De quoi diable voulait-il parler ? Curieusement, si une partie de moi-même se trouvait sidérée par le propos, une autre partie était soudain en alerte et des frissons me parcouraient tout le corps. Je courus en haut, dans la chambre de Bunty, et commençai à fouiller parmi les boîtes à chaussures entassées sur le rayon supérieur de sa garderobe. Il y avait là toute sa vaste collection de chaussures jamais portées, mais je finis par tomber sur la boîte qui m'intéressait, celle où elle gardait les papiers témoignant officiellement de notre existence, en même temps qu'une série de petits objets ne trouvant pas leur place ailleurs. Il y avait là des cartes de sécurité sociale, des attestations d'assurance, une boucle d'oreille dépareillée et une vieille carte d'alimentation, le médaillon d'argent, des certificats d'hypothèque, une patte de lapin

302

mangée aux mites, un vieux programme de théâtre et un reste de pétard de Noël. Puis je découvris le testament de George et son certificat de décès, les papiers scolaires de Patricia, le certificat de mariage de George et de Bunty, l'acte de décès de Gillian et enfin tous les extraits d'actes de naissance maintenus ensemble par un élastique : Berenice Eileen, George Arthur, Patricia Vivien, Gillian Berenice, Ruby Eleanor. Et Pearl.

J'y étais : Pearl. Pearl Ada Lennox. Née à la maternité de Fulford, et ce — fait incroyable — le même jour du même mois de la même année... que moi. Le 8 février 1952. Je lus et relus l'acte de naissance de Pearl, puis le comparai au mien, les regardant l'un après l'autre, interminablement, comme s'ils allaient pouvoir s'expliquer. Mais il n'y avait qu'une seule explication possible : « Pearl Ada Lennox » était vraiment ma sœur jumelle. Mais je n'avais aucun souvenir de cette sœur, je n'arrivais pas à en retrouver la moindre image. Peut-être Pearl était-elle morte à la naissance, comme le jumeau d'Elvis ? Peut-être étions-nous sœurs siamoises, et avait-elle dû mourir pour que je vive. Peut-être était-ce, à ce moment, ce que Mr. Belling avait voulu dire. Mais, pour une obscure raison, je ne le croyais pas. Je continuai à fouiller la boîte à chaussures jusqu'au moment où je trouvai, tout au fond, un autre certificat de décès — établi le 2 janvier 1956.

Cause du décès : noyade. Cela me fit penser à *La Tempête* et à « ce sont les perles qui furent ses yeux » et aux plongeurs cherchant des huîtres perlières dans les mers de Chine, mais cela ne me fit pas me rappeler quelqu'un nommé Pearl et encore moins une sœur jumelle.

Avais-je noyé ma propre sœur ? Une telle chose était-elle possible ? Je n'arrivais même pas à me noyer moi-même. J'ouvris le médaillon d'argent et revis les deux photos de moi bébé que j'avais découvertes, longtemps auparavant, dans le tiroir de la table de chevet de Bunty. Il me fallut regarder assez longtemps et attentivement le diptyque pour comprendre que l'une des deux photos ne devait pas être de moi, mais de ma sœur. Quant à dire laquelle, j'en étais, malgré tous mes efforts, totalement incapable.

Je remis tous les papiers dans la boîte à chaussures et replaçai celle-ci dans la garde-robe. Lorsque Mr. Belling ramena Bunty, j'étais déjà au lit, feignant de dormir. Bunty vint me voir, comme elle le fait habituellement ces temps-ci — sans doute pour vérifier que je respire encore. Quelque chose me fit alors changer d'avis, et, arrêtant de feindre le sommeil, je me dressai assise dans mon lit. Bunty poussa un petit cri, comme si elle avait vu un zombie sortir de la tombe. J'allumai ma lampe de chevet et lui mis le médaillon d'argent sous le nez.

— Pourquoi n'avons-nous jamais parlé de cela ? lui demandai-je.

Je trouvai le silence de Bunty effrayant, car je ne savais pas ce qu'il recouvrait. Puis je l'entendis avaler sa salive, nerveusement, et elle me dit :

— Tu avais oublié.

— *Oublié ?* Qu'est-ce tu veux dire par là, « j'avais oublié » ?

— Tu avais tout gommé. Amnésie.

Même en évoquant ces choses terribles, elle réussissait à paraître encore un peu irritée.

— Le docteur Haddow a dit que c'était probablement mieux ainsi — après ce qui était arrivé.

La moitié de son corps était déjà sortie de ma chambre, mais quelque chose l'empêchait quand même de partir tout à fait.

— Nous pensions tous que c'était mieux, reprit-elle après un moment. Après tout, personne ne souhaitait voir rappeler ce qui s'était passé.

— Mais, lui criai-je, on ne peut pas effacer quelque chose comme cela ! On ne peut pas prétendre que quelqu'un n'a jamais existé, ne pas en parler, ne pas regarder de photos...

Bunty était de plus en plus hors de la pièce ; il ne restait plus guère d'elle qu'une main et une voix.

— Mais il y a des photos, dit-elle. Et, bien sûr, nous parlions d'elle. C'est toi qui avais tout effacé, pas nous.

— C'est toujours ma faute, n'est-ce pas ? hurlai-je.

Et le silence tomba entre nous. Un silence lourd, épais, presque visqueux. Puis je lançai comme un pavé dans cette mare de silence la question qu'on ne pouvait plus esquiver :

— Comment ai-je tué ma sœur ?

Bunty soupira.

— Tu l'as poussée dans l'eau, dit-elle d'une voix morne. C'était un accident. Tu ne te rendais pas compte de ce que tu faisais ; tu avais quatre ans.

— Un accident ? répétai-je. Bernard Belling m'en a parlé comme s'il s'était agi d'un meurtre de sang-froid !

Ma mère eut la bonne grâce de paraître ennuyée.

— Il n'aurait pas dû t'en parler, fit -elle.

Elle hésita avant d'ajouter :

— À l'époque, je t'en ai voulu, mais, bien sûr, *c'était* un accident...

Sa voix se brisa un peu, puis elle dit d'un ton las :

— C'était il y a longtemps. Ce n'est pas la peine de remuer de nouveau tout cela.

Et elle disparut tout à fait.

Mais elle revint quelques minutes plus tard et s'assit au pied de mon lit. Elle me prit le médaillon des mains, l'ouvrit et le regarda un long moment sans rien dire.

— Laquelle ? demandai-je finalement. Laquelle est Pearl ?

Elle désigna la photo de gauche et dit :

— Ma Pearl.

Puis elle se mit à pleurer.

★

Oh, non ! Voilà que cela recommence ! Je tombe, tombe, tombe dans l'abîme du temps. Cela va-t-il s'arrêter enfin ? Voilà Denise, la poupée de Gillian, suivie de la maison de poupée de Daisy et de Rose, et puis, je pense, Ruby et Pearl, Ruby et Pearl, les bijoux jumeaux...

★

Ensuite, c'est le noir, un noir total au milieu duquel je plonge de façon interminable comme un pêcheur de perles... Et puis, brusquement, une lumière ! Je sais que je dois arriver au fond du Placard. Au centre de cette lumière, se dresse une petite silhouette, qui devient de plus en plus brillante à mesure que je m'en approche, debout, comme la Vénus de Botticelli dans une grande conque de nacre pâle et opalescente. Je puis presque la toucher, maintenant, ma jumelle, mon double, mon miroir. Elle est là, enrubannée de sourires, tendant ses petits bras vers moi, m'attendant, me disant quelque chose... Mais je ne parviens à entendre qu'une pendule sonnant dans ma tête « quatre, cinq, six » et le bruit de quelque chose grattant à la porte en gémissant. Puis c'est de nouveau l'obscurité, une obscurité semblable à un moelleux linceul, qui m'enserre et m'étouffe, me bouchant les yeux, la bouche et les oreilles. Je comprends que je suis enterrée vivante, que la terre tombe en pluie sur mon cercueil, y pénétrant par de minuscules fissures. Des fissures lumineuses...

— Ruby ?

Au milieu de l'une des fissures lumineuses, deux lèvres et des dents légèrement jaunies, une incisive en or et une bouche qui répète patiemment quelque chose. Avec les plus grands efforts de concentration, je finis par me rendre compte avec quelque surprise que ce quelque chose est mon nom : « Ruby ».

— Ruby ? Comment vous sentez-vous, Ruby ?

La bouche sourit et recule et je vois une drôle de vieille bonne femme, avec des tresses roulées autour des oreilles comme des écouteurs radio et des lunettes à monture dorée accrochées autour du cou. Je n'arrive pas à parler. J'ai l'impression qu'on m'a passé la gorge au papier de verre et ma tête résonne douloureusement. Je cligne des yeux pour me protéger du soleil qui entre à flots par la fenêtre de l'hôpital et trace de vastes zones géométriques sur le linoléum vert.

— Bonjour, Ruby. Je suis le docteur Herzmark, et j'aimerais vous aider, si c est possible.

★

Une chaleur étouffante règne toujours dans le bureau du docteur Herzmark. Je pense qu'elle l'entretient à dessein, afin de vous assoupir. Elle a dans son tiroir d'étranges gâteaux à la cannelle et au citron tout gluants, et elle fait un café fort et amer que je bois pour tenter de rester éveillée. Elle me demande avec son curieux accent allemand :

— Voulez-vous vous étendre, Ruby ?

Elle ne commande jamais ; elle demande. Elle place sur moi une couverture bleu marine à broderies rouges ressemblant un peu à une couverture de cheval.

— Maintenant, Ruby, dit-elle, je voudrais que vous vous imaginiez entourée de l'une des couleurs de l'arc-en-ciel et que vous commenciez à compter de dix à zéro...

À chaque fois, j'essaie de choisir une couleur différente pour voir l'impression que cela fait. Je puis vous dire que, bien sûr, le rouge est la couleur du rubis, et que l'orange vous donne

306

l'impression de dégager de la lumière. Le jaune vous donne une impression de pétillement, comme si vous aviez longuement respiré des sorbets au citron, et le vert suscite l'odeur de l'herbe d'été après la pluie (c'est une couleur de mélancolie). L'indigo est la couleur de la magie, et le violet fait penser au cachou.

Et le bleu ? Le bleu est la couleur du souvenir. Et aussi celle des fleurs les plus jolies : les jacinthes et les petits myosotis en forme d'étoile dans le pré d'Oncle Tom. Mais pas aujourd'hui, car on est en plein milieu de l'hiver et la neige a tout recouvert. Nous sommes le 2 janvier 1956 — et c'est la première fois que le patient docteur Herzmark a réussi à me ramener à ce jour fatidique. Mais, soudain, je me retrouve là, assise à la table de salle à manger d'Oncle Tom dans son cottage d'Elvington. C'est une visite classique de Nouvel An. La femme d'Oncle Tom, Tante Mabel, dit à Bunty :

— Que cela nous fait plaisir de vous voir !

Puis elle se tourne vers Patricia et Gillian et leur demande si cela leur fera également plaisir de retourner en classe après les vacances de Noël.

— Oui, fait Patricia.

— Non, dit Gillian.

Oncle Tom se tourne alors vers George et déclare :

— J'avais peur que la route ne soit bloquée — après tout ce qui est tombé hier soir.

— Oui, dit George. Ç'a été toute une aventure pour venir jusqu'ici.

Me rappelant ensuite le déjeuner, je dis au docteur Herzmark :

— Nous avons eu une salade à la langue de bœuf.

Puis je me mets à rire. Je repense à Gillian dévorant un morceau de langue avec son avidité coutumière (elle a dû mourir de faim dans une vie antérieure) et disant à Bunty :

— C'est très bon. Pourquoi on n'en a pas à la maison ?

Puis à Tante Mabel :

— Qu'est-ce que c'est ?

— De la langue, Gillian, répond Tante Mabel en souriant.

Le front de Gillian se fronce comme elle digère (au propre et au figuré) l'information.

— De la langue, se répète-t-elle avec un accent un peu différent.

Puis elle pose son couteau et sa fourchette et contemple d'un air perplexe une moitié de tomate dans son assiette. Patricia éclate d'un rire cruel, auquel se joint Pearl sans même savoir pourquoi sa sœur aînée rit. Pearl aime à rire. Contrairement à moi, avec mes humeurs sombres, elle est toute joie, lumière et soleil.

— Cela suffit ! fait Bunty, que toute hilarité contrarie.

— Vous pourrez aller jouer dans la neige après le déjeuner, annonce George. Nous avons mis vos bottes en caoutchouc dans le coffre.

— Et on pourra faire un grand bonhomme de neige ? demande Pearl, tout excitée.

Oncle Tom se met à rire et dit :

— Vous pourrez même prendre des morceaux de charbon dans le seau pour faire les yeux.

\*

— C'est assez, dis-je brusquement au docteur Herzmark.

Cela me déchire intérieurement de voir Pearl aussi clairement, maintenant, et de savoir qu'elle est si totalement hors de ma portée.

— Un autre jour, Ruby, me répond le docteur Herzmark en m'offrant un caramel.

\*

Bunty et Tante Mabel nous emmitouflent dans des duffle-coats, des écharpes et des moufles. Pearl et moi avons de petits bonnets de laine — rouge pour moi et bleu pour elle — avec des pompons blancs. Pearl est si excitée par toute cette neige qu'elle piétine sur place et qu'on a du mal à lui enfiler ses bottes en caoutchouc.

— Tiens-toi un peu tranquille, Pearl ! lui dit Bunty.

Elle finit par décider que nous avons assez de vêtements comme cela. Tante Mabel ouvre la porte, et nous nous mettons à courir dans le froid, nos voix résonnant comme des clochettes dans l'air limpide.

— N'allez pas près de l'étang aux canards ! hurle de loin Tante Mabel, tandis que nous piétinons allégrement la neige vierge.

*

— C'est assez.

— Un autre jour, alors.

Le docteur Herzmark me sourit :

— Avez-vous vu les chars russes dans Prague, au journal télévisé ?

— C'est affreux, dis-je en mâchonnant un caramel.

À ce moment, une sirène se met à sonner sur le toit de l'usine Rowntree, tout à côté, et nous sursautons toutes deux.

— C'est simplement un exercice d'alerte à l'incendie, dit aussitôt le docteur Herzmark.

*

Tante Mabel aurait aussi bien pu nous dire : « Allez directement à l'étang aux canards. » C'est vers lui que nous nous dirigeons dès que nous avons mis le pied dans le pré d'Oncle Tom. Au printemps précédent, nous avons tenu entre nos mains les petits canetons tout jaunes et nous avons transporté ces gros œufs bleus qui sont si jolis à regarder et si dégoûtants à manger, mais nous n'avons encore jamais vu l'étang en hiver. Pendant une seconde, nous nous arrêtons toutes pour contempler le spectacle magique que présente ce paysage gelé, d'un blanc éblouissant entre les arbres couverts de neige. Les eaux de l'étang ont été tellement gonflées par les pluies hivernales qu'elles ont débordé dans le pré et y ont gelé au-dessus de l'herbe, que l'on distingue parfaitement à travers la glace.

Quelques oies se dandinent à l'extrémité de la vaste mare gelée, et un ou deux canards nagent dans les portions d'eau restées libres et où flottent néanmoins des glaçons. Mais la plupart de leurs congénères sont bloqués sur une petite île au milieu de l'étang et font grand bruit en nous apercevant.

— Oh ! Nous aurions dû apporter du pain ! fait aussitôt Patricia.

Gillian pousse un glapissement de joie en découvrant une assez vaste couche de glace solide à une extrémité de la grande mare, elle s'y engage en sautant à pieds joints, comme un lapin fou dans Walt Disney.

— Fais attention, Gillian ! lui crie Patricia, avant d'accompagner deux canards dans un tour de l'étang.

Pearl se précipite pour admirer Gillian, qui exécute devant elle le miracle de marcher sur l'eau. Gillian a presque atteint la petite île centrale quand la glace fait entendre un craquement effrayant et commence à bouger légèrement et laisser filtrer l'eau sur ses bords. Pearl a déjà les deux pieds sur la glace, et Gillian, riant de toutes ses forces, l'appelle :

— Viens ! Allez, viens, espèce de froussarde ! Pearl-la-frousse hou, hou !

Elle sait que c'est là la façon de faire faire à Pearl tout ce que l'on veut. Moi, je lui crie de revenir, et Gillian se met en colère contre moi, hurlant :

— Tais-toi, Ruby ! Tu n'es qu'un gros bébé !

Je cherche anxieusement des yeux Patricia, mais celle-ci a disparu derrière un bouquet d'arbres. Pearl a déjà parcouru la moitié du chemin sur la glace, et je vois celle-ci bouger de plus en plus sous ses pieds. Je me mets à pleurer. Et, pendant ce temps, Gillian continue à crier :

— Viens, Pearl, viens !

Puis, soudain, le morceau de glace sur lequel se tient Pearl bascule et je la vois avec horreur glisser dans l'eau, lentement, les pieds les premiers. Comme elle arrive dans l'eau glacée, son corps se convulse et se retourne, de telle manière qu'elle me fait face, et la dernière chose que je vois d'elle est son visage contracté par l'horreur, avec sa bouche qui s'ouvre pour me crier quelques derniers mots avant que l'eau noire ne l'aspire, ne se referme sur le petit pompon blanc.

Tout ce que je puis faire est de rester là, figée, la bouche ouverte, émettant un long hurlement hystérique. Mais, bien que consciente de l'effroyable hululement qui sort de ma gorge, bien que consciente des cris de Gillian sur l'île hurlant à Patricia, qui court de toutes ses forces vers nous, de se dépêcher, je n'entends vraiment que les derniers mots de Pearl, qui continuent à résonner à l'infini dans ma tête : « Ruby, au secours ! Ruby, au secours ! »

Patricia plonge dans l'eau glacée et réapparaît presque immédiatement, hoquetant de froid, les cheveux plaqués sur la tête, mais, clignant des yeux, elle se contraint à replonger sous la surface. À ce moment, l'alerte a été donnée non seulement chez

Oncle Tom mais aussi à la ferme voisine, et des gens semblent se précipiter de toutes parts, piétinant la neige. Quelqu'un sort de l'eau une Patricia tremblante, bleue de froid, l'enveloppe dans une vieille veste de travail et l'emporte. L'un des valets de ferme entre à son tour dans l'eau avec assurance, mais doit rapidement se mettre à nager, le souffle court, car le niveau de l'étang est exceptionnellement haut.

Cependant Pearl a flotté quelque part sous la glace et se refuse à la découverte. Ce n'est que quelques heures plus tard, alors qu'on est allé chercher perches et crochets, qu'elle se décide à apparaître. L'un des hommes, un grand gaillard à la mâchoire agressive et au visage marqué de traces de pustules, la transporte dans ses bras, soigneusement, comme si elle était un fardeau précieux et fragile — ce qu'elle est, bien sûr — en essayant de réprimer les sanglots qui lui montent de la gorge.

★

On étend le petit corps inerte de Pearl sur la table de la cuisine, mais Tante Mabel nous pousse hors de la pièce, vers le salon. Patricia a déjà été expédiée à l'hôpital. Gillian s'installe dans un fauteuil et contemple ses pieds. Le salon sent le camphre et le bois ancien. Le seul son qu'on y entend est celui d'une petite pendule qui sonne les quarts d'heure d'un carillon fêlé. Moi, je n'ai pas envie de m'asseoir dans un fauteuil. Je me roule en une toute petite boule derrière le divan et je reste là, immobile, à réentendre non les paroles de Pearl, mais celles de Gillian.

Pendant qu'on tirait de l'étang Patricia, hurlant et se débattant, voulant à toutes forces replonger pour aller chercher Pearl, Gillian était demeurée bloquée sur la petite île (il fallut finalement aller la chercher en bateau à rames). Elle sautait sur place en une sorte de danse tribale et, terrifiée à l'idée qu'on puisse la rendre responsable de ce qui s'était passé, elle pointait le doigt vers moi et hurlait de toute la force de ses poumons :

— C'était elle, c'était elle, c'était Ruby ! Ruby l'a poussée ! Ruby a poussé Pearl dans l'eau. Je l'ai vue ! Je l'ai vue !

Et je restais là, debout, muette d'horreur, regardant à mes pieds l'herbe sous la glace.

— Ça va ? me demande le docteur Herzmark, en me tenant et me berçant comme un bébé.

Au bout d'un moment, je me calme, et nous restons silencieuses à écouter les bruits de la rue. Puis elle me tend une tablette de chocolat qu'elle a prise dans son tiroir.

— Ma mère, dis-je en retirant le papier d'argent qui entoure le chocolat, m'a vraiment rendue responsable. Elle m'a expédiée chez sa sœur, à Dewsbury, parce qu'elle ne pouvait plus supporter de me voir.

— Parce que vous lui rappeliez Pearl, dit le docteur Herzmark. Pas parce qu'elle vous détestait.

— Les deux, je suppose, fais-je en haussant les épaules. Pauvre Bunty : perdre deux enfants. Et pauvre Patricia : nous comptions sur elle pour sauver Pearl, et elle ne pouvait pas.

Puis je me surprends à ajouter :

— Et pauvre Gillian aussi. Si quelqu'un était à blâmer, c'était elle, et elle est morte. Et pauvre Pearl, parce qu'elle est morte aussi.

Le docteur Herzmark sourit.

— Est-ce que nous allons, dit-elle, passer en revue tous les individus, morts ou vivants, ayant peuplé cette terre en disant à chaque fois « pauvre untel » ou « pauvre unetelle » ? Et arriverons-nous un jour à « pauvre Ruby » ?

J'essaie, à titre d'expérience, d'articuler les mots : « pauvre Ruby ». Mais ils sont à peine formés dans ma bouche que je me mets à pleurer, à pleurer sans pouvoir m'arrêter.

★

Je suis allée au bout du monde et j'en suis revenue, et maintenant, je sais ce que je voudrais dans mon trousseau. Je voudrais mes sœurs.

ANNEXE XI

# UNE VIE GÂCHÉE

Assise dans son rocking-chair dans la cuisine du cottage et profitant d'un rayon du soleil de septembre, Alice berçait la nouveau-née, Eleanor. Nell s'était endormie dans ses bras et Alice elle-même sommeillait tristement, incapable d'affronter les tâches pénibles et sordides qui constituaient sa vie.

Il lui semblait qu'on lui avait posé une grosse pierre sur la poitrine, et que celle-ci l'étouffait lentement, qu'on la torturait à petit feu, comme une martyre des temps anciens, mais sans qu'elle-même, pour le moins agnostique, puisse comprendre pourquoi elle souffrait ainsi.

Elle entendit vaguement, comme dans un rêve, le bruit des roues d'une charrette et le chien qui aboyait. Elle savait que cela lui rappelait quelque chose, mais elle n'arrivait pas à se préciser exactement quoi. Puis elle entendit quelqu'un dire « Bonjour » à l'un des enfants avec un accent très particulier, et elle faillit laisser tomber Nell de ses bras, avant de reboutonner précipitamment le devant de sa robe. Jean-Paul Armand ! Il se profila majestueusement dans l'encadrement de la porte, puis alla tout naturellement s'asseoir à la table de la cuisine en se répandant en propos enthousiastes et rendus plus extravagants encore par son accent caractéristique sur le minuscule bébé presque perdu dans les profondeurs de son berceau de bois.

— Quel dommage qu'il n'ait pas pu être sur les photographies ! s'exclama-t-il entre autre.

Or, c'était précisément le problème de ces photographies qui jetait à ce moment Alice dans le plus effroyable des tumultes intellectuels. Avait-elle signé un papier ? S'était-elle formellement engagée à payer une somme qu'elle était bien incapable de réunir ? (Toutes ses richesses se résumaient à six pièces d'argent de six pence dans la boîte à thé qui se trouvait sur la cheminée.)

Ouvrant un grand sac Gladstone de cuir noir, M. Armand produisit les fruits de son labeur. Il avait encadré trois des photos afin de démontrer à sa cliente quel avantage elle aurait à faire les frais de cadres pour toutes si elle voulait mettre au mieux en valeur sa progéniture. Il était toutefois à constater que la plus luxueusement encadrée des trois photographies ne représentait nullement ladite progéniture, mais était celle qui correspondait le plus aux goûts personnels de M. Armand : celle qui montrait Alice cachant derrière la chaise longue l'arrondi de son ventre et adressant une moue énigmatique à l'appareil photographique.

— Superbe ! murmura-t-il en poussant la photo de sépia sur la table de pin.

Alice y jeta un regard indifférent, mais rassembla de la main les photos de ses enfants. Ils lui semblaient beaucoup plus attirants ainsi, immobilisés par l'appareil, et, à leur vue, ses yeux devinrent légèrement humides et elle renifla doucement. M. Armand fit alors jaillir de l'une de ses innombrables poches de magicien un immense mouchoir de soie (propre) et le tendit à Alice d'un geste théâtral afin qu'elle puisse s'y moucher, ce qu'elle fit sans retenue. Puis elle se leva brusquement, saisit la boîte à thé sur la cheminée, l'ouvrit et, d'un geste mélodramatique, en répandit le contenu sur la table.

— Voilà ! proclama-t-elle d'un ton tragique. C'est toute ma richesse. Je suis à votre merci.

Et elle fondit promptement en larmes.

M. Armand fut un moment décontenancé. Il se retrouvait assez fréquemment avec des clients incapables de le payer, et, en fait, il s'y attendait toujours dans une certaine mesure, mais il était fort rare qu'ils fussent aussi dramatiques, aussi grandiloquents — et, pour tout dire, aussi « latins ». Il lui fallut donc plusieurs secondes pour revenir de sa surprise et saisir, pardessus la table rustique, la petite main fine de son interlocutrice.

— Chère dame, dit-il, chère, chère dame ! Il ne faut pas que vous vous mettiez dans de tels états ! Je ne prendrai pas votre argent.

Alice fut sidérée. Personne, à sa connaissance, ne lui avait encore parlé ainsi ; généralement, la seule chose que les gens faisaient était de lui prendre son argent. Elle regarda M. Armand avec suspicion.

— Qu'allez-vous prendre, alors ? demanda-t-elle, le menton levé, prête à défendre sa vertu si celle-ci était soudain exigée.

— Rien, chère dame, répondit M. Armand. Je ne veux rien sinon qu'heureuse vous serez.

L'institutrice qui sommeillait encore en elle fut sur le point de corriger cette tournure de phrase peu orthodoxe, mais, bouleversée par sa gentillesse si inattendue, elle ne put que donner libre cours à un torrent de larmes, accompagné de tels gémissements que M. Armand se sentit un instant saisi de quelques doutes sur sa santé mentale.

Toute cette scène n'était pas passée totalement inaperçue, et la progéniture d'Alice avait fini par apparaître en trois dimensions à la porte de la cuisine.

— Maman, demanda timidement Ada, ya quéque chose qui va pas ?

Alice sanglota de plus belle en comparant l'épouvantable accent de terroir de sa fille aînée à l'exotique roucoulement de M. Armand.

Finalement, les manifestations d'émotion se calmèrent, les enfants se dispersèrent et M. Armand s'apprêta à remonter à bord de sa grinçante charrette.

— Je ressens, dit-il en se tapotant le sein gauche, je ressens dans mon cœur, chère dame, votre chagrin et votre peine. Vous n'étiez pas faite pour cette horrible vie !

En prononçant ces mots, il eut un vaste geste du bras balayant non seulement le cottage mais l'ensemble du comté de Yorkshire. Alice, les yeux encore humides et rouges, hocha la tête en muette approbation, comme si M. Armand venait de traduire exactement sa pensée profonde. M. Armand se pencha vers elle, les lèvres à un centimètre de son oreille et la moustache caressant sa joue.

— J'attends, souffla-t-il, au bout du chemin — à minuit. J'attends toute la nuit, s'il le faut, pour vous venir avec moi.

— *J'attendrai*, corrigea machinalement Alice.

★

Ce soir-là, après avoir fait souper les enfants d'une peu appétissante potée aux choux et aux pommes de terre et les avoir expédiés avec quelque mal au lit, Alice s'endormit dans son fauteuil près de l'âtre vide. Elle ne se réveilla que lorsque Frederick fit une entrée bruyante dans la maison. Il était tellement ivre qu'il sursauta de peur à la vue de sa femme et demanda :

— Qui est-ce ?

— C'est moi, imbécile, dit-elle en allumant une bougie.

— Ah bon ! fit-il en s'effondrant sur la banquette.

Alice aperçut, à la faible lueur de la bougie, une tache rouge et humide sur son bras.

— Tu t'es encore battu ? demanda-t-elle, d'un ton presque indifférent.

Frederick regarda quelques secondes la trace sanglante en tentant de se rappeler ce qui était arrivé et finit par grogner :

— Une espèce de saleté de charrette, au bout du chemin ! Je me suis cassé la figure dessus !

Sa femme se trouva trop bouleversée pour articuler la moindre parole de compassion. Les corvées ménagères lui avaient fait complètement oublier M. Jean-Paul Armand. Mais quand Frederick eut péniblement monté l'escalier pour aller cuver l'alcool absorbé dans la soirée, elle resta en bas à s'interroger sur les solutions s'offrant à elle pour échapper à une existence devenue intolérable. Certes, elle pouvait se tuer — elle y avait pensé toute la journée et avait même été, à un moment, sur le point d'essayer, en se jetant du haut du grenier à foin. Mais quelles seraient les conséquences d'un tel geste ? La vie de ses enfants ne serait-elle pas, ensuite, empoisonnée par l'horreur et le scandale ? Ne valait-il pas mieux qu'ils s'éveillent le matin en découvrant que leur mère avait purement et simplement disparu plutôt que de trouver son corps écrasé dans la cour ou convulsé par le poison ? La solution offerte par M. Armand était, à coup sûr, plus qu'hasardeuse, mais n'était-elle pas, de toute manière, préférable à une mort infligée par elle-même ?

Quelques minutes plus tard, elle entassait ses quelques possessions les plus chères dans un petit sac et étreignait une ultime fois la pauvre petite Nell. Puis elle alla embrasser les fronts doux et moites d'Ada, d'Albert et de Lillian, s'attardant un bref instant, en réprimant un sanglot, pour caresser les boucles blondes d'Albert. Elle retira de son cou le médaillon d'argent venu de sa mère et le glissa sous l'oreiller d'Ada, qui gémit dans son sommeil. Il n'y eut toutefois pas de baisers d'adieu pour les pauvres Lawrence et Tom, car ils dormaient dans la mansarde, dont le plancher craquait horriblement à la moindre sollicitation, et Lawrence avait le sommeil si léger qu'Alice n'osa pas prendre le risque. Elle le regretta par la suite — mais elle en vint, au fil des ans, à regretter bien d'autres choses. Son tout dernier geste consista à retirer son alliance pour la déposer sur l'oreiller, près de la tête de son mari, assommé par l'alcool.

Elle trouva M. Armand qui l'attendait patiemment au bout du chemin et ne manifesta aucune surprise en la voyant paraître.

★

Craignant de se retrouver avec un mari bafoué à ses trousses, M. Armand se dirigea droit vers le nord, et le couple s'installa, ou plutôt tenta de s'installer, pendant quelque temps, à Glasgow. Mais si M. Armand arrivait à s'en tirer à peu près bien comme photographe ambulant, il semblait faire de bien moins bonnes affaires à la tête d'un studio fixe. De plus, Glasgow, à l'époque, regorgeait de studios photographiques et se passait fort bien de talents supplémentaires. En moins d'un an, l'échec fut consommé. À ce moment, certains doutes s'étaient déjà introduits dans le cœur d'Alice. Elle accepta pourtant volontiers de quitter le pays pour se rendre à Marseille, ville natale de M. Armand, étant entendu que ce séjour serait de courte durée et qu'ensuite, ils repartiraient pour le Yorkshire et... À vrai dire, Alice ne savait pas très bien ce qui se situerait après ce « et », mais elle comptait bien, d'une manière ou d'une autre, reprendre ses enfants. Elle avait, bien sûr, leurs photographies, car M. Armand en avait conservé les plaques et elle avait réussi à le persuader de faire de nouveaux tirages de toute la série quand ils étaient à Glasgow. Elle avait fait faire ensuite de luxueux cadres de voyage en cuir lui permettant de les transporter commodément dans toutes ses pérégrinations.

Les choses, toutefois, ne se déroulèrent pas comme prévu, et le séjour à Marseille se prolongea pendant plusieurs années. Presque dès son arrivée, M. Armand avait commis la grave erreur d'investir tout leur avoir dans une entreprise qui se révéla désastreuse. Il n'avait aucun sens des affaires, et si Alice avait su à temps ce qu'il faisait, elle serait intervenue et leur aurait épargné ce qui suivit : la condamnation de M. Armand pour faillite frauduleuse. Il fut emprisonné un court moment et sa malheureuse épouse fut laissée sans un sou (ils s'étaient mariés, alors qu'elle était encore bigame, sans la moindre difficulté ; c'était avant la mort de Frederick, qui fit d'Alice une veuve véritable). Pendant un certain temps, Alice en fut réduite à faire la lessive pour autrui en s'interrogeant amèrement sur le sens de sa vie.

Quand M. Armand, toujours étonnamment joyeux, fut libéré, Alice fut atteinte d'une pneumonie qui la laissa faible et épuisée pendant plusieurs mois. M. Armand réussit à gagner un peu d'argent comme photographe itinérant (le porte-à-porte était la chose pour laquelle il demeurait le plus doué) et put finalement emmener sa femme en convalescence à la campagne. Alice aurait préféré rester entre les murs sordides de Marseille plutôt que de retrouver les horizons campagnards, mais, pour une fois, M. Armand manifesta de l'autorité. L'argent étant venu à manquer, ils restèrent assez longtemps bloqués à la campagne, comme Alice l'avait redouté, puis, à leur retour en ville, les échecs se succédèrent de nouveau.

Le matin de son quarante-septième anniversaire, Alice se leva d'un bond, alla ouvrir les volets, laissant entrer le soleil à grands flots dans la chambre, et, sans même regarder la masse inerte que formait encore M. Armand sous les couvertures, lui déclara qu'elle en avait assez, catégoriquement et définitivement assez, et qu'ils allaient retourner *à l'instant même* en Angleterre pour retrouver ses enfants, même si, pour payer le voyage, elle devait vendre son corps dans les rues. M. Armand marmonna vaguement qu'elle ne pourrait certainement vendre son corps que si on lui cousait d'abord la bouche, ce qui conduisit Alice à projeter en direction du lit la cuvette et le pot à eau de la table de toilette.

Malheureusement, ce fut ce même matin d'été que l'archiduc François-Ferdinand et sa femme choisirent pour aller se promener dans les rues de Sarajevo, provoquant ainsi une suite d'événements qui contraignirent M. Armand et son épouse à rester quatre années de plus en France.

Durant la guerre, Alice connut une curieuse expérience. Une expérience que certains eussent interprétée comme un signe de dérèglement mental, mais où elle vit, quant à elle, une démonstration de l'existence de Dieu. Cela se produisit en 1916, dans la nuit du 1er juillet, où elle fut brusquement tirée d'un très profond sommeil. Quand elle ouvrit les yeux, elle vit au pied de son lit un ange — ou tout au moins une apparition dont l'aspect était celui qu'elle eût prêté à un ange : robe blanche vaporeuse, ailes couleur de neige, halo incandescent, boucles blondes, yeux bleus couleur de myosotis. Elle attendit qu'il parle, mais il se borna à sourire en élevant une main vers le haut, en un geste évoquant de façon frappante l'attitude des saints et madones de plâtre qui pullulaient en France. Puis il disparut. Le lendemain matin, Alice fouilla chaque recoin de la chambre pour voir si l'angélique apparition avait laissé trace de son passage, mais elle ne trouva rien. Toutefois, le phénomène fut suffisant pour entraîner sa conversion au catholicisme, dont elle devint, comme tous les convertis, une adepte particulièrement zélée.

Cela ne la détourna nullement de l'idée de rechercher par tous les moyens ses enfants abandonnés, et dès la minute où fut conclu l'armistice, elle embarqua de force M. Armand à bord d'un train à destination de Calais. Elle commença ses recherches à l'endroit logique : le petit cottage qu'elle avait déserté si hâtivement trente ans plus tôt. Mais, cette fois, c'étaient ses enfants qui semblaient s'être évaporés. Plusieurs familles avaient vécu là depuis Rachel, et l'occupant d'alors n'avait jamais entendu parler des Barker. Au village, où la réapparition d'Alice causa un certain émoi, les habitants les plus anciens évoquèrent la mort d'Ada, celle de Frederick, le bébé de Rachel, la disparition de Lawrence. Mais nul ne savait ce qu'avaient pu devenir les autres.

M. Armand et sa femme prirent alors le train pour Whitby, Alice se disant qu'après la mort de Frederick, Rachel était peut-être, tout simplement, retournée sur les lieux de son enfance. La nouvelle de la mort d'Ada et de la disparition de Lawrence n'avait pas arrangé l'état nerveux d'Alice, et M. Armand en était venu à estimer que sa femme allait certainement le conduire à un trépas prématuré après l'avoir rendu lui-même fou. À Whitby, elle se mit à parcourir les rues et arpenter les falaises en criant les noms de ses enfants perdus : « Tom, Albert, Lillian, Nelly ! » De retour dans la chambre qu'ils occupaient, elle se mettait à maudire à grands cris Jean-Paul Armand et le jour où elle l'avait rencontré. À la fin de l'une de ces tirades, elle le frappa violemment sur la tête avec un vase. Il se mit en pyjama, s'étendit sur le matelas fatigué et ferma les yeux avec un grand soupir pour ne plus jamais les rouvrir.

★

Veuve une deuxième fois, Alice poursuivit ses recherches en tous les endroits auxquels elle put penser : Scarborough, Hull, Leeds, Bradford, Middlesbrough. Elle essaya même, tout en se disant que c'était sans doute le dernier endroit qu'aurait choisi Rachel, York, sa ville natale. Elle n'y connaissait plus personne, et, au bout de deux semaines, elle alla poursuivre ailleurs son enquête. Elle ne se douta jamais qu'elle avait croisé, dans Davygate, Nell, avec Clifford, Babs et Bunty en remorque. Elle échoua finalement à Sheffield, sans un sou. Elle s'installa dans un taudis et dut gagner misérablement ce qui lui restait de vie en gardant les enfants des autres — ironie du sort dont elle fut cruellement consciente.

Elle mourut en 1940, entourée de ses photographies et de ses saints en plâtre, au cours de l'un des pires bombardements qu'ait connus Sheffield. Quand, le lendemain matin, son corps fut tiré de sous un tas de gravats par un agent de police et un chef d'îlot, ils découvrirent, serrée contre sa poitrine, une vieille photographie représentant cinq enfants. La vitre du cadre n'était même pas brisée. L'agent de police la regarda et dit :

— Les pauvres ! Ils vont être tristes quand ils vont apprendre que leur vieille maman est partie...

Du haut d'une colline, l'aîné de ceux qui figuraient sur la photo, Tom — toujours convaincu que sa mère était morte cinquante-cinq ans plus tôt — assistait au bombardement. Il se trouvait en visite chez un ami à Doncaster et, en sortant du pub, ils avaient fait halte pour regarder, au loin, les lueurs rouges de l'incendie.

— C'est Sheffield qui brûle, fit l'ami. Salaud d'Hitler !

Tom se contenta de secouer tristement la tête en se félicitant de ne pas se trouver à Sheffield ce soir-là.

# CHAPITRE XII

1970

## UNION MANQUÉE

Kathleen essaie le lit de fer dans la cellule des condamnés à mort.

— Comment est-ce ?

— Plutôt inconfortable. Ils auraient quand même pu donner des matelas aux condamnés.

Nous sommes dans la cellule où Dick Turpin★ a passé sa dernière nuit — sans matelas. Nous venons de passer notre deuxième bac et nous tuons le temps en jouant les touristes au Musée du Château, parmi les mousquets, les seaux en bois et les chevaux empaillés. Il m'était arrivé, une nuit, de rêver du Musée : je m'y trouvais seule, à minuit, et soudain, tout prenait vie sous mes yeux. Des feux s'allumaient dans les cheminées victoriennes, les harpes du XVIIIe siècle commençaient à jouer seules et un carrosse se mettait soudain en mouvement. C'était beaucoup plus amusant que la réalité, avec les touristes se déplaçant en troupeau.

— J'en ai marre, dit brusquement Kathleen en abandonnant le lit de Dick Turpin. Allons manger une glace.

Nous allons ensuite nous promener sur les pentes gazonnées entourant la Tour Clifford, suçant notre glace et respirant l'odeur de l'herbe fraîchement coupée. J'ai encore la tête pleine de Racine, de Schiller et de la Question d'Orient, mais Kathleen se préoccupe déjà de tout autre chose.

---

★ Célèbre bandit de grand chemin pendu à York en 1739. *(N.d.T.)*

— Pourquoi n'irions-nous pas travailler dans un hôtel, cet été ? demande-t-elle.

— Un hôtel ?

— Mouais. Il serait bon pour nous d'acquérir un peu d'expérience avant d'aborder le reste de notre vie. (Dans la bouche de Kathleen, cela sonne comme le Reste de Notre Vie.)

— Un peu d'expérience de quoi ?

Kathleen paraît hésitante.

— Eh bien... De n'importe quoi, je suppose, dit-elle.

Kathleen ne va pas à l'université ; elle entre dans l'administration. Quant à moi, on m'a donné le choix entre plusieurs établissements pour préparer mon diplôme de langues modernes, et j'ai choisi le plus éloigné sur la carte (Exeter). S'il y avait eu une université aux Sorlingues, je l'aurais demandée. Après que le docteur Herzmark m'eut restitué le passé et libérée de mes terreurs obscures, les choses sont, dans une large mesure, rentrées dans les normes. J'ai eu mon premier bac en session de rattrapage et, pendant un moment, Bunty m'a traitée comme si j'étais une pièce de porcelaine rare. Mais, assez vite, nous avons repris nos vieilles habitudes, à ceci près que Bernard Belling avait précipitamment pris congé après ma tentative de flirt avec le monde des esprits. Mon sens du devoir m'a surprise moi-même, mais le fait d'être dorénavant l'unique fille dans la maison de ma mère crée quand même un peu trop d'obligations assommantes. Il m'arrive de maudire Patricia de s'être défilée ainsi.

Maintenant que je suis en partance pour l'université, Bunty s'est mise à manifester un peu plus d'intérêt pour ma carrière académique et parle de moi de façon aussi écœurante que les autres mères : « Savez-vous que ma fille est admise à l'université ? » Tout comme Mrs. Gorman, la mère de Kathleen, dit : « Savez-vous que ma fille va épouser un très charmant garçon ? »

Pour Kathleen, le Reste de la Vie, comme elle dit, semble être surtout défini par son mariage avec Colin. Je ne suis pas du tout sûre, contrairement à ce que pense Mrs. Gorman, que celui-ci soit si « charmant », et je pense que Kathleen s'apprête à faire une grosse erreur. En ces circonstances, il me paraît opportun de l'aider à acquérir un peu d' « expérience », et j'acquiesce à son projet de travail hôtelier avec la légèreté des gens ignorant encore la portée d'une décision.

*

Je croyais que Kathleen envisageait un hôtel à York, ou peut-être à Londres, où nous étions allées une seule fois, en déplacement scolaire. Je fus donc tout à fait déconcertée lorsqu'elle m'informa qu'elle nous avait trouvé des places de femmes de chambre au Royal Highland Hotel d'Édimbourg.

— Édimbourg ?

— Oui, Édimbourg. Tu sais : l'histoire, la culture, le château, le festival... Tout, quoi. Ou n'importe quoi...

*

Me voilà donc en Écosse pour la deuxième fois, et si j'avais su combien de temps j'allais y rester, j'aurais sûrement pris d'autres dispositions — emporté un peu plus de vêtements, par exemple. Mais, pour le moment, je ne sais rien. Mon avenir débouche sur une contrée inconnue : le Reste de Ma Vie.

La première chose qui me surprend, à Édimbourg, c'est que nous y arrivons sans être passées sur le Pont du Forth. J'attends encore de le voir apparaître sous nos roues quand le train entre en gare à Waverley. Inquiète à l'idée de voir repartir prématurément le train, Kathleen s'affaire à descendre nos valises, mais moi, je reste assise à ma place, en me demandant où a bien pu passer le Pont du Forth. Contrairement à Kathleen, je serais tout à fait disposée à rester dans le train pour découvrir les gares suivantes : Haymarket, Inverkeithing, Kirkcaldy, Markinch, Ladybank, Cupar, Leuchars, Dundee, Arbroath, Stonehaven, Aberdeen.

La deuxième surprise est qu'Édimbourg est tout en collines. York est une ville plate, où l'air semble immobile et où le soleil se couche derrière des maisons et non derrière des horizons.

Nous restons un moment, sans trop savoir où aller, dans le hall du Royal Highland Hotel, qui sent le rôti de mouton et le gâteau de riz. Puis quelqu'un surgit de nulle part et s'adresse à nous avec un accent étranger que je reconnais (écossais) :

— Bonjour. Je sois Marjorie Morrison, la gouvernante, et j'espère qu'à l'avenir, vous prendrez l'entrée de service.

Marjorie Morrison est droite et mince comme un crayon. Elle

323

a des cernes sous les yeux, des tresses noires très serrées et semble sortie d'un conte d'Edgar Poe.

Arrivée dans notre chambre mansardée, au dernier étage, Kathleen commence à défaire méthodiquement ses bagages, mais moi, je monte sur une chaise, passe ma tête par la lucarne, au soleil couchant, et respire profondément. Sous mes yeux, Édimbourg déploie son paysage aux couleurs délicates jusqu'à Salisbury Crags et aux Pentland Hills.

★

Le rôle de femme de chambre se résume essentiellement à l'exécution de travaux ménagers dont beaucoup me semblent superflus. Je n'arriverai jamais à astiquer les miroirs comme Kathleen, ou à retirer les dépôts de calcaire au fond des baignoires. Mon aspirateur s'engorge, mes draps font des plis et mes cintres disparaissent. De toute évidence, je n'ai pas hérité les talents ménagers de Tante Babs et de Bunty. Je passe un temps considérable à sommeiller sur des lits défaits dans des chambres vides, contemplant le plâtre beige qui recouvre les murs du Royal Highland Hotel et guettant le petit pas saccadé de Marjorie Morrison. Si c'est là l'« expérience » promise, je préférerais passer très vite dessus et reprendre le cours de ma vie.

Édimbourg, quand je m'y aventure, m'apparaît comme une ville à la fois exotique et amicale. Mais je dois explorer seule ses charmes, car — de façon tout à fait surprenante — j'ai perdu Kathleen. Dès notre arrivée, elle a paru totalement oublier le Reste de Sa Vie avec Colin pour se consacrer à un étudiant nommé Martin, qui travaille pour l'été comme chasseur dans notre hôtel. Martin porte des lunettes cerclées de fer, une redingote pourpre et une queue de cheval que Marjorie Morrison tente désespérément de lui faire couper, le menaçant parfois des petits ciseaux d'argent qui pendent à sa ceinture. Martin étudie l'électronique et est plongé jusqu'au cou dans les drogues et dans Marshall McLuhan. On trouverait difficilement quelqu'un de plus différent du futur quincaillier Colin. Je me lie d'amitié avec deux Irlandaises travaillant comme serveuses pour la durée de l'été. Niamh et Siobhan attendent elles aussi que le Reste de Leur Vie commence, mais elles ne parviennent pas à remplacer Kathleen.

324

Mon avenir m'apparaît toujours comme assuré. Je ne sais pas encore qu'il a été irrémédiablement compromis par Janet Sheriff, notre professeur d'histoire, qui est tombée amoureuse au début de l'année scolaire et a omis de nous enseigner de larges parts de l'histoire européenne. Ce n'est qu'à l'examen que nous avons découvert combien de terribles batailles et de révolutions sanglantes s'étaient déroulées à notre insu.

Le soir, Niamh, Siobhan et moi allons nous installer chez Benedetti, un café italien de Leith Walk, qui semble chaud et accueillant avec ses tables à dessus de formica rouge et ses machines en chrome toujours fumantes. Les Benedetti eux-mêmes sont un vivant opéra, une famille italienne aux passions intenses et mélodramatiques et aux liens de parenté indéchiffrables : une interminable suite de grands-mères, de sœurs et de cousins se remplacent derrière le comptoir, en se jetant de mystérieuses apostrophes. Parfois, il s'agit d'un beau garçon aux yeux verts et aux cheveux noirs satinés tirés en arrière et noués à l'aide d'un lacet de soulier, ce qui fait ressortir ses joues nettes et ses pommettes saillantes. À le voir, on se dit que sa peau brune doit sentir bon les olives et le citron. C'est Gian-Carlo Benedetti, et qui pourrait prévoir maintenant l'aspect qu'il prendra ultérieurement ?

Sur les murs du café sont placardées d'immenses affiches de Pise et de Lucques, avec de grandes tours du Quattrocento et des cieux toscans tout bleus. Parfois, lorsque c'est le vieux M. Benedetti qui est au comptoir, attendant passivement la clientèle, il fixe sur ces affiches un regard lointain et je sais qu'il pense à son pays natal. Quand, plus tard, nous tiendrons la boutique de frites à Forfar, nous aurons aussi l'une de ces affiches au mur, et je surprendrai parfois Gian-Carlo Benedetti en train de la contempler avec le même regard vague. Mais je saurai que lui ne pense strictement à rien.

*

Kathleen et moi téléphonons à notre lycée pour découvrir que nous avons l'une et l'autre échoué à notre deuxième bac en histoire. Un rideau s'abat soudain devant moi ; je ne sais plus ce que je vais faire. « Que sera sera », dit Kathleen en souriant. Elle s'en fiche : elle est amoureuse de Martin.

Mais rien ne se passe comme elle imaginait. Colin doit avoir senti que Kathleen était en train de réorganiser le Reste de Sa Vie, car il débarque à Édimbourg, fonce à l'hôtel et plaque littéralement la main sur la sonnette de la réception, déclenchant la fureur de Marjorie Morrison. Il s'enferme avec Kathleen dans la lingerie, où il arrive sans doute à la circonvenir, car, quelques heures plus tard, tous deux reprennent le train pour l'Angleterre. Je les accompagne à Waverley et, regardant les feux arrière du dernier wagon disparaître dans l'obscurité, je souhaite un heureux avenir à Kathleen, tout en restant fortement sceptique à cet égard.

Ses griefs ultérieurs contre Janet Sheriff, notre professeur d'histoire, seront plus grands que les miens, car c'est, après tout, la vie amoureuse amnésique de celle-ci qui entraîne directement notre échec à l'examen et l'obligation, pour Kathleen, d'entrer dans l'administration comme employée et non comme cadre. Ce fait pèsera, économiquement et psychologiquement, sur son mariage et conduira Colin à s'adonner à la boisson, à faire faillite avant la quarantaine et à tuer le chien de la famille. En un sens, j'ai eu de la chance que, pour moi, les catastrophes se résument à épouser Gian-Carlo Benedetti et à tenir la boutique de frites de Forfar.

Martin a le cœur brisé et quitte Édimbourg le lendemain. Nous entretiendrons des contacts épisodiques pendant les quelques années qui suivent. Il s'occupera d'ordinateurs et ira s'installer en Californie. On peut, à mon avis, affirmer sans crainte que Kathleen n'avait pas pris la bonne décision.

*

À peu près une semaine plus tard, alors que je suis en train de regarder d'un air absent par la fenêtre de la chambre 21, Marjorie Morrison entre en coup de vent dans la pièce, jette un coup d'œil désapprobateur aux lits jumeaux que je viens juste de refaire et déclare :

— On dirait que vos oreillers ont fait la bataille de l'Alma !

Et, à sa grande surprise, ces paroles ont le don de me faire fondre en larmes. Entre deux sanglots irrépressibles, je lui explique je n'ai jamais entendu parler de la bataille de l'Alma. Sentant peut-être que mon chagrin a une origine encore plus profonde que mon ignorance de l'histoire militaire, Marjorie Morrison s'assied auprès de moi sur l'un des lits, déploie ses bras décharnés et m'attire contre elle avec les gestes patauds d'un gros insecte.

— Lennox, me dit-elle au bout d'un instant, vous devez avoir du sang écossais !

— Non, fais-je en secouant la tête et en continuant à pleurer. Je ne crois pas.

★

Les deux Irlandaises font leurs bagages et s'apprêtent à aller en France pour les vendanges. Elles m'invitent à les accompagner, mais je refuse. Quand j'arrive, le soir, chez Benedetti, le joli garçon brun est en train de balayer. Il sent effectivement les olives et le citron. Il lève la tête, me gratifie d'un immense sourire et me demande :

— *Ciao, comè sta ?*

Et, plus tard, à la fermeture du café, il me propose le mariage en un anglais épouvantable, devant un *capuccino* fumant. Ignorant toute sagesse et toute prudence, je me dis qu'un destin magnifique s'offre à moi (j'ignore alors que la seule et unique raison de sa demande en mariage est qu'il n'est qu'un cousin éloigné des Benedetti et risque de ne pas voir renouveler son permis de séjour ; ce cousinage lointain expliquera aussi qu'on ne nous confie, le moment venu, ni le café de Kirriemuir ni la pâtisserie de Dundee, mais simplement la boutique de frites de Forfar).

Sur le chemin du retour, vers minuit, au milieu du public joyeux du Festival, j'appelle Bunty d'une cabine téléphonique de Princes Street. Elle répond d'un ton las, et je crois alors la voir, avec ses bigoudis bleus et son filet à cheveux rose. Je crie très fort dans l'appareil :

— C'est seulement Ruby ! Devine un peu ! Je me marie...

Le silence pétrifié qui s'ensuit semble durer une éternité et dure en tout cas jusqu'à épuisement de mes pièces de monnaie. Je me hâte donc de hurler :

— J'ai enfin trouvé quelqu'un qui veut de moi !

Mais la tonalité m'indique que je parle déjà dans le vide.

— Félicitations, chérie, me dit un homme légèrement atteint

par le whisky au moment où je sors de la cabine. J'espère que vous serez très heureuse...

Je dois me contenter de cette manifestation de sympathie un peu éthylique, car notre mariage n'attirera pas grand public. La seule personne que nous trouvons à inviter est Marjorie Morrison, et nous devons emprunter un témoin au mariage précédant le nôtre à la mairie. Bunty refuse de me parler pendant plus d'un an, et je suis horrifiée de constater qu'elle me manque.

Après avoir épousé Gian-Carlo Benedetti, je découvris finalement le Pont du Forth. Je traversai le Forth, puis la Tay, et vis ce que j'aurais vu si j'étais restée dans le train la première fois (Haymarket, Inverkeithing, Kirkcaldy, Markinch, Ladybank, Cupar, Leuchars, Dundee). Ce faisant, je me condamnais à quelques années véritablement affreuses, au cours desquelles je vis les charmes de Gian-Carlo Benedetti s'évanouir en même temps que s'empâtait son visage et s'enflait démesurément son tour de taille. En plus, il avait contracté un tel goût pour la *grappa* que j'étais parfois tentée de lui jeter une allumette enflammée pour voir s'il n'allait pas s'embraser comme une crêpe Suzette.

*

Un jour, je pris par erreur un train cour Cardenden. Je me rendais à Forfar (c'était peu avant la fin de mon union avec Gian-Carlo Benedetti) et le train se trouvait au quai 17 de la gare de Waverley, là où aurait dû se trouver normalement celui de Dundee. L'employé de service sur le quai fermait déjà les portes des wagons et s'apprêtait à siffler. Je me mis donc à courir, avec, sous chaque bras, une fillette à la peau brune et aux boucles noires tressautant au rythme de la course, et je sautai à bord du train. Celui-ci avait déjà parcouru la moitié du comté de Fife lorsque je me rendis compte que nous allions dans la mauvaise direction (je n'étais pas tout à fait moi-même à ce moment-là). Arrivées à Cardenden, nous descendîmes et attendîmes le prochain train retournant vers Édimbourg. J'étais si horriblement fatiguée que je faillis tout simplement rester à Cardenden. Et quiconque connaît Cardenden peut mesurer l'état dans lequel je me trouvais.

Peu après, je reçus un coup de téléphone qui me désarçonna complètement.

— Téléphone à toi ! avait hurlé Gian-Carlo Benedetti (son anglais ne s'était guère amélioré sous ma houlette).

Mais, quand je pris l'appareil, je fus accueillie par un silence familier : c'était M. Personne.

— Cela faisait longtemps que vous n'aviez pas appelé, lui fis-je remarquer.

Il n'y eut pas de réponse, pas un mot, pas de respiration haletante, pas de respiration du tout, en fait, rien que le silence. J'écoutai très attentivement celui-ci, pour le cas où quelque message s'y dissimulerait, et je lui découvris en fin de compte une sorte de vertu apaisante. C'était comme écouter la mer dans un coquillage. J'aurais pu rester là très longtemps, à me griser de ce silence marin, mais, brusquement, du fond de l'océan, on parla. Un « Allô ? » timide et hésitant. Puis :

— Allô ? Allô ? Ruby ?

Ce n'était pas M. Personne ni une sirène égarée sur les ondes téléphoniques. C'était Patricia.

— Où es-tu, Patricia ?

Il y eut un petit bruit curieux, comme si quelqu'un essayait d'apprendre à rire, puis Patricia cria dans l'appareil :

— En Australie ! Je suis en Australie, Ruby !

(Pour ce qui était de la distance, mon exil écossais ne se comparait pas à celui de ma sœur.)

— Tu aurais difficilement pu aller plus loin, fis-je remarquer à Patricia, qui fit de nouveau un petit bruit étrange.

Peu après ce coup de téléphone, alors que je chargeais la machine à peler les pommes de terre, j'eus droit à un signe du destin en règle. Un grand éclair bleu jaillit de la machine et, pendant une seconde, mes cheveux se dressèrent tout droits sur ma tête. Un court-circuit venait de faire sauter la machine, et, en un instant chargé d'électricité, la réalité m'était clairement apparue : je m'étais trompée de vie.

Je partis le lendemain matin, très tôt, avant que Gian-Carlo se réveille. Je n'emportai rien avec moi, si ce n'est les petites filles brunes, et mis toute la distance que je pus entre nous et la vie que j'abandonnais. Nous prîmes le train, quelques autocars et finalement un gros ferry qui nous emmena aux Shetlands. Là, durant tout l'été, je montai la garde par les nuits sans fin, pour m'assurer que les têtes noires qu'on voyait pointer entre les vagues étaient bien celles de phoques, et non de membres du clan Benedetti assoiffés de vengeance.

Nous allâmes toutes ensemble en Australie — Bunty, moi-même et les deux petites choses brunes dont les noms étaient (et sont toujours) Alice et Pearl. Bunty passa tout le voyage à mourir de peur, redoutant que notre avion soit abattu par un Exocet argentin — c'était en 1982, et nous étions en pleine guerre des Falklands. Alice dut lui tenir la main pendant une bonne partie du vol. Nous débarquâmes toutefois en Australie indemnes, et Patricia nous conduisit chez elle — une vaste maison blanche en bois, avec un figuier dans le jardin, dans un faubourg huppé de Melbourne. Elle était mariée à un gentil dentiste juif de quelques années plus âgé qu'elle, et ils avaient deux enfants, Ben et Naomi. Peu avant notre arrivée, elle avait passé son diplôme de vétérinaire.

— Alors, lui dis-je, tes rêves se sont réalisés, Patricia.

Mais elle m'assura qu'elle ne se rappelait pas avoir eu de rêves. Je pense qu'elle a oublié le passé.

Patricia était devenue bouddhiste et s'en allait méditer chaque matin au lever du soleil sous son figuier. Il nous était presque impossible d'admettre que cette créature pleine d'énergie et de soleil pouvait être Patricia. Pourtant, tel était le cas.

Sous les cieux pâles de l'hémisphère sud, Bunty elle aussi semblait quelqu'un de changé. Elle avait même permis à Louis, le mari de Patricia, d'explorer délicatement ses plombages et de nettoyer son bridge. Entourée, sous le soleil, par ses quatre petits-enfants à demi anglais, elle savourait son rôle de matrone du clan Lennox, et j'eus de la peine pour elle quand il me fallut, au retour, la laisser seule dans le pavillon d'Acomb. (« Elle pourrait toujours venir vivre avec toi, Patricia », avais-je dit joyeusement à ma sœur pendant que nous attendions notre avion. La tête qu'avait fait alors Patricia méritait bien les quinze ans d'attente.)

Pendant sept années, trois mois et dix-huit jours, j'avais porté le nom curieux de Ruby Benedetti. Puis, par la grâce du tribunal d'Édimbourg, je redevins moi-même. Je redevins Ruby Lennox.

ANNEXE XII

1914

## RETOUR AU BERCAIL

Lawrence actionna la sirène comme le petit bateau à vapeur approchait de la jetée en bois. Le capitaine, un aimable vieux bonhomme nommé Robert Jenkinson, interpellait, en ce qui se voulait du portugais, l'un des frères de la Mission, sur la jetée. Lawrence se mit à rire. Jenkinson avait passé la majeure partie de son existence à sillonner cet affluent de l'Amazone, et il n'arrivait toujours pas à parler la langue locale. Lawrence, lui, y arrivait. Il y prenait même plaisir.

— Vous avez un don, Lawrence, avait dit le Père Domingo.

Et Lawrence s'en était senti ridiculement fier.

Le bateau amarré, ils commencèrent à décharger leur cargaison : de la farine, du café, de la paraffine, des bougies, des hameçons, de l'encre, du sucre, des pièces de calicot et une demi-douzaine de poules. Dans une vaste clairière, derrière la jetée, se dressait, toute blanche, la nouvelle église de la Mission. Mais Lawrence était plus attiré par les huttes des indigènes, ouvertes et coiffées de palmes. C'est là qu'il allait passer la soirée et la nuit, à se battre contre les moustiques venus de la rivière après un repas amical de riz, de poisson et de *farinha*.

Après avoir hissé le dernier sac sur la charrette des frères, Lawrence s'assit sur la jetée et roula une cigarette.

On arrivait à la fin de l'après-midi, et le soleil se faisait encore plus chaud, mêlant son or aux multiples teintes de vert de la végétation. L'eau de la rivière était d'un noir brillant comme du charbon poli. Lawrence tira longuement sur sa cigarette, respirant en même temps l'odeur de poisson et de végétaux en décomposition qui montait de l'eau.

Il pensait à son pays — au pays froid et septentrional de son enfance. Il y pensait beaucoup depuis quelque temps. Aux champs nets et plats, aux collines dénudées, où bêtes et plantes devaient lutter pour survivre, où la fertilité devait se cultiver au lieu de tout submerger au milieu d'un gigantesque bain de vapeur. Lawrence écarta de sa peau sa mince chemise de coton et y souffla pour essayer de se rafraîchir. Il avait longtemps été heureux là où il se trouvait, mais, tout à coup, il se sentait envahi par le désir de retourner au pays.

Il pensa à ses sœurs, Lily et Nelly, et se demanda quel genre de jeunes femmes elles étaient devenues. Il pensa à ses frères, Tom et Albert, à la funeste Rachel et aussi à sa jolie sœur morte, Ada. Mais, surtout, il pensa à sa mère, qu'il avait vue s'enfuir comme un fantôme parmi les ombres de la nuit.

Il était sorti, cette nuit-là, pour aller aux cabinets, et il s'apprêtait à traverser la cour pour regagner la maison lorsqu'il avait aperçu Alice s'éclipsant, vêtue de sa robe noire, portant une petite cape de voyage et un chapeau. Elle tenait à la main un petit sac Gladstone. Que faisait donc sa mère en chapeau et avec un sac à trois heures du matin ? Il avait tenté de la suivre, mais il était pieds nus et le chemin était semé de cailloux aigus. Sa mère, chaussée de ses bottines noires, s'éloignait à pas vifs et légers, et Lawrence avait la curieuse impression qu'elle flottait au-dessus du chemin. Elle disparut en haut d'une pente, et quand Lawrence y arriva tant bien que mal, tout ce qu'il put voir fut la charrette noire, plus noire que la nuit, qui s'éloignait, avec la silhouette chapeautée de sa mère à côté de celle du Français.

Quand il s'éveilla, le lendemain matin, il crut avoir rêvé, car leur père leur disait que leur mère était morte. Mais, un peu plus tard, il déclara à Ada, qui était malade de chagrin :

— Je l'ai vue.

— Tu l'as vue ?

— Dans la voiture du Français.

— Tu dois avoir vu son fantôme, Lawrence, lui dit sa sœur. Maman ne nous aurait jamais laissés.

Et il avait alors pensé qu'Ada avait raison : leur mère ne les aurait jamais laissés...

Lawrence lança son mégot de cigarette dans l'eau noire, où il grésilla un court instant, puis il passa son mouchoir sur sa nuque pour y éponger la sueur. Il lui arrivait encore de voir sa mère en rêve, avec ses jolies boucles blondes et ses petites dents blanches, pointues comme celles d'un chat. Après ce genre de rêves, il s'éveillait toujours avec une sensation de bonheur et de chaleur, puis il se souvenait que sa mère était morte et il avait soudain envie de pleurer. Parfois, il pleurait effectivement, avec de gros sanglots enfantins qui lui faisaient honte

— Je voudrais bien rentrer au pays, dit-il à Robert Jenkinson, qui arrivait vers lui, une bouteille de whisky à la main.

Jenkinson s'assit sur la jetée à côté de Lawrence, lui passa la bouteille et se mit à rire.

— Le pays, fit-il, tu ferais mieux de l'oublier pour le moment. Il y a une guerre qui arrive.

Lawrence prit une pièce d'argent dans sa poche et la lança en l'air, aussi haut qu'il put. La pièce retomba en tournant sur elle-même, étincelant au soleil. Lawrence la rattrapa au vol et la plaqua sur le dos de son autre main. Puis il la montra à Robert Jenkinson en lui disant :

— Le pays. Je rentre au pays.

# CHAPITRE XIII

## 1992

## RÉDEMPTION

Je suis revenue pour disposer des restes de ma mère, tâche rendue plus compliquée par le fait qu'elle n'est pas encore morte.

— Elle n'est plus du tout la même, me chuchote Adrian en m'ouvrant la porte.

Je me dis sur le moment que tout changement ne peut être qu'une amélioration. C'est Adrian qui s'est occupé de tout le temps que je revienne à York. Dans cette maison qui n'est plus ma maison.

— Alors, pas de nouvelles de Pat ? me demande joyeusement Adrian en battant des œufs dans un bol.

Il est parfaitement à l'aise dans la cuisine de Bunty, tandis que Bunty elle-même fait figure d'exilée dans son propre royaume. Elle est assise devant la table, arrangeant et réarrangeant des couteaux et des fourchettes selon des critères qui n'appartiennent qu'à elle. Elle paraît surprise de me voir et me demande très poliment :

— Qui êtes-vous ?

Je lui adresse un beau sourire rassurant (son sourire) et lui dis :

— C'est seulement Ruby.

Puis j'enchaîne à l'adresse d'Adrian :

— Patricia va bien. Je ne lui ai pas parlé de tout cela.

J'ai un geste vague de la main vers Bunty, qui me regarde en souriant, comme si j'étais une enfant jouant un petit sketch.

Adrian propose de rester encore quelques jours, et j'accepte bien volontiers. Il a maintenant son propre salon de coiffure et vit avec un architecte nommé Brian. Ils ont un chien, un chihuahua appelé Dolores, qu'Adrian a amené avec lui. En ces circonstances, Adrian vaut presque une sœur ; il est tout heureux de faire avec moi le tour des maisons de retraite, inventoriant leurs toilettes et leurs placards, et il s'affaire un peu partout, revêtu d'un des plus beaux tabliers de Bunty, faisant le ménage avec une aisance joyeuse qui vexerait sans doute ma mère si elle était elle-même. Mais elle ne l'est plus.

Selon le jeune docteur Haddow, réplique de son père en moins jovial, le pronostic, pour Bunty, est le suivant : elle va continuer régulièrement à perdre la raison, mais elle vivra sans doute longtemps encore, car elle a une constitution remarquablement robuste. Tout va bien, donc.

— Qui était cet homme ? demande Bunty après le départ du médecin.

C'est sur l'identité des gens que son esprit se révèle le plus confus. Parfois, elle sait qui je suis, mais, à d'autres moments, elle ne me reconnaît pas. Cela me fascine tellement que je passe mon temps à lui demander :

— Sais-tu qui je suis ?

Tant et si bien qu'un jour, Adrian, le plumeau d'une main et le chihuahua de l'autre, me regarde en souriant et me dit :

— Et *toi*, Ruby, est-ce que tu sais qui tu es ? (Oui, je le sais. Je suis Ruby Lennox.)

Les journées passent vite, dévorées par le ménage, les courses, la cuisine et de petites promenades dans le parc. Bunty et moi parcourons les allées entre les pelouses impeccablement tondues et nous asseyons sur les bancs pour regarder les enfants jouer sur les balançoires. Bunty resterait bien là toute la journée, mais quand je lui dis qu'il est temps de rentrer, elle se lève docilement.

Le soir, Adrian et moi recherchons, en nageant au milieu de brochures diverses, l'endroit le plus convenable pour incarcérer Bunty.

La nouvelle personnalité de celle-ci est bien plus aimable que l'ancienne. J'aurai attendu quarante ans un moment agréable avec ma mère, et maintenant, enfin, nous passons de longs après-midi ensoleillés sur la planète Alzheimer. Bunty s'imagine avoir de nouveau toute sa famille autour de ses jupes, et, étant la seule enfant réellement disponible, je dois jouer les doublures pour toutes les autres, prête à répondre pour Pearl, Gillian, Patricia (et parfois même Ruby). Je remarque que Gillian est toujours la favorite de Bunty (« Je vais te faire ton gâteau favori pour le thé, Gillian », « Veux-tu venir faire des courses avec Maman, Gillian ? » et ainsi de suite). C'est une sensation bizarre que d'être constamment entourée de sœurs invisibles.

Un après-midi, je laisse Bunty sans surveillance pendant quelques minutes, et je la retrouve dans le salon, entourée d'un nuage de poussière grise, vidant le sac de l'aspirateur sur le tapis.

— Que diable fais-tu là ? lui dis-je.

Elle me regarde alors avec un sourire serein et me répond :

— Je répands les cendres de ton père, bien sûr.

— Est-ce qu'il voulait vraiment qu'on les répande dans le salon ? (Pour tout l'or du monde, je serais incapable de dire ce que nous avons fait des cendres après la crémation.)

Je sens quelque chose se coller aux semelles de mes souliers, et je me demande s'il ne s'agit pas de petits morceaux de mon père. Un peu plus tard, alors que je viens de réaspirer George, Bunty me demande d'un air perplexe :

— Tu n'as pas vu ma mère ? Je ne la trouve nulle part.

\*

— C'est peut-être le bon endroit, dis-je à voix basse à Adrian, comme nous arrêtons la voiture devant une impressionnante construction néogothique.

— Le bon endroit pour quoi ? demande Bunty.

Comme pour compenser les déficiences de son cerveau, elle a acquis une finesse d'ouïe digne d'une chauve-souris.

— Tu n'aimerais pas passer des petites vacances ici, Tante Bunty ? fait Adrian en lui souriant dans le rétroviseur.

Bunty ne dit rien. Peut-être flaire-t-elle un piège, mais quand je trouve finalement le courage de me retourner vers elle, elle sourit aux anges. Notre inspection de Silverleas se révèle satisfaisante. Pas d'odeurs de désinfectant ou de chou bouilli dans l'immense vestibule aux panneaux d'acajou bien cirés.

— C'est très joli, n'est-ce pas ? dis-je d'un ton enthousiaste à Bunty.

Elle approuve de la tête.

— Très joli, fait-elle. Combien de temps restons-nous ?

Nous inspectons les chambres, avec leurs dessus de lit assortis aux rideaux, les salons, bien équipés en journaux et en jeux divers ; les cuisines, où la nourriture semble fort bien préparée. On pourrait se croire dans un hôtel d'honnête catégorie, n'était l'allure un peu bizarre des pensionnaires.

Bunty répugne à s'en aller, mais Adrian lui promet que nous reviendrons bientôt et que, cette fois, elle pourra rester plus longtemps. La directrice nous serre chaleureusement la main, puis, baissant la voix, nous dit, alors que Bunty commence à descendre les marches du perron :

— Mais rappelez-vous que Silverleas ne peut prendre que des pensionnaires n'ayant pas besoin de traitement médical. En conséquence, si votre mère tombe malade, nous ne pourrons la garder.

— C'est parfait, lui dis-je. Ma mère a une constitution remarquablement robuste.

★

— On va te faire toute belle pour l'occasion, n'est-ce pas ? dit Adrian, tout souriant, en frottant la tête de Bunty avec une serviette.

Il sort de sa poche une paire de ciseaux et égalise avec art la chevelure humide de ma mère. Je ne puis m'empêcher de remarquer qu'elle a maintenant le cheveu rare. Elle a des taches de vieillesse sur le dos des mains et une curieuse marque rouge au coin d'un œil, comme si un chat lui avait donné un coup de patte. Je suis soudain pleine de pitié pour elle, et je lui en veux de m'inspirer ce sentiment.

Comme nous approchons de Silverleas pour effectuer la livraison définitive, Bunty semble beaucoup moins enthousiaste. Elle s'est déjà montrée à demi hystérique quand nous nous sommes trouvés pris dans les perpétuels encombrements du centre d'York, imaginant que nous étions terriblement en retard pour un train qu'il nous fallait prendre à toutes forces. Puis, comme nous dépassions la gare sans nous y arrêter, elle a poussé un véritable hurlement.

Nous devons insister pour qu'elle sorte de la voiture, et, plus nous approchons de la majestueuse porte d'entrée, plus son pas se ralentit. Lorsque nous commençons à monter les marches du perron, elle me prend brusquement la main, et je me rends compte pour la première fois qu'elle est plus petite que moi. Je me souviens encore d'elle quand elle avait deux fois ma hauteur, et maintenant, elle me fait l'effet d'une petite poupée. Comment a-t-elle pu rétrécir si vite ? Mon pas se ralentit malgré moi. Je ne suis plus sûre de ce que je fais. Peut-être devrais-je ramener chez moi cette petite mère-poupée et m'occuper d'elle, au moins pendant un certain temps ?

— N'y pense même pas, me murmure tout bas Adrian.

De toute manière, la directrice a déjà pris le bras de Bunty et l'emmène, par le long corridor, vers sa chambre avec « confort moderne et vue sur le parc ». Juste avant de disparaître, Bunty se retourne et agite tristement la main, comme un enfant à son premier jour d'école.

— C'était ma mère, fais-je avec un soupir.

Et Adrian me répond avec un petit rire triste :

— Mais ça l'est toujours, Ruby. Ça l'est toujours.

Mais quand nous rendons visite à Bunty le lendemain, elle semble plus joyeuse et nous dit que le service dans les chambres est merveilleux.

— Que crois-tu que je devrais laisser comme pourboire ? me demande-t-elle avec un petit air préoccupé.

Nous l'emmenons faire un tour dans le parc, avec Dolores nous jappant aux chevilles. Il y a là des arbres superbes — ormes pleureurs et noyers d'Espagne —, des buissons de houx et des bouquets d'ifs. Des pelouses d'herbe grasse et fraîche s'étendent à perte de vue, et je me dis soudain que l'endroit serait merveilleux pour jouer à être des chevaux. J'en regretterais presque l'absence de Christine Roper. Nous faisons une pause pour nous asseoir sur un robuste banc de bois qu'une petite plaque dédie « à la mémoire de Fred Kirkland 1902-1981 ».

— Aimerais-tu rester ici ? demande Adrian.

Bunty a un petit sursaut, comme un lapin effarouché.

— Rester ? fait-elle d'une petite voix. Pour toujours ?

— Eh bien, dis-je timidement. Peut-être pas pour toujours...

— Pourquoi ne puis-je pas rentrer à la maison ? demande Bunty avec un regard de panique qui me fait souhaiter être ailleurs. Pourquoi ne puis-je pas rentrer à la maison ?

*

Adrian et moi mangeons des sandwiches devant la télévision. Nous regardons une émission sur les objets d'art anciens avec cette attention religieuse des gens qui n'ont rien de mieux à faire. Demain, il nous faudra commencer à emballer dans des caisses et des cartons tout le contenu de la maison. Cela paraît étrange de se débarrasser ainsi de tout, alors que Bunty n'est pas morte, mais il n'y a plus rien dont elle ait encore l'usage. Puis le téléphone sonne.

Peut-être est-ce M. Personne. Mais non, c'est la directrice de Silverleas qui m'annonce que Bunty a eu une attaque.

*

— Comment a-t-elle pu autant rétrécir ?

Patricia est pétrifiée par le changement survenu chez Bunty. Nous sommes trois — Patricia, Adrian et moi (quatre si l'on compte Dolores, camouflée sous le veston d'Adrian) — autour du lit d'hôpital de Bunty, parlant à voix très basse. Patricia a pris le premier avion en apprenant la fin imminente de sa mère. Bunty est maintenant dans une petite chambre au nouvel hôpital régional. Elle a été promptement congédiée de Silverleas après son attaque (partant sans, finalement, donner de pourboire). Elle a subi une hémorragie cérébrale pas assez importante pour la tuer, mais suffisante pour la faire plonger encore plus profondément dans les limbes.

L'infirmière de nuit, Mrs. Blake, passe la tête à la porte et nous demande si tout va bien. Son ton de voix solennel et le fait qu'on nous ait alloué une chambre particulière à l'écart nous suggèrent que Bunty n'en a plus pour très longtemps, et nous nous demandons si nous devons ou non rentrer à la maison ce soir. Je tire les rideaux. La chambre donne sur la ligne de chemin de fer de Scarborough, et l'on entend un train passer en sifflant. Patricia et moi décidons d'aller demander à Mrs. Blake si elle a des précisions sur l'horaire terminal de Bunty. Il est plus de neuf heures, les derniers visiteurs sont partis et l'on a baissé les lumières. Nous trouvons Mrs. Blake et une infirmière stagiaire dans l'une des chambres à six lits, s'efforçant de calmer un minuscule vieillard qui tente de se jeter hors de sa couche avec une remarquable détermination en les couvrant d'injures.

— J'ai l'impression qu'elle est occupée, dit Patricia. Allons faire un tour.

Et, nous donnant le bras, nous nous promenons dans tout un labyrinthe de corridors aux parois de verre dépoli. La douce vibration d'un moteur donne l'impression que l'hôpital tout entier est un grand navire fendant les flots dans la nuit. Nous nous asseyons un moment dans les fauteuils en vinyle de la réception et contemplons d'un air absent les portes à tambour avant d'aller faire un tour dehors, dans le parc de stationnement. Nous ne sommes qu'à quelques centaines de mètres de l'endroit où Bunty est née. De l'autre côté de la route, nous pouvons voir les enseignes lumineuses de l'usine Rowntree, cet autre grand paquebot immobile.

Quand nous retournons au chevet de Bunty, Mrs. Blake est là, tenant l'une des mains de notre mère tandis qu'Adrian tient l'autre. Adrian nous jette un regard inquiet et Mrs. Blake nous dit doucement :

— Je crois que cela empire.

Nous veillons Bunty toute la nuit. Quand on attend la mort au lieu d'être surpris par elle (comme c'est habituellement le cas dans notre famille), elle peut mettre longtemps à venir. Mrs. Blake (Tessa) approche de la cinquantaine et a deux grands fils nommés Neil et Andrew. Neil est marié et vient d'avoir une petite fille appelée Gemma. Nous apprenons tout cela en bavardant à bâtons rompus au-dessus du cadavre vivant de Bunty. Avec ses yeux bleus las et ses boucles d'un blond fané, Mrs. Blake a l'air d'un ange dodu et fatigué.

— Je n'ai jamais connu ma véritable mère, dit-elle à voix basse. J'ai été adoptée. Ne pas connaître votre véritable mère, c'est une chose qui vous travaille, vous savez.

Patricia accuse le coup et demande :

— Vous n'avez pas essayé de la retrouver ?

— Oh, si ! fait Mrs. Blake. Mais elle était morte, à ce moment-là. Tout ce que je sais d'elle, en fait, c'est qu'elle venait de Belfast — et aussi qu'elle était également infirmière. C'est drôle, hein ? J'étais un bébé de la guerre.

— Nous étions tous des bébés de la guerre, dit mystérieusement Patricia.

★

— Elle ne tient plus que par un fil, chuchote Mrs. Blake.

Et nous observons tous le visage de Bunty avec une étrange intensité. Je ne crois pas avoir jamais autant regardé ma mère que cette nuit, et j'ai de moins en moins l'impression de savoir qui elle est. Patricia, elle, scrute cette étrangère allongée dans le lit avec une curieuse expression de férocité qui n'est pas sans rappeler ce qu'elle était dans son adolescence.

J'avais attendu autre chose du passage de Bunty dans l'au-delà : quelques dernières paroles pleines de sens, quelques perles de sagesse, une ultime confession (« Je ne suis pas ta vraie mère »), mais je dois me rendre à la décevante évidence, à savoir qu'elle ne va rien dire, pas même au revoir.

— Je crois qu'elle est partie, dit doucement Mrs. Blake.

Si nous n'avions pas eu une infirmière avec nous, aucun de nous ne se serait rendu compte que Bunty avait glissé de l'autre côté tant la chose s'était faite en douceur. J'aimerais bien être, à ce moment, le genre de fille à se rouler par terre en déchirant ses vêtements et s'arrachant les cheveux, mais tel n'est pas mon cas — ni celui de Patricia, qui reste clouée sur sa chaise, avec un air de stupéfaction sur le visage, comme si la dernière chose qu'elle avait attendue auprès d'un lit de mort avait été la mort. Adrian s'est mis à pleurer, et la seule qui semble avoir une idée du comportement adéquat en de telles circonstances est Mrs. Blake. Elle tire doucement les draps et passe la main sur le front de Bunty, comme si elle tentait de rassurer un petit enfant qui a peur du noir. Je suis brusquement saisie d'un désir irraisonné de secouer Bunty pour la ramener à la vie et l'obliger à redevenir notre mère mais un peu mieux, cette fois.

— Eh bien, c'est fini, dit Patricia dans le taxi qui nous ramène de l'hôpital. Tu sais, Ruby, nous l'aimions, en réalité.

— Tu crois ? Ce n'est pas ce que j'appellerais aimer.

— Peut-être, mais c'est comme cela.

★

Patricia et moi tenons symboliquement les rubans noirs, tandis qu'on descend le cercueil dans la fosse. Les autres rubans sont tenus par Oncle Ted, Oncle Clifford, Adrian et Lucy-Vida. Le bruit de la première poignée de terre sèche heurtant le couvercle du cercueil me fait tressauter. Il y a quelque chose d'obscur et de primitif dans le fait d'enfouir quelqu'un dans le sol. Je m'attends à moitié à ce que Bunty écarte le couvercle avec colère, se dresse et nous dise :

— Vous devriez faire un peu attention ! On a vite fait d'enterrer quelqu'un vivant comme cela !

Patricia et moi avons longuement discuté sur le point de savoir si Bunty devait être incinérée ou enterrée, et, finalement, peut-être en nous souvenant de l'incendie de la Boutique, nous avons opté pour la deuxième solution. Maintenant, je ne suis plus tellement sûre que nous ayons eu raison. Je ne pense pas qu'elle aurait aimé l'endroit. Si encore il y avait une paire d'anges étendant leurs ailes au-dessus d'elle...

Le service funèbre a été de pure forme. Bunty n'avait pratiquement plus mis les pieds à l'église depuis le moment où elle avait quitté le catéchisme, et en conséquence le pasteur ne fait pas de zèle. Contrairement à ce que nous lui avons dit, il s'obstine à l'appeler Berenice de bout en bout, de sorte que j'ai l'obscur sentiment qu'on s'est trompé de morte.

Ensuite, nous regagnons la maison. Adrian a passé toute la matinée à confectionner des sandwiches, des quiches et un cake aux fruits, et Kathleen, fraîchement divorcée, circule avec des plateaux comme une serveuse, son mascara dégoulinant sur ses joues, car elle ne peut s'arrêter de pleurer. Elle pleure sur son divorce et non sur ma mère, mais plusieurs personnes, ignorant ce détail, la prennent pour une fille éplorée de la défunte. Les vraies filles gardent, de façon presque gênante, l'œil sec.

J'avais pensé que lorsque Bunty mourrait, je me sentirais libérée d'elle, mais je me rends compte maintenant qu'elle sera toujours là, en moi, et je suppose que, dans l'avenir, au moment où je m'y attendrai le moins, je me regarderai dans une glace et y reconnaîtrai son expression, j'ouvrirai la bouche et entendrai ses paroles en sortir.

— Tu sais, Ruby, dit Patricia en triturant du bout de la fourchette une tranche de quiche aux brocolis, on donne aux gens la mère dont ils ont besoin pour une incarnation particulière.

Sur quoi elle hausse légèrement les épaules, car aucune de nous ne peut découvrir en quoi nous avions besoin de Bunty.

— Tu crois à tous ces trucs ? demande Lucy-Vida. Les karmas et tout le reste ?

Nous sommes assises sur les marches de l'escalier, en train de partager une bouteille de vin avec Lucy-Vida.

— Patricia est bouddhiste, dis-je à celle-ci.

— Moi, je me réincarnerai dans un chat, fait-elle alors, en étendant devant elle l'une de ses jambes démesurées et craquant son collant noir.

Lucy-Vida a quatre enfants, mais seul l'aîné est avec elle aujourd'hui. Wayne est un grand et beau gaillard de vingt-cinq ans, arborant fièrement sa tenue militaire. C'est de lui que Lucy-Vida était enceinte lors du mariage de Sandra. Celle-ci a fortement engraissé depuis ce jour et ne cesse d'invectiver Oncle Ted.

— Quelle peau de vache ! remarque gentiment Lucy-Vida.

Oncle Bill est mort, mais Tante Eliza, qui s'apprête à se faire opérer de la hanche, clopine sur deux béquilles, escortée par Wayne, qui lui porte son verre et lui allume ses cigarettes.

— Sacrée bonne femme ! fait admirativement Adrian.

À ma grande déception, Daisy et Rose ne sont pas là. Nul ne les a vues depuis un certain temps. Elles ne se sont jamais mariées et vivent ensemble dans un grand immeuble à Leeds. Selon Tante Gladys, elles ne sortent jamais de chez elles.

— Elles doivent bien sortir de temps en temps, proteste Sandra. Comment feraient-elles pour manger ? (Mais Daisy et Rose n'ont probablement pas besoin de manger.)

— Non, précise Wayne. Maman m'a envoyé les voir l'année dernière. Elles pensent que des extraterrestres leur parlent par l'intermédiaire de la télévision.

Il se tapote le front de l'index et ajoute :

— Foutrement givrées !

Lucy-Vida lui expédie une vigoureuse claque en lui disant :

— Pas de ce langage, Wayne !

Dans la cuisine, Brian, le compagnon d'Adrian, portant les gants de caoutchouc rose de Bunty, fait consciencieusement la vaisselle. Oncle Clifford, qui a retiré son dentier, mange du pâté de porc assis à la table tout en dissertant sur la nécessité de renvoyer les Noirs en Afrique. Brian hoche la tête et sourit, avec l'aimable tolérance de ces gens sachant qu'ils peuvent rentrer chez eux dès qu'ils le veulent et ne plus revenir.

344

— Eh bien, dit Tante Gladys en partant, c'était très réussi. Votre mère aurait apprécié.

— Sûrement pas, fait Patricia après avoir refermé la porte. Elle détestait ce genre de choses.

★

Nous passons les quelques jours suivants à expédier toutes les formalités, mettre la maison en vente, envoyer les papiers d'assurance et emballer les vêtements pour des organisations charitables. Nous nous partageons les quelques souvenirs qui nous paraissent importants. J'ai la photographie de notre arrière-grand-mère — celle qui appartenait à Tom — et le médaillon d'argent. Patricia prend la pendule et — après quelques hésitations — la patte de lapin, qu'elle compte enterrer dans le jardin.

La veille de son départ, nous allons faire une longue promenade dans le centre d'York, à l'ombre de la cathédrale. Il n'y aura plus rien, dorénavant, pour nous ramener dans cette ville, et peut-être n'y reviendrons-nous jamais. Elle nous fait l'impression, maintenant, d'une fausse cité, d'un vaste décor de carton et de contre-plaqué. Les rues, de plus, sont pleines d'étrangers, de guitaristes ambulants, de groupes d'écoliers et d'autocars touristiques.

L'ancienne *via praetoria* romaine s'est muée en centre commercial moderne. Il n'y a plus de Richardson's ni de Hannon's, plus de Walter's et de Bernard's, plus de barbiers, de boulangers ou de verriers. Il n'y a plus qu'un immense magasin de souvenirs pour touristes.

Lentement mais irrésistiblement, nos pas nous entraînent vers la Boutique. Il y a dix ans que Bunty l'a vendue, et maintenant les lieux sont occupés par une luxueuse boutique de confection pour hommes. Des rangées de vestes en Harris tweed sont suspendues là où se trouvaient autrefois les cages à lapins, et un râtelier de cravates en soie a pris la place du Perroquet. Il n'y a plus une planche ni un panneau de verre que nous puissions reconnaître. En haut, dans ce qui était *Au-Dessus de la Boutique,* il y a maintenant un salon de thé aux prix extraordinaires. Après de longues hésitations, nous nous y rendons, Patricia et moi, et nous installons à une table située à l'endroit précis où se trouvait notre poste de télévision.

— Hallucinant, hein ? fait Patricia avec un petit frisson.

En sortant, nous nous attardons assez longtemps au bas de l'escalier, mais nous n'osons ni l'une ni l'autre en toucher la rampe. Le tintement des cuillères contre les soucoupes et le murmure poli de voix étrangères, allemandes, japonaises ou américaines, parviennent jusqu'à nous. Je ferme les yeux. Si je me concentre, je puis distinguer un autre murmure, également étranger mais plus ancien et beaucoup moins courtois — un murmure latin, saxon et franco-normand. Tous mes fantômes sont là, sur le pied de guerre. La maison commence à trembler, comme si un séisme secouait soudain York. La rue elle-même vibre, et, en haut, les tasses tressautent dans leurs soucoupes. Par l'une des fenêtres maintenant ornées de délicats rideaux de dentelle, je vois une armée romaine avancer au pas lent et rythmé des cohortes, venant de la rivière, passant la *porta praetoria* et remontant la rue. Les plumets tremblent sur les casques des centurions, et, en tête des troupes, luit au soleil l'aigle de cuivre de la grande Neuvième Légion Hispana. Peut-être vais-je, si j'observe attentivement, voir où se rend cette troupe, mais, à ce moment, une serveuse laisse tomber un pot à lait et la Neuvième Légion disparaît.

— Ruby, Ruby !

C'est Patricia qui me secoue.

— Ruby, qu'est-ce que tu regardes comme cela ? Viens, il est temps de partir.

Nous nous retrouvons dans la rue, où joue en plein air un quatuor à cordes.

— C'était horrible, dit Patricia. Un salon de thé, tu te rends compte !

Le quatuor à cordes continue à jouer. Les gens qui passent jettent des pièces de monnaie dans la boîte à violon ouverte sur le trottoir. Mais pas nous. Nous, nous fuyons, passant devant St. Helen's, l'église des commerçants, et remontant Blake Street vers les Jardins du Musée, chassées par les fantômes familiers.

L'accès des Jardins du Musée est maintenant gratuit — plus de six pence à verser à l'entrée ! Nous circulons parmi les paons, les écureuils et les touristes qui laissent sur l'herbe les tristes vestiges de leur passage et nous gagnons le chemin qui longe la rivière. Les eaux de l'Ouse sont très basses pour cette période de l'année et l'on distingue toutes les couches de terre et de boue qui ont formé ses rives. Ici, chacun a laissé quelque chose : les tribus sans nom, les Celtes, les Romains, les Vikings, les Saxons, les Normands et tous ceux qui sont venus après eux. Ils ont tous laissé là leurs objets perdus : boutons et éventails, anneaux et glaives, *bullae* et *fibulae*. Un millier, un million, un milliard d'épingles perdues font scintiller la rivière. Un jeu de lumière. Le passé est un placard plein de lumière et tout ce que l'on a à faire, c'est trouver la clé qui en ouvre la porte.

★

Et finalement notre dernière étape : le cimetière. Nous achetons des brassées de fleurs à Newgate Market, et nous remplaçons, sur le monticule de terre encore dépourvu de pierre tombale qui recouvre Bunty, les gerbes fanées par des narcisses tout frais. Nous laissons de grosses tulipes jaunes sur la tombe de Gillian, à quelques travées, mais pour Pearl, nous avons apporté des lys, blancs comme de la neige fraîchement tombée. Comme Gillian, Pearl « repose dans les bras de Jésus ». Patricia et moi sommes d'accord pour estimer que c'est hautement improbable, et que, de toute façon, nous préférons penser qu'elle vit en ce moment une autre vie — peut-être celle de ce rouge-gorge qui vole de tombe en tombe comme nous marchons vers la sortie du cimetière, s'arrêtant de temps à autre pour nous attendre. Une petite brise fait onduler l'herbe et semble pousser plus vite les nuages dans le ciel qui nous surplombe. Patricia lève la tête vers le pâle soleil, de telle sorte que, pendant une seconde, elle paraît presque belle.

— Je ne pense pas que les morts soient perdus pour toujours, dit-elle. Pas toi, Ruby ?

— Rien n'est jamais perdu pour toujours, Patricia. Tout est quelque part. Jusqu'à la dernière épingle.

— La dernière épingle ?

— Crois-moi, Patricia. Je suis allée au bout du monde. Je sais ce qui se passe.

★

Nous nous séparons à la gare d'York, au milieu d'un orage opportunément dramatique. Patricia ne retourne pas directe-

347

ment en Australie. Sa famille et sa clientèle de vétérinaire devront l'attendre. Elle a décidé de partir à la recherche de son enfant perdu, de celui dont elle s'est séparée il y a si longtemps à Clacton. Nous avons compté ensemble les années.

— Tu te rends compte, Patricia, lui dis-je, que tu pourrais être grand-mère sans le savoir ?

Patricia émet alors ce drôle de son que je sais maintenant être un rire. Elle emporte la pendule de notre arrière-grand-mère bien calée par son panda au fond du sac à provisions en faux cuir de Nell. Mais, quand elle arrivera à Melbourne, la pendule se sera définitivement arrêtée.

Elle m'embrasse sur le quai de la gare.

— Le passé, Ruby, c'est ce qu'on laisse derrière soi dans la vie, me dit-elle avec un sourire de lama réincarné.

— Faux, Patricia. Le passé, c'est ce qu'on emporte avec soi.

★

Je rentre chez moi. J'ai été absente trop longtemps. Je regagne les Shetlands, que seule la mer sépare de la calotte glaciaire. J'appartiens par le sang à cette terre lointaine. Je le sais parce que Patricia (si curieux que cela paraisse) a payé quelqu'un pour établir notre arbre généalogique — un vieil arbre touffu qui a mis au jour l'authentique nature écossaise des Lennox. Poussant encore plus loin cette passion généalogique, Patricia s'est mise à écrire aux branches tombées de l'arbre, entrant en correspondance avec Hope, la fille de Tante Betty, à Vancouver, et avec Tina Donner, cousine par alliance, dans le Saskatchewan. Tina est venue l'an dernier en Angleterre et, à York, elle a découvert le nom d'Edmund Donner gravé dans le fameux miroir du bar de Betty, juste à côté des toilettes des dames. Tina Donner est également venue me rendre visite, m'apportant un tirage de la photo d'Ada et d'Albert que Lillian avait emportée au Canada tant d'années auparavant. Cette photo trône maintenant sur mon bureau, et j'aime à la regarder en repensant à ce qui m'unit aux gens qu'elle représente. Les photos prises par M. Armand sont maintenant disséminées de par le monde — chez Hope, chez Tina, chez Patricia. Adrian en a une de Lawrence et Tom avec la petite Lillian, et j'ai celle d'Alice, la femme perdue dans le temps.

Les petites filles brunes, mon Alice et ma Pearl à moi, sont maintenant grandes. Elles sont toutes deux à l'université, l'une à Glasgow et l'autre à Aberdeen, et je vis seule, sur une île où il y a plus d'oiseaux que d'humains.

Pour gagner ma vie, je traduis en italien des ouvrages techniques anglais ; ainsi, mon mariage avec Gian-Carlo Benedetti n'a quand même pas été complètement inutile. J'aime ce travail, méthodique et mystérieux à la fois. Je puis également revendiquer la qualité de poète. Mon premier recueil, publié par un petit éditeur d'Édimbourg, a obtenu de bonnes critiques, et, maintenant, je compte m'atteler à un grand projet : un cycle de poèmes se fondant sur mon arbre généalogique. Il y aura place pour tout le monde : Ada et Albert, Alice et Rachel, Tina Donner et Tessa Blake, et même Jean-Paul Armand et Ena Tetley, Minnie Havis et Mrs. Sievewright. Tous ont place entre nos branches, et qui dira ce qui est réel et ce qui est inventé ? En fin de compte, j'en suis convaincue, les mots sont les seules choses qui puissent construire un monde cohérent.

*

J'ai pris ce train omnibus qui s'arrête partout — Darlington, Durham, Newcastle — cheminant le long de la côte du Northumberland jusqu'à Berwick. Comme nous traversons la Tweed, l'air semble devenir plus léger, le ciel plus pur, et, comme une bouée de signalisation, un arc-en-ciel accueille notre train de l'autre côté de la frontière. Je suis dans un autre pays — le mien. Je suis vivante. Je suis une pierre précieuse. Je suis une goutte de sang. Je suis Ruby Lennox.

# TABLE

Chapitre    I. 1951. Conception . . . . . . . . . . . . . .    11
Annexe    I. *Une idylle campagnarde* . . . . . . . . . . .    29

Chapitre    II. 1952. Naissance . . . . . . . . . . . . . . . .    41
Annexe    II. *Natures mortes* . . . . . . . . . . . . . . .    47

Chapitre    III. 1953. Couronnement . . . . . . . . . . . . .    77
Annexe    III. *La vie continue* . . . . . . . . . . . . . . .    91

Chapitre    IV. 1956. Les noms des choses . . . . . . . . . .    109
Annexe    IV. *Mes beaux oiseaux* . . . . . . . . . . . . . .    123

Chapitre    V. 1958. Interlude . . . . . . . . . . . . . . .    139
Annexe    V. *Voyage de noces* . . . . . . . . . . . . . . .    159

Chapitre    VI. 1959. Des plumes de neige . . . . . . . . .    165
Annexe    VI. *La sortie du catéchisme* . . . . . . . . . . .    181

Chapitre VII. 1960. Au feu ! . . . . . . . . . . . . . . . .    187
Annexe VII. *Zeppelin !* . . . . . . . . . . . . . . . . . . .    203

Chapitre VIII. 1963. Les anneaux de Saturne . . . . . . . .    207
Annexe VIII. *Les bottines neuves* . . . . . . . . . . . . . .    225

Chapitre    IX. 1964. Vacances écossaises . . . . . . . . . .    229
Annexe    IX. *Au royaume des airs et des anges* . . . . . .    247

Chapitre    X. 1966. Un beau mariage . . . . . . . . . . .    257
Annexe    X. *Lillian* . . . . . . . . . . . . . . . . . . . . .    279

Chapitre    XI. 1968. Sagesse . . . . . . . . . . . . . . . .    291
Annexe    XI. *Une vie gâchée* . . . . . . . . . . . . . . . .    313

Chapitre XII. 1970. Union manquée . . . . . . . . . . . .    321
Annexe XII. *1914. Retour au bercail* . . . . . . . . . . .    331

Chapitre XIII. *1992. Rédemption* . . . . . . . . . . . . . .    335

*Achevé d'imprimer sur presse Cameron*
*par **Bussière Camedan Imprimeries***
*à Saint-Amand-Montrond (Cher)*
*en octobre 1996*

N° d'édition : 267. N° d'impression : 4/897
Dépôt légal : juillet 1996

*Imprimé en France*